化石革命

世界を変えた
発見の物語

ダグラス・パーマー 著
小畠郁生 監訳
加藤 珪 訳

朝倉書店

Originally published in English by HarperCollins Publishers Ltd under title:
Fossil Revolution

Text © 2003 Douglas Palmer

Translation © 2005 Asakura Publishig Co. Ltd translated under licence from
HarperCollins Publishers Ltd

The author asserts the moral right to be identified as the author of this work.

まえがき

　化石を見つけ，その科学的な意味を明らかにしていくことは，人間自身や，人間と他の生物との関係についての私たちの観念を根底から一変させる衝撃的な作業だった．神の国につながる階段で，自分は天使のすぐ次の段にいるものと考えていた人間が，やがてチンパンジーも98％以上同じ遺伝子をもち［訳注：この値は従来の推計によるが，最近もっと小さいという研究結果も報告されている．詳細は本文p. 61の訳注参照］，人間と類縁である十数種の動物の1種にすぎないことを知るに至った．次に起こる全地球的ハルマゲドンの際には，細菌や，アリ，ネズミなどが生き残り，人間を上回る速さで勢いを盛り返してくる可能性も十分にある．人間の立場に関する認識のこのような劇的な変化——これを不愉快と感じる人は多く，受け入れがたいとさえ感じる人々もいた——が確立されるには数百年の時間を要し，その間に多くの，しばしば激烈な論争が行われなければならなかった．自分自身に関する私たちの認識の変化が，どうして，どのように起こったかというのがこの本のテーマである．

　過去の生物の遺物である化石は最初，20万年もの昔，私たちの祖先やその類縁のものたちによって岩の中から掘り出された．これらのすでに絶滅してしまった化石コレクターたち——例えばネアンデルタール人——が，それについてどう考えたかは知るよしもない．ただ，彼らがつくった石器には化石を意図的に取り入れたものが見られることから，彼らが化石にある程度の重要性を認めていたことはわかる．化石集めに対する興味や，化石の本質に関する関心はきわめて古いものだが，化石に対する考え方の目立つほどの変化，あるいは特に興味深い変化は，ギリシャ・ローマ時代まで認められない．

　その後，現代に至るまでの3000年の間に，化石とは何か，化石の存在は有史前世界に対する私たちの理解にとって何を意味するかについて人間の認識は根本から変わった．ギリシャ・ローマ世界では，化石は巨人英雄や神話の動物たちの存在を示す証拠と考えられた．それからこれらはまず，聖書に記された世界創造や大洪水の物語を裏づける証拠へと変わった．さらに最近の200年あまりの間

に，これらは科学の革命的進歩によって，ただドラマチックであるだけではなく，はるかに複雑で，はるかに興味深いものとなった．これは生命がどのように多様化し，絶滅によって数を減らされ，それでもまた立ち直り，進化を続けてきたかという物語である．

　私の意図するところは，この発見の年代史的軌跡と，地質学的過去の生物に対する理解についての真実の物語を記すことにある．こういった'石と化した生物'の物語は，40億年近い昔，生命が暖かい水たまりでうごめく小さな微生物にすぎなかったはるかに古い生命にとっての先史時代から，ずっと最近の人類にとっての先史時代や，絶滅した人類の祖先およびその類縁者の発見された時代にまで及ぶ．しかし，この物語の中でさまざまな動物や植物のグループが登場する順序は，それらが生命や進化の生物学的階層の中でどのような位置を占めるかによるのではなく，それらの歴史的発見の順序によっている．ごくふつうに見られる化石や，いちじるしく大きい化石は，常に人目につきやすい．最も古い微生物のような生命の証拠について関心が生まれ，その探求が進められるようになるまでには，生物学の理論がしっかり確立されるのを待たなければならなかった．また，そのようなきわめて小さい化石の研究が行えるようになるためには，適切な実験技術や装置も必要だった．それらがすべて得られるようになったのは，1950年代になってからのことだった．

　すでに200年にわたって熱心に化石探しとその科学的研究が行われてきた現在では，本質的に重要な標本は発見されてしまって，採集されるペースは落ちつつあるのではないかと考える人がいるかもしれない．とんでもない．この数年，ふわふわした羽毛をもつ恐竜や，約5億3000万年前にまでさかのぼる最初期の脊椎動物の祖先など，最も注目すべきいくつかの化石が発見されている．これには大きな理由が2つある．そのひとつは，これまでに知られている化石は，過去に存在していたきわめて多様な生物のうち，1％にもはるかに達しないほんの一部のものにすぎないということだ．過去5億4000万年（46億年にわたる地球の歴史の中で化石が比較的多く見られる期間）の間に数億〜数十億種の生物が存在し，そのうちで化石の形で知られているものは数十万種にすぎない．ごくわずかなパーセンテージの生物——多くは体に何らかの種類の硬い部分をもつもの——しか化石にはならない．それでもまだ，岩の中から掘り出されるのを待っている新しい化石は膨大な数にのぼり，その中には強い興味をそそるものも多いだろう．

もうひとつの理由は，広大な岩層がいまだあまり探査されずに残っていることだ．発見の歴史は主として，大多数の古生物学者が近づきやすい土地に集中している．最初はヨーロッパ，次は北米，オーストラリア，アフリカやアジアの一部など，現在は中国，南米，南極大陸などだ．最近の十年間に中国で発見されたものだけでも，最初の脊椎動物，恐竜や鳥類の進化，初期の顕花植物，ごく初期の哺乳類などに関する私たちの知識に革命をもたらした．

　最後に，先史時代の人類に関する私たちの知見が，まだ発見と理解の初期の段階にあることを忘れてはならない．人類自身の進化について現在わかっていることは，たぶん三葉虫や恐竜のような絶滅した化石動物グループの進化についてわかっていることよりも少ないだろう．

ダグラス・パーマー

目　　次

第1章　石，貝殻，サメの歯──初期の発見 …………………… 1

最初の化石学者──先史時代の化石の発見／　ペロプスの肩甲骨──化石の巨人，現実と神話／　化石の科学的解釈へ／　大プリニウスの化石の絵を描く／　舌石とサメの歯

第2章　絶滅した怪物たち──岩に埋もれたゾウと海生爬虫類 ………… 24

放浪のゾウたち／　北米のゾウ／　化石ゾウに名前をつける／　シベリアのゾウ／　マンモスの特徴と大きさ／　最後のマンモス／　マーストリヒトの怪獣──ナポレオン戦争の戦利品／　怪獣発見／　怪獣の正体／　モササウルスに関する現在の知識／　シー・ドラゴン──深海の泥の中に住むものたち／　アニング一家

第3章　アダム以前の人間──化石人類の考察 ………………… 51

ホモ・ディルヴィイ・テスティス──大洪水の証拠／　大洪水──その前と後／　大きくなる疑問／　カール・リンネ──生命に秩序を与えた賢者／　霊長類／　失われた大洪水の犠牲者／　サフォークのハンドアックス（握斧）／　パヴィランドの「赤い貴婦人」／　フランスで得られた証拠／　ネアンデルタールで見つかった骨／　DNAの法医学的証拠／　最新の研究

第4章　過去を切り分ける──地質学の成立 …………………… 82

「地層のスミス」と地質図の作成／　植物化石の発見／　植物化石をめぐるトラブル／　植物の先史を明らかにする／　恐竜が食べていた植物／　ウェールズ丘陵の境界論争

第5章　恐竜の発見──恐竜から鳥への進化 …………………… 114

プリニー・ムーディと大きな鳥／　エドワード・ヒッチコック氏による砂岩

の鳥／　世界創造――改訂版／　恐竜――イギリスの大発明／　恐竜の発見／　世界最初のテーマパーク／　羽のあるところ，鳥あり／　アルケオプテリクスの類縁関係／　ふわふわの恐竜？／　羽の形成

第6章　岩石や化石の年代を測る――地球と生命の誕生 ……………… 157

放射年代測定／　紀元前4004年ぐらい／　生命はいつごろ生まれたか？／　太古の生命の化石／　太古の生命，アイルランドへ――オルダミア／　さらにカナダへ――エオゾオン／　温かい池で原始生命を探す生物学者たち／　真の先カンブリア時代の生物／　再びカナダの勝利／　燐灰石中の胚――5億7000万年前のもの／　分子時計

第7章　系図を深くさかのぼる――バージェス頁岩と哺乳類 ………… 181

5億3000万年前の生物に背骨を与える／　ピカイア（*Pikaia*）が'虫'の缶づめをあける／　5億2000万年前の生命への窓を開いたウォルコット／　バージェス頁岩の発見／　カンブリア紀の海の世界／　保　存／　中国の祖先／　最初の哺乳類を見つける／　化石哺乳類の同定／　きわめて小さな哺乳類／　夜明けの母

第8章　大昔のDNAを復元する――壊れやすい分子の化石化 ……… 200

琥珀の約束するもの／　探査は今も続く

謝　　　辞 ……………………………………………………………………… 208
監訳者あとがき ………………………………………………………………… 209
参　考　図　書 ………………………………………………………………… 213
索　　　引 ……………………………………………………………………… 217

第1章
石，貝殻，サメの歯
——初期の発見

● 最初の化石学者——先史時代の化石の発見

　化石に対する好奇心は特に人間の特質であるように思われる．チンパンジーやその他の高等類人猿がこのようなものにちょっとでも興味を示すという証拠は認められない．しかし，人間に見られる他の多くの特質と同じように，これについても考えてみるべき興味深い問題がある．「この化石に対する関心はいつ生まれたか」ということだ．それは約20万年前，私たちと同じホモ・サピエンス(*Homo sapiens*) に属する最初の現生人類が進化してきたときだったのだろうか？　それとも，それはもっと早く，ネアンデルタール人や，あるいは200万年以上前に現れたホモ・エレクトス(*Homo erectus*) のような絶滅した人類の祖先とともに始まったのだろうか？　驚くべきことに，考古学的記録である石器の中に，先史時代の人類が化石に関心をもっていたことを示す証拠が認められるのだ．

　化石はふつう石に埋まっている．したがって化石の発見は，理論的には先史時代の祖先たちによる最初の石器の使用と同じくらい古い可能性がある．石器と認められる最も古い道具は250万年前のものが知られ，したがって化石の発見はその時代にまでさかのぼりうる．しかし

チンパンジーの中には石器を使うものもいるが，石の中に見られる化石に興味を示すものがいるようには思われない．化石に注意を向けたのは，石器を使用した私たちの祖先が最初だった．

私は，それはそこまで古いことではなかっただろうと考えている．

その理由は，東アフリカの大地溝帯で発見された最も古い石器が，そのあたりでごく簡単に手に入る，道具つくりに適した材料でつくられていることによる．それらはたいてい硬くて，もろい岩石，一般に火山岩や石英の一種でつくられている．このような岩石には化石を含むものはなく，したがって少なくともこの時代には，石器つくりの過程で化石化した遺物が見つかることはなかっただろう．そのような最初の石器をつくったのが，私たちと同じホモ属（Homo）の人間だったのか，それとももっと血縁関係の遠い種であるアウストラロピテクス（Australopithecus）の仲間たちだったのかについては，今も論争が続いている．それが誰であったにせよ，彼らは最初の地質学者であり，骨を割るのに最もよいハンマーとなるのはどの岩か，動物の死骸を切り分けるのに具合のよいチョッパー（叩き切り包丁）をつくるのに適した岩石はどれかを，試行錯誤によって知っていたにちがいない．

これら太古の石器職人たちがどこに移動したとしても，その石器つくりの技術は彼らとともに広がっていった．今から200万年前ごろ，アフリカを離れた最初

私たち人間の祖先たちは250万年以上前に石器をつくり始めた．最古の石器のいくつかは，ルイス・リーキーおよびメアリー・リーキーによってタンザニアのオルドヴァイ渓谷で発見された．

の石器職人がホモ・エレクトスと呼ばれる人々だったことはわかっている．約180万年前ごろには，彼らは東南アジアにまで達し，170万年前ごろには北方の現在グルジア共和国となっているあたりにまで広がっていた．

　斧，チョッパー，石刃，スクレーパー（皮はぎ）などの基本的な石器類に必要な条件——硬さ，もろさ，加工のしやすさなど——を満たす岩石は，わずかな種類のものに限られる．このような岩石は，常に世界のどこでも手に入るものではない．それはそれぞれの地方の地質条件によって左右され，古代の石器職人たちは新しい土地に移動していくのにともなって，すぐにそのことを知っただろう．理想的な石器の材料は，特に黒曜石と呼ばれる火山性のガラスなどをはじめとする火山岩に多いが，堆積層中にもこれに代わるきわめて重要な石が，場合によってはごくふつうに見られることもある．

　このような岩石のうちで最もよく知られるのがチャートやフリントで，これらはあらゆる年代の地層に広く分布し，例えばカナダのオンタリオ州に見られる21億年前のガンフリント・チャートのような先カンブリア時代のものから，西ヨーロッパのチョーク岩の至るところに広く見られる白亜紀のフリントまである．これらのフリントやチャートは堆積岩中にできるので，常に化石が含まれる可能性がある．そのでき方は複雑だが，基本的には海底の堆積物中でシリカ分に富むゲルから形成されるガラス状の岩石である．このゲルが固化して，さまざまな形の硬くて脆い団塊をつくったのち，まわりの堆積物が岩となる．この団塊はしばしば生物の死骸を核にしてでき，特に海綿類や，ウニ，二枚貝などの殻が核になることが多い．

　石垣に積まれているものや，フリントが散らばる浜辺などで，割れたフリントをよく見る機会があったら，鋭い眼と，ちょっと探してみる気持ちさえあれば，化石が見つかる可能性は十分にある．石器をつくっていた現生人類の親戚たちも，フリントを加工しているときに，しじゅう同じ経験をしていたにちがいない．フリントの加工に膨大な時間を費やしていた彼らが，化石にぶつかったであろうことは間違いない．フリントはちょっと叩くだけで割れて薄片となり，現代のカミソリの刃に負けないくらい鋭い石刃をつくることができる．フリントの石刃がもつ唯一の問題は，鋭い刃がきわめて脆く，一度使ったら捨ててしまうか，可能な場合にはもう一度刃をつけ直さなければならないことだった．

　化石が含まれている岩石は，石器つくりの材料には適さない場合も多い．しか

化石の貝殻が目立つ位置にくるようつくられたフリント製の斧（イギリス・ノーフォーク州）．人間と類縁の斧つくり職人，たぶんネアンデルタール人がつくったものだろう．

し考古学者は，石器の肝心の機能を果たす部分ではないにしても，重要な中心部分に化石を取り入れた美しい石器を多数，特にフランスやイギリスで見つけている．1911年に東イングランド・ノーフォーク州のウェスト・トフツ村で発見された長さ13cmのフリントのハンドアックス（握斧）は，そのみごとな一例だった．団塊の剥片から両面加工のハンドアックスをつくるのに，小さなホタテガイまたはショウジョウガイの殻のまわりを注意深く打ち欠いて，その貝の化石が斧の中心にくるようにつくられている．これはアシュール型と呼ばれるもので，20万年くらい前につくられたと思われる［訳注：一般にはアシュール文化はホモ・エレクトスにより，ムスティエ文化はネアンデルタール人によりつくられたと見なされている．ただし，後者の中には前者の伝統をもつものが含まれる］．

　このような進んだ石器をつくるには，事前の計画立案や製造の中間段階の設定など細かい認識的技能が要求される．製品をつくり始める前に，でき上がった石器はどのような形にするかというイメージが，心の'眼'に見えていなければならない．

　このように高度な道具づくりは遺伝的なものではなくて文化的なものであり，集団内で人から人へ，世代から世代へと伝達されていく．技術のわずかな変異が生じ，それが特定のグループの特徴となる．化石を石器の一部として注意深く取り込んでいくことは，さらに象徴的なレベルの関心や好奇心を示している．化石は'発見された物'（found object）であり，それ自体は製造する必要はないが，それを石器という製造物に取り込んでいく行為は意識的な選択であり，最終製品は'発見された美術作品'（found work of art）に相当するものとなる．これはふつう20世紀の現代美術の出現にともなって生まれた概念だが，この［化石入り石器つくりの］技法は美術発展の最初期のもののひとつであるようにも思われる．

美術品の意識的な製作は，装身具の製造，死者の儀式的埋葬，その他の進歩した文化的行為とともに，ふつうは6万年前ごろホモ・サピエンスがはじめてユーラシアに出現したのにともなって見られるようになる．しかし今では，ほぼ同じ時代にネアンデルタール人の中にも，装飾品をつくったり，儀式とともに死者を埋葬したりした人たちがいたことが知られている．ヨーロッパにおける化石入りの石器つくりは10万年か，ひょっとしたら20万年くらい前までさかのぼると考えてもむりはなく，もしそうだとすれば，そのような石器は，ネアンデルタール人がしばしばいわれているよりももっと高度の認識能力をもっていたことを示す証拠となる．最近南アフリカで，意識的に岩に刻まれた7万7000年前のものと見られる'美術作品'が発見された．初期の現生人類がそこに残したものと思われる．その'作品'は注意深く彫られた交差する多数の斜線でできていて，小さな赤色黄土の塊に菱形の模様をつくっている．これは数を数えるための道具か，象徴的な模様にすぎないかもしれないが，芸術的発展に向かっての新たなワンステップを示すものである．

　先史時代の私たちの祖先たちは，装身具として海の貝殻をよく使っていた．このような例は，私たちと同じホモ・サピエンスに属する4万年も前の初期の現生人類たちの埋葬地で多数発見されており，3万5000年前の後期ネアンデルタール人の埋葬地でもときに見られる．こうした埋葬地のうちには，海岸から数百kmも離れたところに位置するものもある．これらの狩猟採集民が貝殻を集めるだけのためにはるか遠くまで旅をしたとは考えにくく，したがって海の貝殻の存在は，彼らの間で交易が行われていたことを示す強い証拠だと思われる．しかしこ

知られている最古の'美術作品'．7万7000年前，アフリカにいた私たちの祖先が小さな赤色黄土片に彫った菱形模様．

こにひとつ，やっかいな問題がある．貝殻のうちに専門的には半化石と呼ばれる，数万年前，ときには数百万年も前のものが含まれることだ．ヨーロッパ南部では多くの地域で，まだ硬い岩層になっていない古い砂や粘土の堆積層中に，地中に埋まって，圧縮されず，十分に化石化していない保存状態のよい（半化石の）貝殻が見つかる．つまり，内陸部で見つかった半化石の貝殻が，装身具として用いられることもあった．

　私たちの祖先が実際にこのような貝殻のことを何だと考えていたかはわかりようがない．それらを海岸や内陸部で見られる生きた巻貝や二枚貝がもつ殻と，直接結びつけて考えていたかもしれない．しかし歴史時代に入るころには，このつながりははるかにわかりにくくなっていた．海の貝殻がどうして海岸から遠く離れたところや，海面よりも高いところで見られるのか？　何がそれらをそのような場所に運んだのか？　さらにまずいことに，それらの貝殻はしばしば現代の貝殻とはいちじるしく異なる物質でできていた．今では，化石化する過程で貝殻の外観や組成がすっかり変化し，元の貝とは表面的な類似性を保つだけになる場合があることがわかっている．

　さらにそこには，まったく別の種類の化石の発見と関連する，また別の問題があった．その化石は，古代ギリシャ・ローマの古典世界の地中海地域全体に広がる表層堆積層で見つかる大きな骨だった．

● ペロプスの肩甲骨——化石の巨人，現実と神話

　ギリシャ・ローマの古代神話には，巨人，ケンタウロス，その他の怪物たちの話がいっぱい出てくる．いずれも伝説や美術作品の中に生き生きと細かく，その姿が描かれている．それらはすべて空想の物語なのだろうか？　それともその物語の中には，事実を含んでいるものもあるのだろうか？　現在では，氷河時代の地中海地域には多数の大きな，やや空想的な動物たちが住んでいたが，多くは1万年ほど前に死滅してしまったことが知られている．私たち人間の祖先はこれらの動物たちを見ただけでなく，狩りをして多数を倒し，あるいは絶滅にまで追い込んだかもしれない．彼らは3万7000年も昔にさかのぼる彫刻画，彫像，洞穴画などに，その姿を美しく描き出した．ギリシャ・ローマの伝説が，かつてヨーロッパやアジア全域に住んでいたいわゆる氷河時代の大型動物相，マンモスやその他の絶滅したゾウの類縁動物たち，サイ類，大型ネコ類，クマ類の巨大な骨

巨大な顎と頭骨のような外観をもったトロイの怪物．古代ギリシャの壺に描かれたもの．

の発見にインスピレーションを得て生まれたものである可能性はあるのだろうか？

　約6万年前，現生人類がはじめて地中海のエーゲ海地域にやってきたとき，彼らはそれまでアフリカで馴染んできたのとは異なる地質学的環境に置かれることになった．地中海地域の地質学的な歴史はきわめて複雑で，大洋底の拡大とプレートテクトニクスによって

中新世の巨大なキリンの一種サモテリウムの頭骨．トロイの怪物によく似ており，ギリシャのサモス島で発見された．

今なお活発に変化し続けている．アフリカ大陸は北西方向に回転している．その結果，地中海の海底は地球内部に押し込まれ，それにともなって頻繁に地震や火山噴火が起こる．これが何千万年もの間，この地域の特徴となってきた．

　この地質構造の変形で生ずる活動によって，陸地やエーゲ海をはじめとする海底のあちこちの部分が海面下に沈んだり，海面上に隆起して，この地域の多くの沿岸成層岩をつくったりした．19世紀のイギリスの地質学者チャールズ・ライエル（1797-1875）は，有名な著書『地質学原理』の口絵に，ナポリ近郊のポッツォーリにあるローマの円柱の絵を載せている．この円柱には海生生物がうがった穴があり，これらが大地の動きによって海面の下に沈み，その後再び隆起した

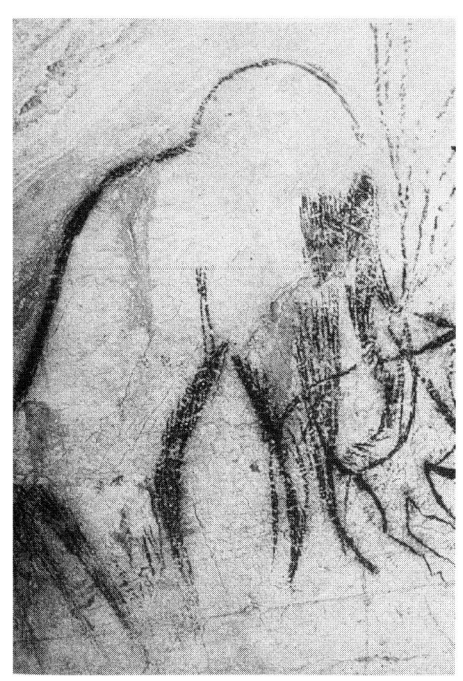

チャールズ・ライエルは，イタリア南部のセラピス神殿の円柱に海生軟体動物が穴をうがっているのに気づき，これは地殻の運動がこの地域に大きな影響を及ぼしてきたことを示す証拠だと考えた．

絶滅したマンモスを描いたフランスの洞穴画．これらの動物が実際にどのような姿をしていたかをきわめて正確に示すスケッチ．

ことを示していた．エーゲ海の地層はもともと陸上または浅い海底で堆積したものも多く，ところどころに貝殻や骨の化石がびっしりと積み重なり，その一部はきわめてよい状態で保存されている．地中海地域には，豊富にある化石に気づかずにいることはむずかしい場所も多い．

　ごく最近まで古生物学史学者たちは，骨の化石について述べている可能性のあるギリシャ・ローマ時代の文献の記述にほとんど注意を払ってこなかったが，初期のギリシャ人が海生の貝殻化石のもつ意味をどのように理解していたかについてはしばしば散発的に言及されている．しかし最近の著述者たちにとってさえ，ギリシャ・ローマ時代の人々が「どういうわけか……恐竜，マンモス，その他の絶滅した脊椎動物の巨大な化石に気づくことがなかった」のはどうしてかが謎となってきた．ふつうこれに対する説明は，「骨が大きすぎて，気がつきようがな

かったか，……または真面目に動物の骨と考えられなかった」というものだ (Serjeant in Currie and Padian, 1997 より引用)．

しばしばくり返されてきた物語のひとつに，エンペドクレスの話がある．ギリシャの哲学者エンペドクレスが，シチリア島の洞穴から発見された化石ゾウの頭骨について研究をしたとされている話である．例えばアメリカの恐竜専門家マイケル・ノヴァチェクは，「紀元前400年の著述の中でエンペドクレスが，地中海地域でよく見られる化石ゾウの頭骨はホメロスのキュクロプス伝説と関連があると考えられることについてどのように記しているか」について述べた（1996年）．この話にはさらに潤色が加えられて，エンペドクレスの発見を最初に広く世界に知らせたのはボッカチオだったといわれることもある．

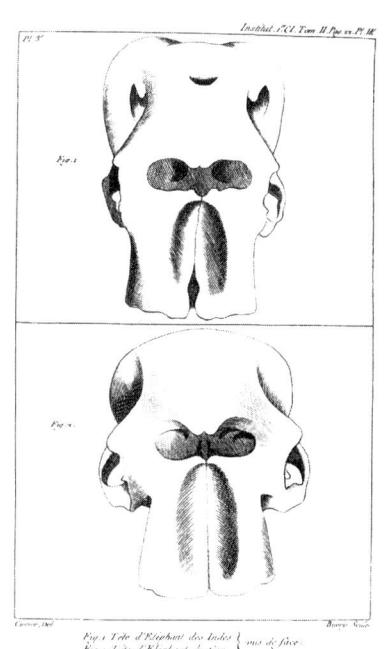

さまざまなゾウの類縁動物の頭骨に見られる中央の鼻孔が，誤ってキュクロプス伝説を裏づける証拠として報告された．

面白いことに，この話はせいぜいオーストリアの古生物学者オテニオ・アベルが主張するに始まったものにすぎない．彼は1914年に，ゾウの頭骨に1個だけ開いている大きな鼻孔を見て，これは大きなひとつ目をもった巨人の眼窩だったのではないかと考え，「エンペドクレスはシチリア島の洞穴でこのような骨が発見されたことを報じて，これが絶滅した巨人の存在を裏づける議論の余地のない証拠だと考えた」と述べている．エンペドクレスがこのような骨を見た可能性はあるにしても，現存する彼の著作物にはそのような記録はない．

アメリカの学者で古典民俗研究者のエイドリエン・メイヤーのおかげで，ギリシャ・ローマ時代の記録に対する私たちの無知は改められてきた．彼女の最近の著書『最初の化石ハンターたち：ギリシャ・ローマ時代の古生物学』は，以前に考えられていたのとはいちじるしく異なる状況を描き出した．彼女は，3000年

この古代エジプトのレリーフは，正体不明の動物の頭をもつセト神を示す．

3000年以上昔の古代エジプト人は化石の骨を集め，亜麻布で包み，それを神殿に置いた．ここに見られるものは現在，イギリスのボルトン市博物館に収蔵されている．

以上前に化石がどの程度まで認識されていたかを明らかにしている．

　1920年代の初期，考古学者のガイ・ブラントンとフリンダース・ピートリはエジプトのカウおよびマトマルにあるセト神殿で，多数積み重ねられた化石を発見した．セト神はしばしば人間に似た体と正体不明の哺乳動物の頭部をもつ姿で表される．化石の骨は黒く，重く，つるつるし，一部は亜麻布に包まれていて，川底を転がり流されてきた化石と思われた．多くは200万から300万年前に生きていた，絶滅したワニ，スイギュウ，イノシシ，カバなどの骨だった．明らかにこれらは何らかの意図をもって集められ，古代エジプトの礼拝者たちはこれに特別な意味合いを与えていた．ただし，彼らがこれを何だと考えていたのか，本当のところは私たちには決してわからないだろう．

　ブラントンはこれらの骨について記載する論文を書きたいとは考えていたが，結局それは実現せず，これに関する記録はすべて永久に失われてしまったと思われる．しかしエイドリエン・メイヤーの優れた探索的調査のおかげで，これらの骨はロンドン自然史博物館の作業室に，元の木箱に詰められたまま放置されているのが見つかった．ブラントンが80年前に約束したように，いつの日かこれらについてきちんとした論文が書かれることが望まれる．

　これと同じころ，青銅器時代のアナトリアで古代トロイ人たちは化石に強い印

象を受けて,トロイの要塞(ヒッサルリク)に化石をひとつ置いた.1870年,ドイツの考古学者ハインリヒ・シュリーマンがトロイの埋葬地を発掘したときこの化石を見つけ,これは1000万年以上昔の絶滅した中新世のクジラの背骨と鑑定された.メイヤーによると,この発見はギリシャの英雄ペロプスの遺骨がもつ魔力についてパウサニアスが書いている物語の真実味を増すものだという.

旅行家パウサニアス(150年ころ)はトロイ戦争(紀元前1260年ころ)について述べ,その中でペロプスの遺骨をトロイにもってくるまでは,ギリシャはこの都市を陥落させることはできないだろうと予言者が予言したと記している.そこで遺骨の肩甲骨が取り寄せられ,確実に勝利が得られた.しかしギリシャへの帰途,嵐のため船が難破して遺骨は失われた.何年ものちに,ダマルメノスという漁師が網にかかった骨を引き上げた.その大きさに驚いて,彼は骨を最初浜辺に埋めたが,のちにデルフォイの神託を受けて,それが誰の骨か,どのように扱うべきかを知った.たまたまそこにはエリスの大使が,ペストを治療するための神託を受けにきていた.デルフォイの女神官は彼に,エリスの人々の治療のためにはペロプスの遺骨が必要だと告げ,ダマルメノスにその骨を大使に渡すよう指示した.ダマルメノスはそれに従い,エリスの人々はそれに対する報酬として彼とその子孫をオリンピアの市民神殿の守護者とした.しかし,ペロプスの肩甲骨はいつか粉々に崩れてしまった.パウサニアスによると,それが長いこと海底にあったためだという.

77年ころ,ローマの博物学者で歴史家の大プリニウス(23-79)は,この肩甲骨はもはやオリンピアに展示されていなかったと述べている.メイヤーがいうように,この骨がマンモス(*Mammuthus primigenius*)や,かつてこの地域に住んでいた別の絶滅ゾウのような氷河時代の大型哺乳類のものであった可能性は十分にある.これらの肩甲骨は長さ1mくらいあるものもあり,しろうとの眼には人間の肩甲骨ときわめてよく似ているように見える.

紀元前7世紀から5世紀に,ギリシャ全土の都市国家が競争で彼らの伝説的英雄の遺物を再発見することに懸命になった.各都市国家は英雄の遺物を所

マンモスの肩甲骨は人間の肩甲骨ときわめてよく似ており,このような骨が巨人の骨と間違えられたことに不思議はない.

有することで得られる特異の魔力によって，自分たちの宗教的，政治的立場を強化したいと考え，偶然の発見が意図的な遺骨探しに拍車をかけた．例えば古代アテネ人は，伝説によるとテセウスが殺されたといわれるスキロス島で彼の遺骨を探し求めた．紀元前476年，アテナイの将軍キモンはこの島を攻め落として，その骨を探した．青銅の刃先をもつ槍や刀とともに大きな骨がいくつか発見され，ただちにキモンの三橈漕船でアテネに送られた．これらが到着すると，それを祝ってアテネの街路では市の中心部の最終埋葬地まで行列が続いた．

ヘロドトス（紀元前430年ころ）からアウグスティヌス（354–430）までのギリシャ・ローマの文献には，巨大な骨についての記述が多数見られる．紀元前200年ころ，伝説を収集したギリシャのアンティオキアの図書館長エウフォリオンは，エーゲ海のサモス島にはネアデスと呼ばれる巨大で，危険な野生動物が住んでいたといわれるようになった理由について述べた．「その動物が唸り声を上げただけで大地が裂け，その巨大な骨は今でもサモス島で展示されている」と記している．ずっとのちの100年ころ，プルタルコスもネアデスの伝説について記し，その骨の一部は，ディオニュソスがサモス島のアマゾンたちと戦うのに使った戦闘用のゾウの遺骨だと述べている．

これがゾウの骨だというプルタルコスの考えは，この化石についての図抜けて古い正確な認識である．サモス島の岩層からは，まさにマストドンの骨が出てくる．エウフォリオンの報告は，1988年にドイツの考古学者らによる発掘で，ヘラ神殿の廃墟できわめて大きなマストドンの大腿骨が掘り出されたことによって裏づけられた．

エイドリエン・メイヤーの研究のおかげで，現代の私たちは，古代以来の人類の世界認識に化石がいかに重要な役割を果たしてきたか——その証拠を得るにはさらに2000年以上を要したにしても——を理解することができる．ギリシャ・ローマ世界の人々にとって化石は，英雄や怪物たちの登場する彼らの神話や伝説の真実性を裏づける証拠のように思われた．しかしさらに私たちが見ていくように，ユダヤ・キリスト教の伝承の出現にともなって，化石には新たな説明能力が付与されていくことになる．

● 化石の科学的解釈へ

現在，私たちが第四紀の氷河時代のものであることを知っている地表の砂，

礫，粘土などの堆積層や，その下にあるもう少し古い第三紀の堆積層中に見られる巨大な化石の骨は，中世にはまだ，ヨーロッパ全土に伝えられた神話，伝説，民間伝承などを裏づけるものとされていた．ギリシャ・ローマ世界の神々は，大多数の人々には知られていなかったり，大勢を占めるキリスト教文化の中に受け入れられなかったりしたため，その解釈は少し変化していた．ケルト族のフィン，スカンジナヴィアのイミル，テュートン族のフルングニル，アングロサクソンのゴグとマゴグなどが，古く，土着信仰的な民間伝承の中でまだきわめて大きな部分を占めていた．そのため，巨大な骨はすべてそれぞれの地方の巨人の骨と考えられた．ある場合には，骨は柩に収められ，教会や神聖な土地に改めて埋葬された．しかしギリシャ・ローマ世界の異教神殿で見られたのと同じように，教会で展示されることもあった．あるいはこれは，異教の迷信を弱めようとする教会の努力の一部であったのかもしれない．

歴史的記録には，このような発見物のいくつかについて，簡単な記述が残されているにすぎない．例えば古代イギリスの年代記編者であるエセックス州コグゾールのラルフは，1171年にある川の堤防が崩れてきわめて巨大な骨が現れ，その骨の主である'人間'は「身長50フィートもあったにちがいない」と推定している．同じように1443年には，ウィーンの聖ステパノ大聖堂の基礎を掘っていた作業員が巨大な大腿骨を見つ

皇帝フリードリヒ3世の言葉と，発見年の1443という文字が彫られたマンモスの大腿骨が，ウィーンの聖ステパノ大聖堂に長年置かれていた．

1678年に博物学者のアタナシウス・キルヒャーは，人類（図の中の最も小さな像，ホモ・オルディナリウス：*Homo ordinarius*）は巨人の子孫として生まれたものと考えた．

石，貝殻，サメの歯——13

け，これも巨人の骨と考えられた．この骨は何年も大聖堂のドアのひとつに鎖で結びつけられていて，これは「巨人のドア」と呼ばれるようになった．

　どちらの例でも，骨がマンモスの大腿骨であったことはほとんど間違いない．もっと降って17世紀になっても，フランス南部で発見された（1613年）骨と歯が，紀元前105年にローマ人に敗北を喫したゲルマン族の巨人王トイトボクスのものとして広く各地で展示された．1984年にフランスの古生物学者レオナール・ジャンビュールは，これらの化石が絶滅したゾウの類縁動物デイノテリウム（*Deinotherium*）のものであることを明らかにした．

　こうした巨大な骨が地表の堆積層からときおり発見されるのに対して，貝殻の化石はある種の軟らかい堆積物の地層や，それよりもずっと古い硬い堆積岩層にはるかに豊富に見られた．

　当然のことながら，貝殻の正体を解釈するのには，しばしばかなりの問題がともなった．化石の貝殻は，現代の海や淡水の二枚貝や巻貝と疑問の余地のないほど似ているものも多いが，まるで形の異なるものもあった．貝殻をつくっている物質が，それと似た現存する貝とは異なることも多かった．明らかに石化し——結晶ができていることも多い——元の物質はまったく見られないこともしばしばあった．

●大プリニウスの化石の絵を描く

　化石に対する関心はきわめて古くからあったが，化石または少なくとも化石だといわれるものの絵がはじめて公に発表されたのは，1557年ころになってからのことだった．それはクリストファー・エンセリウス（元のドイツ語名はエンツェルト）によるザルガイの木版挿図で，フランクフルトの出版社C・エゲノルフから出版された彼の著書『金属性物について』の中に印刷されていた．この絵は明らかにごくふつうのザルガイ類の二枚貝を描いたもので，それはバルト海から地中海に至るヨーロッパの浅い沿岸の海に住むザルガイ科に属する種である．絵に描かれた'化石'は特徴的な太い放射状の肋とその間の細い溝，殻の古い部分に見られる少数のくっきりした成長線，新しい部分に狭い間隔で多数見られる成長線などが描かれている．この絵には放射肋は15本しか描かれていないが，貝殻が少し湾曲しているため全部が見えないようになっている．殻の中心線までに放射肋は11本か12本あるように見えるので，全部で22〜24本となり，これは多

くのザルガイ類の正常範囲内となる.

この絵に見られるただひとつ奇妙な点は,ふつう2枚の殻が接合する蝶番線の一方の側に特異な突起があることだが,これは簡単に説明がつくように思われる.ザルガイ類は他の多くの二枚貝と同じように,内側では筋肉によって,外側では蝶番の後端にある強い有機質の靭帯によって2枚の殻がしっかりと結合されている.筋肉は貝が死んで数日から数週間のうちに腐るか,腐食動物に食べられてしまうが,靭帯はそれよりもはるかに強く,乾燥するといつまでも残ることもある.2枚の殻を離すには,靭帯の部分を引きちぎることが必要だ.

この二枚貝と巻貝の殻は,エンセリウスが1557年にケリドニア (*Chelidonia*) に関する大プリニウスの記述につける挿図として誤って描いたもの.

私は乾燥した靭帯が引きちぎられてできた,このような奇妙な突起のあるザルガイの標本をいくつももっている.この図には,蝶番の反対の端にもわずかなふくらみが示されているが,これは一番前の放射肋の端がわずかに縁状になっているものにすぎない.一見,多少雑な木版画のように思われるかもしれないが,これはザルガイの右側の殻を描いた,一般に考えられている以上に正確な絵といえるだろう.

しかし靭帯について私のいっていることが正しいとすれば,それはこれが化石などではなく,現代の貝であることを意味することになる.突き出している靭帯の破片は,それがいかに強いものであるにしても,自然の海岸の環境で化石になるほど長い間もつはずはなく,エンセリウスが見ることのできたであろうようなルネサンスの珍品コレクションの飾り棚でのみ存続しえたものだろう.エンセリウスはまた,らせん状の腹足類(巻貝)の絵も描いているが,この版画はやや雑で,種を判定するのは前の場合よりもむずかしい.これは殻塔が高く,密に詰まった多数のらせんをもつ.残念なことに,種の判定に役立つかもしれない殻口は描かれていない.まったく装飾をもたないので,これは陸生の巻貝かもしれず,そうだとするとやはりこれが化石かどうかについては疑いがある.

面白いことに,それより3年ほど前,フランスの博物学者ギヨーム・ロンドレがその著書『海産魚の書』に,同じような現代のザルガイの木版画を描いている.リヨンのM・ボノムが1554年に出版したこの本の中で,ロンドレは現存するさまざまな海生動物——主として魚類だが,貝類も若干含む——について記載

し，挿図もつけた．この2つのザルガイの絵の類似性について，有名なスイスの博物学者コンラート・ゲスナー（1516-65）は1565年にチューリッヒで出版された著書『石および宝石の希少な発掘物について』の中で指摘した．実際にゲスナーはエンセリウスの木版画を再録してもいるが，それは彼の考えた化石と見なすことはできない．

　エンセリウスが化石の絵を描いたもともとの目的は，大プリニウスが発表したものの，その説明文がのちのコピーに残っているだけの，はるかに古い化石名に'顔'を与えようとしたにすぎなかった．プリニウスは非凡な自然現象の観察者だった．彼は79年のヴェスヴィオ火山の噴火の際に，猛スピードで流れ落ちる高熱ガス雲（熱雲）に飲み込まれて，悲劇的な死を遂げた．この出来事は彼の甥である小プリニウスが詳しく正確に書き残している．皇帝ティタヌスに捧げられた大プリニウスの偉大な百科事典的著作『博物誌』は，宇宙論に始まり，自然物のリストに終わる37章からなり，このリストには岩石，鉱物，さらにはわれわれが今日化石と考えているものまで含まれる．そこには名前のほかにはごくわずかな記述があるのみで，図はまったく見られない．

　ケリドニア（*Chelidonia*）という名前のところでプリニウスは，これにはケロニア（*Chelonia*）とケロニティス（*Chelonitis*）の2種類があると書いている．前者は「インドのカメの眼」，後者は「カメに似たもの」であり，どちらも未来を予知するのに役立ち，不運を避けるための魔除けとなるという．ケロニア（*Chelonia*）という名前は現存していて，広く分布するアオウミガメの属名として用いられており，このカメは白亜紀前期に化石としてはじめて現れたのち，大いに繁栄し，生存期間の長いカメ類Chelonioidea［大分類名としては使われていない］に属する．

岩石や，鉱物，化石について記述した最も初期の博物学者のひとり大プリニウス．79年に起こったヴェスヴィオ火山の噴火のときに死に，この出来事については彼の甥である小プリニウスが詳しく書き残している．

　エンセリウスは古代人の知恵を再発見するというルネサンスの一般的な考え方を信奉しており，プリニウスがケロニテ

ィスという言葉で意味したのはザルガイだったと考えたのである．故スティーヴン・ジェイ・グールドが晩年のエッセイの中で疑問を投じているように，エンセリウスがいったいどのようにしてプリニウスの記述がザルガイについて述べたものと解釈するに至ったかはミステリーに近い．エンセリウスは自分が絵に描いた貝は，土地の人がホタテガイといっている貝に似たものだと書いているのだからなおさらのことだ．いずれにせよ，ゲスナーの大きな手柄は，まったく異なる書物に示されていた2つの挿図を批評眼をもって比較し，エンセリウスの絵は「ロンドレが '条のある貝' (conchae striatae) と呼んだ種類であり，エンセリウスはこの標本をケロニティスとして提示しているが，これは正しくない」という結論を下している．

　エンセリウスのザルガイが化石ではなく，現代のものであるという私の説が正しければ，本物の化石の絵を最初に描いた人はゲスナーであり，それは1558年だったということになる．ゲスナーはもっとはるかに大部の著作を計画しており，短い『石および宝石の希少な発掘物について』は予備的な小論として考えられたものにすぎなかった．ただ，この本が残されたのは幸運といわなければならない．ゲスナーはペストの犠牲となり，膨大な量の未発表の資料を残したままチューリッヒの家で死んでしまったからだ．

　ゲスナーや彼と同時代の人々にとって，「fossil」という言葉［訳注：ラテン語で「溝」を意味する「fossa」や，「掘り出された」という意味の「fossilis」からきたもの．今ではこれを日本語で「化石」と訳している］は，地中から掘り出されたあらゆる自然物を含んでいた．それには鉱物も，今日私たちが化石と考えるもの，すなわちかつて生きていた生物の遺骸や痕跡も含まれた．まさにこれら初期の研究者たちは，解釈することのきわめてむずかしい発掘物の意味を理解するために苦闘していたのである．化石化の過程が

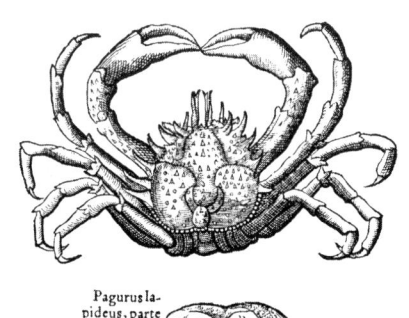

コンラート・ゲスナーが1558年に描いた現代のカニと化石のカニの図は，化石を描いた最初の図のひとつであり，この2つが類似していることを示している．

しばしば，元の生物の遺骸がどのようなものであったかをわかりにくくし，また実際には無機的な起源のものでありながらきわめて有機的に見える物がつくられることもある（火星隕石中の'化石'が近年次々に否定され，今では一般に無機物と考えられているのはその一例）．

　ゲスナーは古典時代についての勉強から，さまざまな化石の名前を疑い，比較して，同じ種類の化石に異なる名前がつけられ，名前がどんどん増えてしまうのを抑えるようにしなければならないことを学んだ．まず，すでに知られているすべての同義語を当ててみるというこのやり方は，その後の分類学に関する研究論文でずっと守られている．最も重要なのは，ゲスナーが正確な同定を心がけたことだった．彼は体系的に化石の図を示した最初の博物学者だった．彼の問題点は，この古い時代には書物に図を印刷するのに，ときには細部を再現することのむずかしい木版画を用いるのがふつうだったことにあった．「言葉で明確に説明することのむずかしい物を，学生にもっと容易にわからせること」が目的だとゲスナーは述べている．1546年に出版されたゲオルク・バウアー（1494–1555，別名アグリコラ）の『化石の本質について』のような初期の著作物は，ただ化石について記述するだけで挿図はなく，したがって自然界に関するこの種の情報を同定し，伝達するのに十分なものではなかった．

　ゲスナーはそれ以前の1551年から1558年にかけて出版された4巻からなる大著『動物誌』の中にも，化石の図を載せていた．1558年の著書には現存するカニとともに化石のカニの図を並べ，「舌石」（glossopetrae）をサメ（その歯が舌石に似ている）の図の横に示した．これらはすべて，彼が明らかにその類似性をはっきりと意識していたことを示すものである．しかし別の類似性については，現代の知識から見れば誤った解釈をしていた．ゲスナーはまた，直接の観察や保存資料——彼の場合はヨハン・ケントマンのコレクションに収められた標本——から得た情報をまとめることにも努めた．ゲスナーの著書は特定の化石コレクションについて言及した最初の本であり，彼は「このような物を研究する他の学徒が，記録に値し，正確な写生に適する石の標本をもっとたくさん私のもとに送ってくることを促したい」と述べている．しかしそれでも，ゲスナーにとって化石はまさに，「輝かしい天なる神の都の建設を思い起こさせるため地に残されたもの」だった．

●舌石とサメの歯

　化石の本質を解明する上で功績のあった最も重要な初期の博物学者のひとりにニールス・ステンセン（1638-86，別名ステノ）がいる．層序学，古生物学，結晶学など，いくつかの地球科学の'始祖'といわれる人である．彼は最初，オランダのライデンで医学を学ぶため1660年に生まれ故郷のコペンハーゲンを離れたが，当時の多くの逍遙学徒たちと同じように，そこからパリへ，さらにフィレンツェへと移り，そこである病院で仕事に就いた．

　解剖の技術に優れていたことから，ステノは'化石'の本質を詳しく研究することになった．同時代のロバート・フックなどと同様，ステノは化石は何らかの「大地に固有の形成力」(plastick virtue) によってつくられたとする考え方に影響を受けた．このような考え方はいぜんとして積極的に主張されており，例えば，多くの著作を残し，名声も高いドイツのイエズス会士アタナシウス・キルヒャー（1602-80）が書いた1664年の『地下の世界』に関する一般向け百科事典などもその一例である．キルヒャーはまた真剣に，ノアの箱船にはどのくらいの数の動物が乗ることができたかを計算しようともしている．

　過去の時代にも，現在も，地中海には休暇を楽しむ人々には望ましくないほど多くのサメが住んでいる．1666年10月，リヴォルノ近郊の漁師たちがそのようなサメの1頭を陸地に引き上げた．この怪物のニュースがステノの雇い主であるトスカナ大公フェルディナンド2世の耳に入り，サメがつかまったのが自分の領地だったことから，彼はその頭をフィレンツェに運ぶよう命じ，それをステノに解剖させることにした．冷蔵する手だてもなかったため，サメの頭がステノのもとに届いたときにはあまり良い状態ではなく，最も腐敗しやすい組織や器官についてはかなりおおざっぱな検査しか行うことができなかった．しかしサメの歯は，私たちの歯と同じように無機質化しており，サメの体のうちで容易には腐敗しない唯一の部分である．サメの'骨'は軟骨でできていて，これは骨のように化石にはならない．「舌石」と呼ばれるサメの歯は，中生代や第三紀の地層ではごくふつうの化石で，特にマルタ島などをはじめ地中海のいくつかの場所ではよく見られる．

　前に述べたように，ゲスナーはすでにこのような化石とサメの歯とを関連づけて見ていたが，ステノはその考えをさらに大きく前進させた．彼は舌石が土や岩石の中でできるという証拠は何もなく，逆にそれらにしばしば腐敗の形跡が見ら

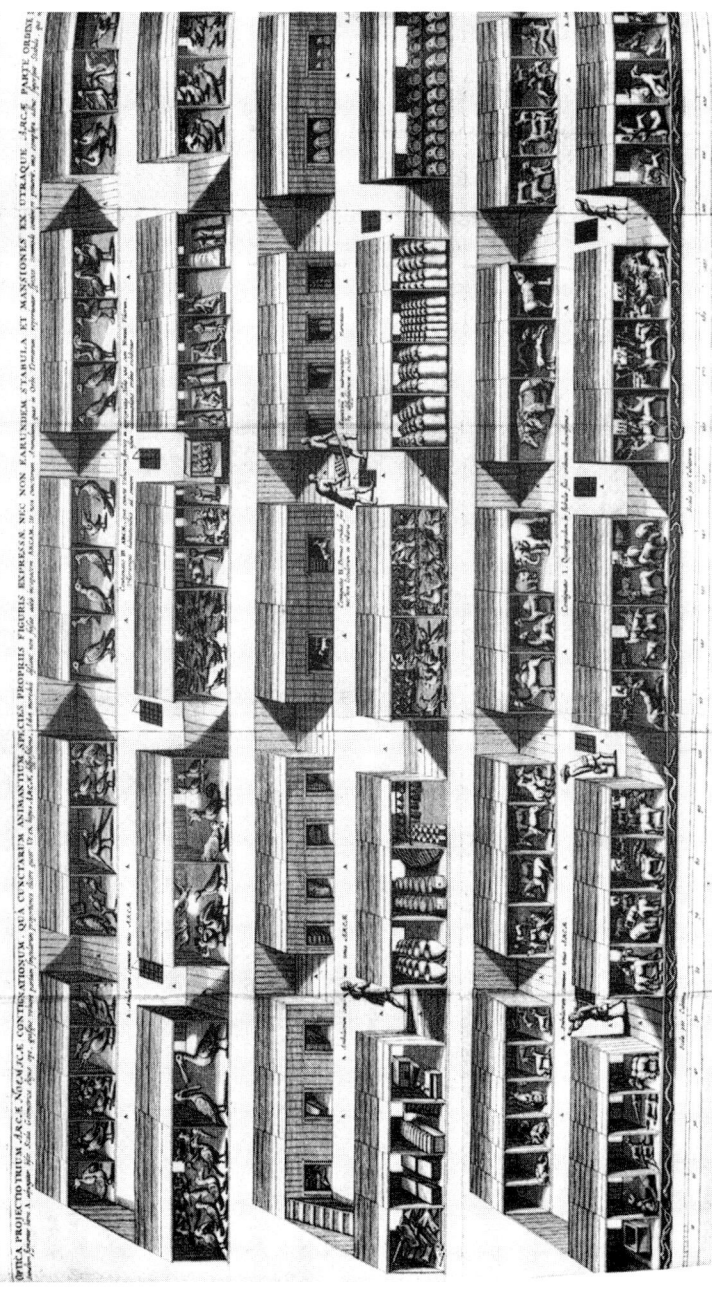

1675年、アタナシウス・キルヒャーは、ノアの家族と、あらゆる動物と、その動物と、その食物を乗せるノアの箱船が、どのようなものでなければならなかったかを絵に描いて示そうとした。

れることを明らかにした．ふつう化石が埋まっている'土'は，舌石が最初にその中に埋まったときには軟らかい状態にあったにちがいない．その軟らかさは，世界創造または大洪水のときに土が水と混ざった結果だろう．したがって舌石が死んだサメからきたものであり，サメの体のうちで腐らない唯一の部分である歯が堆積物の中に埋まったものだという結論に何ら不都合はないと彼は考えた．ステノの詳細な主張は，彼が準備していた筋肉に関する1667年の論文に発表された．

比較をさらにはっきりさせるため，彼は口を開いて顎の歯列を見せたサメの頭部と，ほとんどそれと同じ形をした舌石の化石を並べた版画を載せた．最も重要なのは，それ以前の化石の記述に用

ステノが1667年に描いた，舌石の化石と，乾燥し，多少擬人化した現代のサメの頭部に保存されている歯との比較

いられていたよりも，はるかに近代的な方法で彼の主張を示したことだった．彼は観察可能で，したがって再現可能な事実をあげ，それによって主張を単なる推測と区別した．つまり，関連づけられ，体系立った論拠を提示し，観察から推論を経て結論へと導いたのである．彼は裁判の場にいるかのように事例を示し，舌石が地中でできたとする反論を示すことができるものがいれば，それを提示させた．このような方法をとるとき，ステノは自然哲学（natural philosophy）の方法論の問題点にはっきりと気づいており，こうした主張を提示する方法——当時の数学者も同じような方法を用いていた——を改善したいと考えていたのだ．

ステノはまたトスカナ地方の岩層に関する詳細な研究も行っており，デンマーク国王によって召還されたときには，このテーマに関する大部の著作を計画しているところであった．そこで『自然に固体中に閉じ込められた固体に関する論文』の短い序論を出版することで済ませなければならなかった．1669年に出版されたこの序論の中でステノは，「ある形態をもち，自然の手段によってつくられた物を前にしたとき，自分はその物の中にその生成の位置と方法を示す証拠を見つけることを目指す」と述べている．問題は，当時'化石'と呼ばれていたものの中には有機物も無機物も含まれていたことだった．

ステノは，石英の結晶のような'化石'は実は研究室で実験的につくられるの

と同じように，飽和溶液から沈澱，結晶化してできたものであることを明らかにした．これに対して'化石'の貝殻は殻の中に住んでいた動物の生命にもとづく成長，分泌作用によってできたものであり，したがって岩石中の現在ある場所でできたものではない．

　貝殻の化石が有機物起源のものであるという説に説得力をもたせるため，ステノはそれが海面よりもはるかに高い内陸の岩石中にあることも説明づけなければならなかった．トスカナでの野外研究から彼は，岩層はもともとは砂や，礫や，その中に埋まった貝殻などの水平な層が次々に海底に堆積したものだったと主張した．このことは，海面より高いところに見られる隆起し，傾斜した地層がその後の変化によって生じたものでなければならないことを意味し，地球の歴史の中で起こった一連の出来事を暗示していた．

　ステノは2つの別個の水平な堆積の時代について述べている．下層の古いほうの時代は地球の生命よりも古い時代であり，したがって化石をまったく含んでいない．それよりも後の化石を含む時代は生命創造以降のものだというのだった．それぞれの堆積期の後に下層にある地層のうがたれる時期があり，さらに上にある，若い地層がくぼみ内に崩壊する時期が続いた．はじめて化石や地層が生命の歴史の証拠と考えられたのである．

　『序論』の中でステノは，「地層累重の法則」を明らかにした最初の博物学者のひとりでもあった．これは何層にも重なる地層では常に，最も下の層は最初に堆積したものであり，上にいくにしたがってしだいに新しい層になるというものだ．地層やそこに含まれる化石についてのこの理解が，イギリスの測量技師ウィリアム・スミス（1769-1839），彼と同時代のフランスのジョルジュ・キュヴィエ（1769-1832）やアレクサンドル・ブロニャール（1770-1847）らによってさらに大きく押し進められるのは，さらに100年近くたってからのことだった．この法則はあらゆる環境で適用できるわけではない．プレートテクトニクスや造山運動の作用が，大規模に地層をすっかりひっくり返してしまうこともあるからだ．さらに，火山の火成岩が堆積岩やその他の岩石に貫入して，2つの古い岩層の間に比較的新しい層をつくることもある．

　しかし，新しい化石の発見によってその他の問題も生じてきた．大きな骨は神々や巨人たちの骨と考えてきたそれ以前の解釈が疑わしくなったことである．合理性と啓蒙の時代に，このような空想的な解釈はもはや維持できるものではな

かった．ニュートン（1642-1727）のような自然哲学者は，ステノの用いたような正しい方法論をもって取り組めば，自然界の現象はもはや説明できないものでも，手に負えないものでもないことを明らかにしつつあった．

以下に述べていくように，新しく得られた科学的な方法はある種の解釈の問題を克服し，世界的なものの考え方に徐々に革命的変化を起こし，化石の本当の姿を見ることを可能にしつつあった．しかしその一方で，解釈に新たな困難も生じた．海の貝殻がはるかな内陸部や，ときには山のてっぺんで見つかるのはなぜかについては説明が得られたが，ある種の化石生物，特にゾウやその類縁動物の地理的分布の問題や，種の絶滅という大問題があった．どうして慈愛に満ちた神が，自ら考え，創造し賜うた創造物の絶滅を許すなどということがありえたのだろうか？　問題のひとつは，絶滅は実際に起こったのか，それとも起こらなかったのかを証明することだった．地球上のまだ知られていない地域に，そのような生物が生きているのが見つかる可能性は常にあったからである．

化石はきわめて間違いを生じやすい場合がある．この植物の葉の化石のように見える雌型は，イギリス・チャーンウッド森林の5億8000万年前の岩石中に見つかった何かの印象としかいえない．実際にはウミエラの遺骸かもしれない．

第2章

絶滅した怪物たち
―― 岩に埋もれたゾウと海生爬虫類

●放浪のゾウたち

　ギリシャ・ローマ時代に発見された巨人の骨の多くは，今日ならば現存するゾウ（長鼻類）の類縁動物で今は絶滅したものたちの骨と考えることができる．これらの動物は比較的新しい地質学的過去の時代（4000万年くらい前までの間）には，現在よりもはるかに多様で，数もたくさんいた．中世のヨーロッパ全土や，北米では18世紀に至るまでの間に発見された同じような大きな骨は，まだ巨人の骨と考えられていた．しかしすでに17世紀前期にフランスの解剖学者ジャン・リオランなどの学者たちは，このような骨のうちのあるものはゾウの骨だと主張し始めていた．その説を受け入れる上での問題は，誰でも知っているように暑い気候の土地に住むこれらの動物が，どのようにしてヨーロッパで生きていくことができたのかということだった．それに対して考えられる説明のひとつは，これは大洪水の犠牲になったゾウたちであって，洪水の水によって北方に流されてきたというものだった．

　ゾウがアフリカを出て原始時代のヨーロッパの森にやってきたと想像することはむずかしそうに思われたが，実際にそのようなことが起こったという証拠がしだいに増えていった．1630年に北アフリカのチュニスで，巨大な骨格が発見され，掘り出された．あるフランスの旅行者がその歯を1本手に入れ，それを友人のニコラ・ペールに送った．その後ペールは，たまたま当時のパリで生きているゾウが見世物とされていたようすを記録しており，その歯がチュニスで得られた化石の歯と驚くほどよく似ていたと書いている．発掘された同じような巨大な骨について記録した例は，ほかにもたくさんある．1687年にイタリアで発見されたものは，フィレンツェの博物館に展示されているゾウの骨格ときわめてよく似ていた．ヨーロッパにゾウがいたことは明らかだった．しかし，それがどのようにしてやってきたかはいぜん問題だった．

博物学者たちはその起源を明らかにするため，歴史的な記録を探り，その説明となりそうな事実を見つけた．カルタゴの将軍ハンニバルが紀元前218年のローマ攻撃の際にゾウを連れてきたし，ローマ皇帝クラウディウスも43年のブリタニア侵攻のときにゾウを用いていた．ゾウがヨーロッパに現れたことについては歴史上いくつか先例はあったものの，この説明は完全に満足できるものではなかった．特に，化石の骨は地中深く埋まっていることも多く，それらがもっとはるかに古い時代のものであることを暗示していた．

　ゾウと類縁の遺骨が発見されるもうひとつのきわめて重要な歴史的産出地はシベリアで，中国の商人たちは2000年以上にわたってそこから象牙を買っていた．シベリアの部族民猟師たちはこのような牙について，これは巨大なネズミかモグラに似た動物のもので，それらの動物はこの牙を使って岩のように硬く凍った大地にトンネルを掘るのだと中国人に話していた．17世紀の終わりになっても，好奇心の強い外国人にはいぜんとして同じ説明をした．以下に見ていくように，この一見空想的であるように思われる説明は事実を根拠としたものだった．

　ロシア皇帝ピョートル大帝のもとで働いていたオランダ人外交官エヴェルト・イスブラント・イデスは1692年，中国に向かっていた．シベリアを旅しながら，彼はヤクート，オスチャーク，ツングースなどの部族民に，その地域で取れることのわかっていた美しい白い象牙の正確な起源をたずねた．部族民たちは地下にトンネルを掘って住む「マンムート」という動物のことを話した．「この動物は凍った大地の地表に近づき，空気の匂いを嗅いだり，空気を感じたりすると，即座に死んでしまう．彼らが川岸の高い崖になったところで死んでいるのが見つかるのはそのためで，土手から誤って地表に出てしまうのだ」という．

　イデスはまた，「マンムート」の脚や舌が，北極海に注ぐレナ川のような大河の川岸で今でも見つかるようすを次のように述べている．「春になってこの川の氷が割

18世紀の空想的な絵．マンモスを描いたものと思われるが，かぎ爪とねじれた角をもつ雄牛のように見える．1722年にシベリアを横断したスウェーデンの兵士が描いたとされる．

れると，膨大な量の氷が，ふくれ上がった水の猛烈な力で押し流されて，その前面はしばしばきわめて高い土手のように盛り上がって流れ，丘陵の頂部を押し崩していく．頂部が崩れ落ちた後には，ほとんど土と同じように凍りついたそれらの動物の全身や，ときには歯だけが露出してくる．その'歯'（ここでは牙のことをいっている）はゾウの牙と同じように口の前に突き出している」．

● 北米のゾウ

　さらに問題なのは，ローマの歴史で説明することのできない北米で見られるゾウに似た骨の化石だった．1705年，ニューヨークに近いハドソン河畔のクラヴァラックで巨大な骨と歯が発見された．歯のひとつは2.3 kgあるといわれ，大腿骨は長さが2.1 mあった．マサチューセッツ州知事ジョーゼフ・ダドリーは，有名な哲学者コットン・マザー（1663-1728）にこの発見を知らせた．マザーは有名なロンドンの医師で化石コレクターのジョン・ウッドワード博士（1665-1722）に，この化石について詳しく書き送った．ウッドワードは英国王立協会の特別会員で，協会紀要にマザーの説明の要約を載せ，次のように報告した．「その歯には4本の枝（根）があり，上面は平らで，多少すり減っている．根を下にしてまっすぐに立てたとき，高さは6インチに8分の1欠ける．周囲はほぼ13インチ，重さはトロイ重量で2ポンド4オンスあった」．

　1765年にはさらに巨大な骨が，ケンタッキー州のビッグ・ボーン・リックという場所で発掘された．アイルランドの裕福な交易業者で化石採集を趣味としていたジョージ・クローアンは，「地下5～6フィートのところから……大量のゾウの骨と……長さ6フィート以上の牙も2本……発見した」と日記に記している．彼はその標本のいくつかを，当時ロンドンに住んでいたアメリカの外交官で科学者のベンジャミン・フランクリン（1706-90）に送った．

　フランクリンは興味をかき立てられ，1767年8月5日にクローアンに次のような手紙を書いている．「ゾウの牙と臼歯の箱，ありがとうございました．多くの点できわめて興味深いものです．アメリカのどこでも，生きているゾウを見たヨーロッパ人入植者はひとりもいません……．この牙はアフリカゾウやアジアゾウの牙と一致し，形や組織はそれらに近いものです……．しかし臼歯は違い，小さなこぶがたくさんあって，肉食動物の臼歯に似ています．植物しか食べないゾウの臼歯は，ほとんど滑らかです．しかし，ゾウのような牙をもち，このような臼

歯をもつ動物はほかに知りません」.

これらの観察は正確であり，フランクリンはさらにこの化石の動物と比べて，現代のゾウの地理的，気候的分布が異なることも指摘した．この違いについて彼は，「あたかも太古には大地が別の場所にあり，気候帯が現在とは別の位置にあったかのようだ」と説明づけている．フランクリンは，北米の化石ゾウの歯に重要な相違点を見つけていたのである．それらは現存するゾウとも，ユーラシア大陸のマンモスとも異なっていた．

クローアンはイギリスの科学者ピーター・コリンソンにも標本を送っていた．コリンソンは1767年12月10日，ロンドンの英国王立協会でこの動物の正体について講演を行った．彼はもっと伝統的な説明から離れることができなかった．それは化石のゾウが北米，ヨーロッパ，アジアの寒冷な地域にのみ見られるという特異な分布を示すのは，これらがノアの洪水の激流によって通常の生息地から押し流されてきたためだというものだった．彼の結論はさらに冒険的なもので，北米の歯に見られる変わった特徴は，これらが「まだ知られていない別種のゾウの歯であることを示す」ものだとした．

すでに見てきたように，19世紀半ばに至るまで，岩層中に化石化した生物の遺物が見られるのは，旧約聖書に記されているような大洪水の壊滅的な作用によるとする説明が一般に受け入れられていた．また，もうひとつ一般に信じられている問題があった．慈愛に満ちた神の創造した生物が繁栄できず，絶滅するというようなことが起こるはずがないということだった．18世紀にはまだ探検されていない土地や海がたくさんあり，絶滅したように見える生物たちが，地球上のはるかに遠いどこかで密かに生きている可能性がまだあった．

フランクリンと同じように多くの分野で活躍していた有名なアメリカ人トーマス・ジェファーソン (1743-1826) も，化石ゾウの問題に強く興味を引かれた．彼もゾウとマンモスとを区別したが，北米の化石ゾウに見られる'こぶのある'歯がゾウと近縁の別種の動物のものと考えるには至らず，アメリカの化石はシベリアの化石，つまりマンモスと同種のゾウのものと考えた．また，広大な北米大陸のまだ未知の森林や山岳地帯で生きているマンモスが見つかる可能性はあるとも考えた．大統領になったときジェファーソンは，1804年から1806年にかけて有名な内陸部探検を行ったメリウェザー・ルイスとウィリアム・クラークに，生きているマンモスを探すよう指示した．「現在のわが大陸の内陸部には，このよ

うな巨大な動物たちのために十分なスペースが間違いなくある」とジェファーソンは主張した．残念ながら，彼は間違っていた．北米のマンモスと類縁の動物は，1万2000年ほど前に死に絶えていた．最後のものたちは内陸高地の深い森に隠れていたのではなく，カリフォルニア州沖合のチャンネル諸島に住みついて，3万年前から1万2000年前までここで生き，その間に食物の不足から体が小さくなっていった．

● 化石ゾウに名前をつける

一方，18世紀のドイツ最大の博物学者で化石専門家のひとりであるゲッティンゲン大学のフリードリヒ・ブルーメンバッハ（1752-1840）は，特にヨーロッパの化石ゾウについて研究していた．1799年にブルーメンバッハは，ヨーロッ

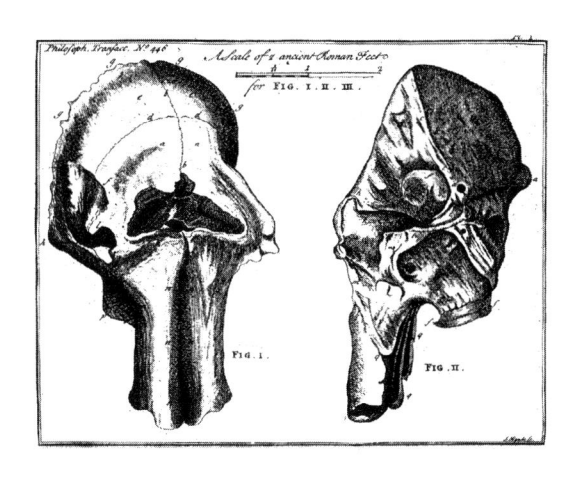

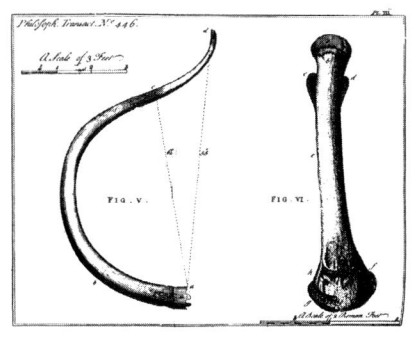

マンモスの骨(頭骨，牙，大腿骨)を描いた古い正確な挿図．ドイツの博物学者ダニエル・メッサーシュミットによるもので，1741年のロンドン英国王立協会哲学紀要に発表された．この絵が刺激となって，1799年のキュヴィエによる現存するゾウとマンモスの比較が行われた．

パの骨は間違いなくゾウのものだが，アフリカゾウやアジアゾウとは明らかに異なり，これは新種と考えられると述べており，エレファス・プリミゲニウス（*Elephas primigenius*）（「最初に生まれたゾウ」を意味する）と名づけた．

同じころ，ジョルジュ・キュヴィエは生物の絶滅の問題と，これらの化石ゾウの正体について考えていた．キュヴィエはパリ周辺の堆積岩層から見つけたさまざまな化石動物について，大洪水によるとする説明が妥当だという意見だった．しかし，化石をさまざまな深さの岩層中に分布させるには，洪水が何回も起こっていなければならないということにも気づいていた．

キュヴィエはゾウの下顎と臼歯の形に特に注意を払った．彼は下顎の形と歯の咀嚼面にある隆起の形を比較して，アフリカゾウとアジアゾウの違いは大きく，種も属も分けるべきものと考えられることを明らかにし，それぞれロキソドンタ・アフリカーナ（*Loxodonta africana*）およびエレファス・マクシムス（*Elephas maximus*）と名づけた．また，化石ゾウは現存するいずれのゾウとも異なり，別種の絶滅種であることを明らかにして，ブルーメンバッハがこれにつけたエレファス・プリミゲニウスという名前を認めた．キュヴィエはさらに，'こぶのある' 歯をもつ北米の化石ゾウを別の属とし，マストドン（「乳房の形をした歯」を意味する）と名づけた．

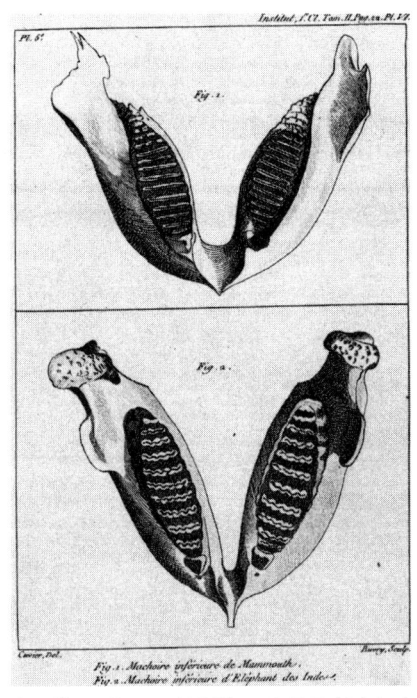

キュヴィエの1799年の図．マンモス（上）とインドゾウ（下）の下顎骨を比較して，はっきりした違いがあることを示したもの．

●シベリアのゾウ

18世紀の終わりごろ，シベリアのツングース族の族長にオシップ・シュマコフという男がいた．彼らにとって化石の象牙は重要な収入源となっており，それ

は現存するゾウの象牙に劣らないほど保存状態のよいものも多かった．何百年にもわたって，象牙交易は渡り歩く商人によって行われていた．象牙の多くはシベリアの産出地からきて，中世のヨーロッパや中央アジア一帯で取引きされていたものと思われる．部族民たちは北極海沿岸のシベリアの永久凍土帯を夏の間流れる河川の岸辺を掘った．しばしば骨や牙，ときには遺骸まで，融けた永久凍土から現れることがあった．迷信深い部族民たちは，このような遺骸は不吉なものと考えたが，それでも象牙の魅力に引かれて，遺体に近づくことをためらう気持ちを抑えて象牙を取った．他の人々が象牙を取るのを防ぐため，この不吉だという話を彼らが広めることもあったかもしれない．

　1799年，マンモスの牙を探していたシュマコフは，氷におおわれた川岸にこのような遺骸が埋まっているのを見つけた．1803年に再びその場所へいってみると，川岸に巨大なマンモスの遺骸が横たわっていた．彼はその地方の象牙商人ローマン・ボルトゥノフにこの話をして，翌年いっしょにその象牙を切り取った．この遺骸に強い印象を受けたボルトゥノフは，その姿を簡単にスケッチした．2年後にヤクーツクを旅したロシアの科学者ミハイル・イワノヴィッチ・アダムスはこのマンモスの話を聞いてボルトゥノフに会い，彼が描いた絵を見せてもらった．

　アダムスも同じように驚き，このようなものを発見したといえば故郷のペテルスブルグで有名になれると考えて，遺骸をできるだけ回収するため現地に出かけた．残念ながら彼が現地に着いたときには，遺骸はすでに他の腐肉食動物に食い荒らされていた．オオカミやキツネが肉をほとんど食べてしまい，ヤクート族の猟師たちも肉を切り取ってイヌたちのえさにしたりしていた．幸い頭骨は無傷だったし，若干の皮膚と，片方の眼と耳も残っていた．体の下側にはもっと多くの皮膚と肉が残り，アダムスはそれらとともに，16.8kgの赤茶けた羊毛状の下毛と，長く，黒く，粗い粗毛を採取することができた．骨格は牙以外はすべてそっくり残っており，きれいな状態で保存されていた牙はボルト

ローマン・ボルトゥノフが1804年に描いたアダムス・マンモス．最初は肉がたくさん残っていたらしいことを示している．

ゥノフから何とか買い戻した。それは長さ3m以上もあった。すべては、アダムスが植物学を教えていたペテルスブルグ科学アカデミーに送られた。

1808年、このりっぱなオスのマンモスの骨格はアカデミーの動物学博物館で再び組み立てられ、眼と耳のまわりの皮膚も元に戻された。アダムス・マンモスと呼ばれるようになったこの標本は、組み立てられ、展示された最初のマンモスだった。その長さ5m、高さ3m以上の体は、200年近くたった今もそこに立っている。この堂々たる動物はたぶん約3万年前、45歳くらいで死んだものと思われる。

ミハイル・アダムスがシベリアで採集した（若干の皮膚や体毛もついていた）この堂々たるマンモスは、1808年にペテルスブルグで組み立てられ、今もそこで展示されている。

アダムス・マンモスの発見は、ゾウの近縁動物がこれほど北方にいたことを証明した。厚い毛の外被によって、彼らは寒さに十分適応していた（フランスの博物学者ビュフォンが以前に推測していたとおりだった）。しかしキュヴィエは、これらの動物がそれほどよく適応していたのならば、なぜ絶滅したのかという疑問を提起した。彼は、太古の世界にくり返し破局的な大変革があったからだと説明した。前進する革命の力によってフランスの旧制度が一掃されたのと同じように、このような化石はキュヴィエに、「われわれ以前の世界の存在は、何らかの種類の破局によって破壊された」ことを証明していた。その破局は、突然の海の氾濫か、突然の温度の低下であり、マンモスの遺骸がしばしば凍った大地に埋まっているのが発見されるのはそれによって説明できると彼は考えた。

● マンモスの特徴と大きさ

　奇妙なことだが，マンモスという名前はいちじるしい巨大さを連想させるにもかかわらず，実際の大きさはせいぜいアフリカゾウくらいのものだった．体高2.75〜3.4m，体重は4〜6トンで，一般に現存するゾウと似た姿をしていた．いくつか重要な違いはあったが，そのうち骨格に認められる違いはそれほど多くはない．マンモスは前肢が後肢よりも長く，したがって背中は傾斜して後ろのほうが低くなっていたのでマンモスの背中に乗るのはむずかしかっただろう．これに比べて，現代のゾウの背骨はずっと水平である．

　マンモスの牙は驚くほど長く，湾曲している．シベリアのコリマ川で発見された牙は，先端から根元まで湾曲に沿って測った長さが4.2m，重さは84kgある．これに比べてアフリカゾウの牙は，最も大きなものでも長さ3m，重さ60kgを超えることはめったにない．メスのマンモスはメスの現生ゾウと同様，一般にオスよりも小さく，牙も小さくて軽い．

　現生ゾウとマンモスの最も明らかな違いは，シベリアやアラスカで凍ったマンモスの遺骸から軟部組織が得られたことによって，はじめてはっきりとわかった．マンモスの最も驚くべき特徴は，部位によっては長さ1mにも達する粗毛か

ウォーターハウス・ホーキンスが描いた第四紀の絶滅動物の図．彼はロンドン南部シドナムの水晶宮で展示するため，これらの動物の実物大模型をつくりたいと考えていた．

らできた長い毛の外被だった．粗毛の下には，長さ2.5〜8cmくらいの短い羊毛状の下毛が密生していた．外被は全体として，現在カナダの北極圏にしか見られないジャコウウシに似ていたと思われる．現存するゾウは，生まれたときには体の大部分が毛でおおわれているが，すぐにほとんどなくなってしまう．

　マンモスの毛は明らかに体の保温のための適応であり，ほかにもいくつか寒さから身を守るための特徴が見られる．皮膚の下には8〜10cmに達する厚い脂肪層をもち，これは現生ゾウには見られないが，寒い海の海生哺乳動物に見られるものと似ている．マンモスは耳が比較的小さく，長さ38cmほどで，アフリカゾウの3分の1くらいにすぎない．尾も短く，椎骨が7〜12個と少ない．また，マンモスの肩の上にはっきりした脂肪のこぶ，頭骨のてっぺんには奇妙な脂肪の頭飾りや長い毛が見られた．外から見えるもうひとつの特徴は鼻の先に，ものをつかむことのできる，指のような長い突起が2つあることで，これはものをかなり細かく扱ったり，食べ物の植物を選り分けたりするのに用いることができる．これに対してアジアゾウは鼻の先に短い突起がひとつしかなく［訳注：アフリカゾウには2つある］，食べ物の植物を引き抜くときには，鼻先全体を丸めてつかむことが多い．

　19世紀に特にフランス南西部やスペイン北部で，氷河時代の動物たちを描いた最初の洞穴画や彫刻画が発見されたとき，マンモスは最も多く描かれていた動物のひとつだった．これらの動物を身近によく知っていた初期の現代人類クロマニヨン人は，マンモスの体に見られる独特の特徴を正確に描いていた．このすばらしい動物が特別な理由も見あたらないのに，1万年前までにほとんど死滅してしまったのには，人類の狩猟活動が一因となった可能性も十分に考えられる．

これまでに発見された最も古い先史時代の美術作品のひとつ．象牙片にマンモスの絵を彫ったもので，フランスのラ・マドレーヌにある有名なクロマニヨン人遺跡から出土した．1860年代，エドゥアール・ラルテ画．

● 最後のマンモス

　マンモスのほとんどがすでに死んでいたが，まだすべてが完全に絶えたわけで

はなかった．1989年，ロシアの地質学者セルゲイ・ヴァルタニアンはシベリアの北200km，北極圏内の北極海に浮かぶ荒涼たる島々を探検し，放射性炭素年代測定法が行えるような保存状態のよいマンモスの骨を探した．ウランゲリ島で彼はツンドラの永久凍土に半ば埋まって横たわっている牙と，歯と，脚の骨を見つけた．そのうちのいくつかはマンモスにしては小さすぎるように見えたが，その骨の時代を測定してみた彼はさらに驚いた．その放射性炭素の示す時代は7380～3730年前，すなわちマンモスが絶滅したと思われていた時代よりもずっと後のものだった．ヴァルタニアンはこれらの骨を同僚であるロシアの古生物学者でマンモス専門家のアンドレイ・V・シェールに見せた．

いくつかの歯の大きさを比べ，その持ち主だった動物の年齢を推定すると，それらは十分成熟したものでも体高は1.8mくらいしかなかったらしいことが示された．通常の成熟したマンモスは3～3.4mくらいあるのがふつうだった．彼らは1993年にこの結果を発表し，氷河時代の氷期に海面が低くなったとき，あるマンモスの集団がウランゲリ島に渡ったと主張した．

その後の海面の上昇によってマンモスは島に取り残され，何世代もの間にしだいに体が縮んでいって，ついには小型のマンモスとなった．このような現象は他のいくつかの島でも報告されており，氷河期以降のフランス沿岸のチャンネル諸島では絶滅した巨大なシカが同じように小型化しているし，地中海のマルタ島やシチリア島などではゾウやカバが小型になっている．

エジプトでピラミッドが建設されていたころ，ウランゲル島にはまだマンモスが生きていたと考えると驚きを感じる．島がきわめて辺鄙なところにあったため，彼らは人間から守られていたが，最後にはこれも死滅していった．食物がなくなったのか，それとも人間によって皆殺されてしまったのかはわからない．ジェファーソン大統領のマンモス探しは，数千年遅かったにすぎなかった．

生きているゾウを代理母として，マンモスのクローンをつくりたいと考えて，何年か前から，凍った遺骸から質のよいマンモスのDNAを採取しようという試みが数多く行われている．誇大な宣伝を行うものは多いが，話題にするに値するような組織はまったく得られていない．さらに，そのプロジェクト自体，方向を誤っており，きわめて複雑なクローンつくりがうまくいったとしても，得られるものはマンモスとはいえないキメラにすぎず，それよりも現在生き残っている数少ないこの大型哺乳類を保護することのほうがはるかに重要だと考える専門家は

1780年，最初の'ジョーズ'発見のようすを脚色、再現したもの．これは絶滅した巨大な海生爬虫類の顎骨で，オランダのマーストリヒト近郊にある地下のチョーク採掘場から発掘された．

1795年にマーストリヒトを包囲したナポレオン軍の目的のひとつは，「大怪獣」の顎骨の化石を手に入れることにあった．彼らはそれに成功し，顎骨はその後ずっとパリにある．

多い．現代のヒツジやその他の動物で行われたクローンつくりでも，その過程には問題がたくさんあることがすでに明らかにされている．

● マーストリヒトの怪獣――ナポレオン戦争の戦利品

　世界で最初に発見され，広く世に知られる海の怪獣は，1780年にオランダのマーストリヒトにあるチョーク（石灰岩）鉱山で掘り出された巨大な頭骨の化石

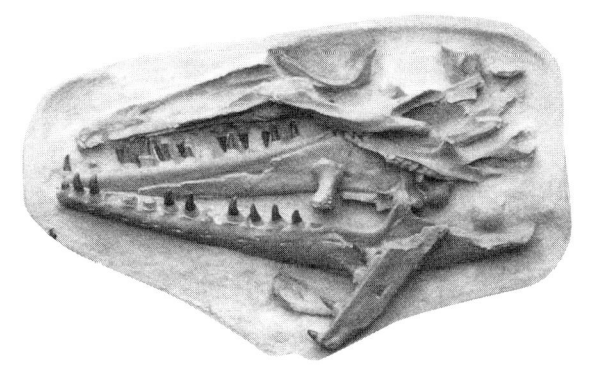

わずかにずれて割れたマーストリヒトの化石の下顎骨（長さ1m）．捕食動物の特徴である円錐形のとがった歯が見られる．

だった．のちに「マーストリヒトの大怪獣」と呼ばれるようになったこの大きな頭骨は，長さ1.6mの顎をもち，そこには恐ろしげに湾曲し，ナイフのような歯がずらりと並んでいた［訳注：肉食恐竜の歯とは違い，ギザギザはない］．18世紀の終わりには，この'ジョーズ'の原型は広く世に知られており，ナポレオン軍に奪われて，戦利品としてパリに運ばれた．この現物は今も，世界最大の科学博物館のひとつであるパリ・ビュフォン通りの国立自然史博物館で見ることができる．オランダは石膏の複製で我慢せざるをえなかった．

　この化石の発見の重要性は計り知れないものだった．その顎はきわめて大きく，当時知られていた他のどの動物ともいちじるしく異なっていたため，すぐに絶滅についての論議の中心となった．今日では，絶滅の問題はもはや議論の余地のないものとなっており，7歳の子どもでも恐竜の絶滅のことを知っている．しかし18世紀には，まさにホットな問題だった．慈愛に満ちた神が，自ら創造し賜うたものを滅びさせ，消滅させるなどということが本当に起こりえたのか――これは大問題だった．

　それ以前にも問題を含んだ化石は発見されていたが，多くは比較的小さなものだった．しかも常に，それらは地球上のどこかに今なお生存している生物の遺骸である可能性があった．海の深みや，世界の広大な森林の深い奥地は，当時はまだ十分に探検されていなかった．それに対して巨大な海の動物たち（サメやクジラ）や大型の陸上動物たち（ゾウ，キリンなど）のことは，18世紀の終わりごろにはヨーロッパの人々にもかなりよく知られていた．マーストリヒトの怪獣のよ

うなものはまったく知られていなかったため，これは神の創造物であるとしても，もはや生きていないものである可能性が高いことは明らかだった．

しかし，この怪獣がこれほど多くの注目を集めたのにはもうひとつ大きな理由があった．これがどのような種類の動物かがわからないことだった．

●怪獣発見

この化石の顎骨はマーストリヒト近郊にあるセント・ピーテル山のチョークの深いところから発見された．軟らかな白いチョーク（石灰岩）は掘りやすく，この町のまわりに見られる低いチョークの丘は何世紀にもわたって大規模に採掘されてきた．掘られた跡には空洞となった通路やホールがたくさん残り，岩を掘り残した柱や壁が天井を支えていた．丘の内部に何kmにもわたって伸びる通路は，あらゆる種類のものを貯蔵するのに用いられ，危険が迫ったときに人々が隠れるのに利用されることもあった．

怪獣の頭骨は1780年にそのような場所で，ある採掘場の入り口から約150m，地下30mのところで見つかった．ドイツの軍医C・K・ホフマン博士がこの発見の噂を聞き，採掘夫たちに金を払って頭骨の含まれている岩をそっくり掘り出させた．

このニュースは急速に広がり，この地方の聖職者で，採掘場の上の土地を所有していたゴダン司教の耳にも入った．ゴダンはこの化石の正当な所有者は自分であると主張し，ホフマンが引き渡しを拒否すると，彼を訴えた．化石の所有権は自分にあるというゴダンの主張は，仲間の聖職者たちの支持を得た．ホフマンは裁判に負けて，化石を引き渡し，運搬の費用まで負担しなければならなかった．

ゴダンは自分の館の敷地内に礼拝所を建てて頭骨を収め，興味のある人々がこれを見られるようにした．その後の数年間，「大怪獣」は当時の学者たちにとって，好奇心と，一度はそれを見に出かける‘巡礼’の対象となり，科学上のセンセーションとなった．当時は戦争が頻繁に起こっていたにもかかわらず，ヨーロッパ全土や，さらにはアメリカ大陸の学者の間でも，かなりの国際的な情報の交流があった．

1795年，侵攻してきたナポレオンの共和国軍はマーストリヒトを防衛していたオーストリア軍を駆逐し，町を包囲した．「大怪獣」はきわめて広く知られていたため，フランスの将軍ピシュグリュは自軍の砲兵に司教館や礼拝堂，有名な

化石には砲撃を加えないよう命じた．「大怪獣」の安全に気を配ったのは純粋に愛他的な理由からだったわけではない．「共和国の栄光をさらに偉大ならしめるため」化石を守ったことは，十分パリにまで伝わることを彼は知っていたのだ．

一方，悪名高いフランス軍の貪欲さを恐れたゴダンは，化石を別の場所に隠しておいた．それを探し出すため，知恵の働くピシュグリュはこの化石に600本のワイン（これも戦利品だったことは間違いない）の懸賞をかけた．すぐに「怪獣」は見つかった．無事に化石を手に入れると，ピシュグリュはただちにそれをパリに送った．いうまでもなく，ジョルジュ・キュヴィエをはじめとするフランスの学者たちは大いに喜んだ．

●怪獣の正体

すぐに博物学者たちは，この頭骨がいろいろな特徴の混じり合った，きわめてわけのわからないものであることを知った．この「大怪獣」が哺乳類なのか，爬虫類なのかさえはっきりしなかった．オランダの博物学者で解剖学者のピーテル・カンペル（1722-89）は，この化石について最初に分析を行った人で，1786年の英国王立協会紀要にその結果を発表した．彼は現代のワニと異なる重要な特徴を指摘し，「怪獣」はクジラだという結論を下した．彼の書いた標徴をきっかけに，特にこれをワニだと考えたフランスの学者との間に，長年にわたる学術論争が始まった．

1799年，パリに送られてきた「大怪獣」を大歓迎したフランスの学者のひとりフォージャ・ド・サン＝フォン（1742-1819）は，これをワニだとする論文を発表した．しかしわずか1年後に，カンペルの息子のアドリアンは（骨の構造をさらに詳細に研究したのち），これは哺乳類のクジラでも，爬虫類のワニでもなく，別の爬虫類であるトカゲだと主張した．これは革命的な結論だった．現代のトカゲの中に泳げるものがいることは知られていたが，これほど大きいもの，これほど完全に海での生活に適応したトカゲは知られていなかったからである．

カンペルの結論は，新しく生まれつつあった比較解剖学という科学にもとづいたものだった．背骨をもつ動物はすべて同じような骨格の基本構造をもつことが知られて以来，特定の骨——例えば腕の骨——が，さまざまな動物のさまざまな生活様式に（例えば，アザラシならば泳ぐために，コウモリならば飛ぶために，イヌならば歩くために）どのように適応していくかを比較してみることができる

(上)フォージャ・ド・サン=フォンがワニとして描いたマーストリヒトの化石の復元図.この結論に対してオランダの博物学者アドリアン・カンペルが反論を加えた.
(下)マーストリヒトの化石のもうひとつの復元図.これはトカゲに似た爬虫類と考えたもの.このほうが真実に近いが,実際は最大で体長17mにも達する海生の(陸生ではなく)動物だった.

ようになった.カンペルはジョルジュ・キュヴィエに手紙を送り,自分の結論を伝えた.

　キュヴィエは「怪獣」はワニであるというサン=フォンの結論が正しいと考えており,最初はアドリアン・カンペルの驚くべき意見を否定した.しかし,明らかにもう一度証拠を調べ直して見なければならないと感じ,再検討してみた結果,渋々ながらではあったが,カンペルの息子の意見に同意しないわけにはいかなかった.これは,キュヴィエが他の博物学者の研究を考慮して自分の意見を変えた数少ない例のひとつである.キュヴィエは自分の方向転換を取り繕おうとして,サン=フォンやカンペルの父親の以前の説を徹底的にこき下ろした.1808年に「大怪獣」にモササウルス(*Mosasaurus*)——「ムース川のトカゲ」を意味する——という名前をつけて,キュヴィエは'自分の'解釈が永久に残ることを確実にした.さらに自分の診断をカンペルよりもさらに進めて,モササウルスはイグアナ類とヴァラヌス類の中間に位置するオオトカゲの一種だと述べた.種の絶滅が起こったという自分の信念を説明するのにもモササウルスを実例として用いた.

　1840年代までにモササウルスの化石はイギリスや北米でも発見され,1874年

にはニュージーランドで記録された最初のモササウルスによって，この海の怪獣が世界的に分布し，きわめて繁栄した最上位の肉食動物だったことが示された．

●モササウルスに関する現在の知識

　モササウルス類は最も印象的で，最も大型の捕食性の海生爬虫類で，体長は17m以上，顎骨の長さは最大で1.9mに達した．すべてが捕食性だったわけではなく，ほとんど半球状の歯をもった種もあり，これは海底の二枚貝やその他の貝類を噛み砕くための適応だった．

　骨の構造を比較した結果，白亜紀後期の海には，異なる深さのところには異なる種類のモササウルス類が住んでいたことが明らかになっている．クリダステス (*Clidastes*) やティロサウルス (*Tylosaurus*) は深海生で，高速で獲物を追う捕食動物だったのに対して，プラテカルプス (*Platecarpus*) は浅海生の，待ち伏せ型捕食動物で，海底にじっとして獲物が通りかかるのを待った．

　これらの最上位肉食動物が全体として凶暴だったことについては，散発的な証拠が化石に残されている．巨大なカメ，アロプレウロン・ホフマニ (*Allopleuron hoffmani*) の甲羅の化石についた歯形や，多数のモササウルス類の顎骨に見られる骨折の治癒した跡は，彼らがかなり見境のない捕食動物だったことを示している．オス同士は，たぶんメスをめぐって，命に関わるような争いをしたように思われる．顎を骨折して生き延びたものがいることは，彼らが現代のワニのように，速やかな回復力をもっていたにちがいないことを示す．

　このように繁栄したグループだったが，モササウルスというグループの生存期間はきわめて短く，2700万年間ほど存続していたにすぎなかった．彼らはまさに盛んに放散していこうという時期にあった6500万年前の白亜紀の終わりに突然姿を消した．第三紀に入ると，恐竜の場合と同じように，海生の哺乳類が速やかに彼らに取って代わった．

　モササウルスの発見は歴史上かなりの重要性をもつ事柄だったが，モササウルスの化石，特に完全な骨格は比較的まれにしか見られないことを考えると，これは幸運な一回限りの大当たりのようなものだった．もっと継続的な重要性をもつのは，19世紀初めにいくつかの異なるグループの海生爬虫類の化石が発見されたことだった．これらの新しい化石は初期に発見されたモササウルスよりもはるかに完全なものであり，深海に住んでいた見慣れぬ太古の怪獣たちに対する科学

者や一般の人々の関心を再び燃え上がらせた．

● シー・ドラゴン──深海の泥の中に住むものたち

　イギリスの解剖学者リチャード・オーウェン (1804-92) が1842年に恐竜というものを考えつくよりもずっと以前，イングランドのジュラ紀層から奇怪な海生爬虫類の骨格化石が発見されたことによって，過去に種の絶滅が起こったという考えがかなりの力を得ることになった．その地層は今では，1億8000万年以上前のものであることがわかっている．これらの驚くべき化石の「シー・ドラゴン」は，一般の人々の想像をかき立て，真の知的関心の的となった最初の絶滅生物のひとつだった．「深海の泥の中に住むものたち」といわれたこの怪獣たちのイメージは，古生物学の大衆化に努めた最初の人々が描いた'中世風'イメージの原型となった．スコットランドの'ネッシー'のような現代の未確認動物ファンが好む怪獣たちが，19世紀初めの「シー・ドラゴン」ときわめてよく似た姿をしているのは，偶然の一致ではないだろう．

　18世紀後期の北ヨーロッパには，はるかな地質学的過去の時代とその時代の生物に対する一般の人々の関心をかき立てるのに適した知的，文化的風土があった．それは主として，これらの発見がどのような方向を取るかを最初に決定づけ

想像力に富んだ中世風怪奇的な絶滅海生爬虫類の再現図．ジョン・マーチンがトーマス・ホーキンスの1840年の著書『大海竜たちの本』のために描いたもの．

たフランス，ドイツ，オランダ，イギリスなどの低地諸国の地質の性質からきたものだった．これらの地域で地表に露出し，最もたやすく近づくことのできる化石含有層はジュラ紀以降のものである．

　海岸断崖や内陸丘陵の石灰岩，砂岩，頁岩は1000年も前から採掘されてきた．ローマ人やノルマン人は石の要塞やその他の公共建造物，さらには中世ヨーロッパの教会，大聖堂，城などを建造した．18世紀後半には，りっぱな建造物のためだけでなく，イギリスの富の増大にともなうもっと一般的な建設のための材料として，岩石の新たな需要が生まれた．主として重要な建築物の正面のみに用いられるきわめて高価な装飾石材ばかりでなく，レンガの使用も増えた．さらに，木材を骨組みとする伝統的な建築法に適する木材の不足がいちじるしくなったことも，粘土からつくられるレンガの製造を促した．大規模なレンガ製造には，それに適した大量の粘土と，木材よりも効率の高い燃料が必要だった．根本的には産業全体の拡大が，産業革命と燃料としての石炭開発を進めることになった．多くの採掘場が開発され，地主たちは自分の所有する原野の下に眠るさまざまな地下資源がすべて価値をもつものであることに気づくようになった．当然の結果として，この採石，採鉱活動は重要な新種の化石が発見されるチャンスを増大させ，何よりも重要なのは，それらの発見物に対する関心が高まったことだった．

　当時採掘されていたヨーロッパ第二紀（現在では中生代と呼ばれる）層は主として海底の堆積物であったため，そこで発見される化石は古代の海に住んでいた生物のものだった．中生代層が恐竜をたくさん含む陸上堆積物でできていたら（北米中西部の多くの地域のように），発見の歴史はいちじるしく異なるものとなっていただろう．そしてこのため，恐竜たちはまだしばらく出番を待たなければならなかった．

　ジュラ系地層がはじめて認識されたのは，ドイツの先駆的探検家で地理学者だったアレクサンダー・フォン・フンボルト（1769-1859）による観察が行われたときにさかのぼる．18世紀の終わりにフランス南東部，スイス西部，イタリア北部一帯のアルプス斜面を歩き回っているとき，フンボルトはジュラ山脈の石灰岩がひとつのはっきりした岩石単位をつくっているように考えられることに気づき，これをジュラ石灰岩と名づけた．しかし，大陸についてジュラ紀という名前がもっと広く用いられるようになったのは1839年になってからのことで，同じくドイツ人の地質学者レオポルト・フォン・ブッフ（1774-1852）がドイツの'ジ

ュラ'地層の全般的記述を発表したことによるものだった.

　イギリスの魚卵状石灰岩やライアス頁岩の露頭は,今日ジュラ系とされる地層に属するもので,ヨークシャー州北部のウィトビー海岸から南へ伸びてリンカーンシャー・ウォルズを通り,南西に向かってコッツウォルズの絵のような田園風景をつくったのち,南のドーセット州海岸に至る.17世紀の博物学者ジョン・レイ(1627-1705)は,この露頭の両端に当たる沿岸部の地層から,奇妙なワニのような石化物が発見されたことを報告した.オックスフォードの学者で,アシュモレアン博物館館長だったエドワード・ルウィド(1660-1709)は,1699年の著書『イギリスの化石物平面図』の中で,海生爬虫類の椎骨の挿図を描いている.この化石はセヴァーン川の川岸に露出した地層から発見されたものと思われ,今ではこの地層は三畳紀の終わりからジュラ紀の初めに堆積したものであることがわかっている.ルウィドはこれらを魚の背骨だと考えており,これをイクチオスポンディリ(Ichthyospondyli)(魚の脊椎)と呼んだ.

　このほかにも18世紀にはイギリスやドイツの露頭で,採石中に単発的な骨の化石や,ときには骨格の一部が発見されたという記録は歴史の中に多数見られ,たまには図書中に描かれた.実際の標本が現在も残っていたり,博物館のコレクションの中に確認できたりするものはあまり多くはなく,歴史上の記録が世に知られている唯一のデータである場合も少なくない.有名なスコットランドの解剖学者ジョン・ハンター(1728-93)が膨大なコレクションを集め,それを1799年に英国政府が1万5000ポンドで買い取った.ロンドンの王立医科大学のハンタリアン博物館はこれによってつくられたもので,リチャード・オーウェンが1854年に編纂したカタログには,海生爬虫類の化石が29点含まれることが示されている.残念なことに,このコレクションの大部分は第二次世界大戦中の1941年に爆撃を受けて壊滅してしまった.

　19世紀の初めには,このような発見物は海生動物の遺骸(「全世界的洪水の疑いようのない証拠,太古の海から新しい世界が浮かび上がってきたことの証拠……」)と考えられるようになっていたが,それらがどのような種類の動物に属するものか,ワニなのか,トカゲなのか,それともクジラなのか,正確なところははっきりしていなかった.この問題は間もなく解明されることになる.

　ヨークシャーやドーセット州の沿岸の断崖は,特に冬の嵐によって絶えず浸食され,岩石中に埋まった化石は割れて下の浜辺に崩れ落ちた.すぐに採集されな

イングランド南部のライム・リージスに近い断崖．アニング家の人々はこの石灰岩や頁岩層から露出した化石を見つけた．

かったものは，やがて波に打ち砕かれて，何のかけらともわかりようのないものになっていった．土地の人々はもともと何か役に立つもの，何か売れそうなものはないか，浜辺を見て歩くことを習慣としていて，これらの奇妙な貝殻や骨のかけらのこともよく知っていた．しかし，この重たくて扱いにくい石化物をわざわざ海岸から集めてくるようになったのは，化石がある程度価値をもつようになる，18世紀後半に入ってからのことだった．このような初期の発見物のうちでもとりわけみごとなものは，露頭の南端に当たるライム・リージスで得られ，ドーセット州のアニングという注目すべき一家の人々が特に数多く見つけていた．

● アニング一家

　1811年から1830年までの間に，アニング家の人々はイングランド南部のこのあたりの海岸断崖をつくっているライアス統石灰岩および頁岩層から，どことなくイルカに似た不思議な骨格を数体見つけ，採集した．家族の父親であるリチャード・アニング（1766-1810）は本職は大工と家具職人だったが，仕事がないことも少なくなかった．妻のメアリー（家族はモリーと呼んでいた）は不安定な収入を補うため，化石を採集しては，しだいに増えつつあった上層階級の旅行客に売っていた．18世紀後期には農業のやり方の変化と農地の囲い込みの結果，イギリスの農村地帯では多数の農民が貧困に苦しむようになっていた．

小さな漁村ライム・リージスは18世紀の終わりにはじめてリゾート地となり，上流階級の人々がさわやかな海の空気を吸い，化石を買うためにそこを訪れるようになった．

　作家ジェーン・オースティン（1775-1817）やその社交仲間のような人々は，海の景色を賛美し，おもむきのある小さな家々，ほとんど理解できない訛の強い言葉で話す住民たちと出会うことを楽しみに，ライム・リージスのような美しい漁村にしばしばやってきた．広大な邸宅の客間に置いたガラスのキャビネットに，珍奇な動植物や鉱物の標本コレクションを飾ることが流行した．標本は洗練された会話を盛り上げるのを助けるため，いつでも取り出すことができるようになっていた．当時の人々の代表的な一例としてフィルポット三姉妹をあげることができる．彼女たちは1806年にはじめてライム・リージスを訪れ，熱心な自然物の標本コレクターとなった．どういう経緯からかフィルポット姉妹はアニング家の娘――厄介なことに娘の名もメアリーだった――と知り合い，彼女を援助した．その後の何年間か，彼女たちは娘のメアリーやその家族から多数の標本を買い取った．最終的には，フィルポット姉妹のみごとな化石コレクションはオックスフォード大学博物館に寄贈された．

　しかし，もっと風変わりな標本に，さらに強い金銭的あるいは学問的関心を向ける別のコレクターたちもいた．そのようなコレクターのひとりだったジェーム

絶滅した怪物たち――45

ハンマーをもって海岸で金目のもの探しをする若い女性．娘のメアリー・アニングと思われる．1825年のリトグラフ．

ズ・ジョンストンは1810年に，ある友人に手紙を書き，「ライム・リージスに家具職人アニングという名前で，売るために採集をしている人がいます．信頼できる男だと思うので，彼を訪ねてみることを勧めます」といっている．また別に，そこから近いチャーマスにいる「ロックという名前のとんだろくでなしに声をかけてみるのもよいでしょう……彼はラム酒かビールの1杯も飲ませれば，手なずけることができ，そうすれば彼が見つけた獲物を真っ先にあなたのところへもってくることはほとんど間違いありません．とにかくこの男の望むとおりにしてやらなければなりません．彼は貧しくて，見つけたものは1時間もたたないうちに売ってしまうでしょうから」とも書いている．

アニング一家には10人も子どもがいたと思われるが，当時は乳児死亡率がきわめて高く，このうち成人したのは椅子の張り替え職人になったジョーゼフ（1796-1849）とメアリー（1799-1847）だけだった．1810年の後半，一家にまたも災難が降りかかった．当時はきわめて多い病気だった結核と，ひどい転倒事故が重なってリチャードが死んだのだ．家族には120ポンドという多額の借金が残され，一家は1816年まで教会の保護のもとに生活しなければならなかった．それでもジョーゼフは1811年にみごとな「シー・ドラゴン」の頭骨の化石を発見し，次の年にはまだわずか12歳だった妹のメアリーがその残りの骨格を見つけた．地元の新聞の記事によると，アニング家が雇った作業員たちは1812年11月にそれを岩の中から掘り出した．

この化石は土地の領主で熱心な化石コレクターだったヘンリー・ヘンリーに23ポンドで売り渡された．彼はそれを見世物師のウィリアム・ブロックに売り，ブロックは自分がつくった施設であるロンドン自然史博物館に陳列した．博物学は当時の流行で，人々は喜んで金を払って自然界の新たな驚くべき発見物を見に出かけた．この化石について，ジョン・ハンターの義兄弟に当たるエヴァラード・ホーム卿が1814年に記述し，図も描いている．ホームはその顎にワニに似

た特徴がいくつか見られることに気づいたが，これは魚と類縁関係にあるという結論を下した．ブロックのコレクションが1819年に大英博物館に売り渡されたとき，この化石には47ポンド5シリングという値がつけられ，これは当時としては大変な値段だった．現在この化石はロンドン自然史博物館の最高の宝となっている．

　さらに質のよい'トカゲ類'の化石もたくさん発見された．中でもすばらしい魚竜は1819年に100ポンドで売れ，アニング一家の名前は学者やコレクターの間に知れ渡った．メアリーはおそらくほとんど学校には行っていなかったと思われるが，必要に迫られて読み書きを学び，興味をもちそうな人に発見のニュースを手紙で知らせることができた．ライム・リージスはまだほとんど人に知られておらず，ロンドンから馬や馬車で長い旅をしなければならなかった．メアリーの客の多くは教育のある紳士階級の人々で，現在残っている手紙を見ると，彼女が単なる化石探しをはるかに超えた能力をもっていたことがわかる．彼女は手紙を交換し，科学的な細かい問題について話し合っている．

　最もすばらしく，興味深い標本はアダム・セジウィック（1785-1873）やウィリアム・バックランド（1784-1856）といった'オックスブリッジ'の学者たちのもとに送られ，彼らはそれを用いて地質学的な過去の時代の生物について考えを発展させていった．ヘンリー・デ・ラ・ビーチ（1796-1855：1848年にナイト爵位を授与され，地質調査所の初代所長になった），ウィリアム・バックランド（オックスフォード大学の最初の地質学教授），ルイ・アガシ（1807-73：有名なスイスの地質学者，特に化石魚類に興味をもっていた）などの多くの科学者や，さらにはザクセン王までメアリーの最新の発見物を見たり，化石の話をしたりするため，彼女の小さな店を訪れたことが確かな記録に残されている．こうした人々の中で，彼女の解剖学の知識，特に海生爬虫類に関する知識について述べている人も少なくなく，彼女はバックランド教授のような人々とも何ら臆することなく，細かい解釈について堂々と論じ合った．

　彼女の最高の発見物のひとつは，1823年に見つけた体長3mに達する完全な首長竜の化石だった．ヘンリー・デ・ラ・ビーチとウィリアム・コニベア師（1787-1857）はそれ以前に，魚竜のものと考えられていたある種の骨が，実はまったく別種の爬虫類の骨であることに気づいていた．彼らはこの推定上の動物をプレシオサウルス（*Plesiosaurus*）（ギリシャ語で「トカゲに近いもの」という意味．日

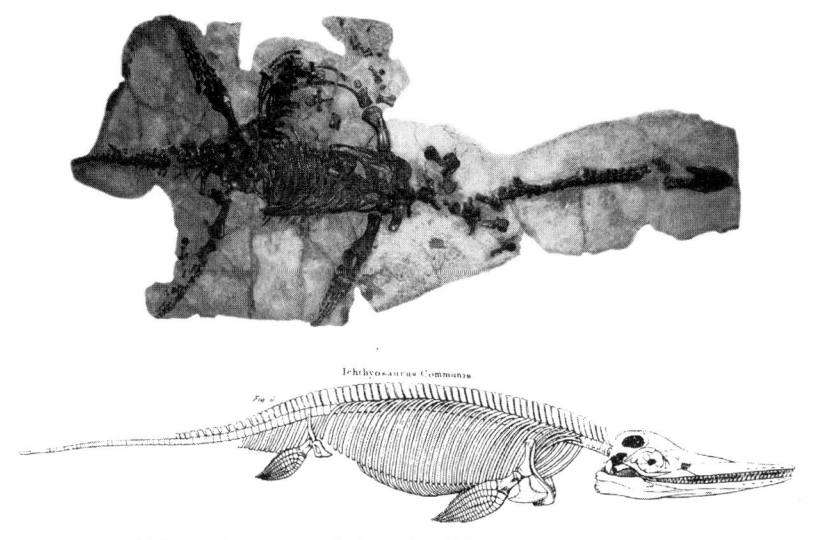

（上）メアリー・アニングが1823年に発見した長さ3mの完全な首長竜の化石．現在はロンドン自然史博物館にある．
（下）ウィリアム・コニベア師が1824年に描いたジュラ紀の魚竜「シー・ドラゴン」の復元図．ここでは末端の尾椎がまっすぐに伸びているが，実際には尾椎は下方に曲がって尾ひれの下半部に入っていた．

本語名，首長竜）と名づけたが，その承認については他の学者たちから異議が出された．メアリーがその完全な骨格を発見して，彼らの推定が正しかったことを証明すると，デ・ラ・ビーチとコニベアは大いに喜んだ．

　翌年コニベアはその新しい化石について論文を書き，それがひれを使って，ちょっとカメのようにゆっくりと泳ぐ海生爬虫類だったという，正しい結論を下した．その長く柔軟な首はすばやく曲がり，通りかかる獲物をぱくりと捕らえることで，頭の小ささと顎の弱さを補っていたと彼は考えた．彼もまた，自然科学に熱中した当時の多くの聖職者と同じ立場を取っていた．ダーウィン以前のこの時代にあって，コニベアは首長竜の体が爬虫類の標準的な形からいちじるしくはずれているのは，創造主による完全で，意図されたデザインの実例となるものと考えた．これは「神の創造のみごとな秩序正しさと多様さ」を例証するものだった．コニベアや彼の仲間の聖職者たちは，自分たちが人類のより一層の啓発のため，神の業を研究し，明らかにしているのだと考え，良心に一点の曇りもなく，

自らの興味の対象を追求することができた．

　メアリー・アニングの社会的地位や，彼女が女性であることが，急速に専門的なものとなりつつあり，大学教育を受けた中産階級の男たちに独占されていた，19世紀の発展する科学の世界に彼女が入っていくことを妨げた．メアリーは一度も結婚せず，ある紳士階級の男性との悲劇的な恋愛もいろいろと推測された（シェイラ・コールの1993年の小説『断崖のドラゴン』や，ジョン・ファウルズの1969年の『フランス軍中尉の女』のテーマとなった）が，はっきりした証拠は見られない．彼女は少なくとも完全な魚竜を3体（1818年，1821年，1830年），首長竜を2体（1823年，1830年），墨袋まで化石となって保存された頭足類のベレムノセピア（*Belemnosepia*）を1体，イギリスで最初の翼竜類であるディモルフォドン（*Dimorphodon*）（1828年），化石の軟骨魚スクアロラジャ（*Squaloraja*）（1828年），その他多数の無脊椎動物の殻などを発見している．メアリー・アニングはライアス頁岩に珍しくない燐酸化した化石魚類や爬虫類の糞の存在に気づいた最初の人間だったかもしれない．彼女の観察が，それと認められないまま，バックランドやその他の人々が書いた科学書や論文にどれほどたくさん取り入れられているかは議論の余地のあるところだろう．しかし彼女が，自分の知識が不当に利用されたと感じていたことは間違いない．

　最近まで，博物館に収められている化石のうち，彼女の発見したことがはっきり認められているものはごくわずかだった．博物館の学芸員が収蔵標本の来歴や由来に強い関心をもつようになった現在，やっと彼女の発見が正しく認められるようになりつつある．彼女の発見物を購入した5つの最も重要な研究施設のうちで，標本について彼女自身の残した直接的な記録をもっているのはオックスフォード大学博物館だけで，その標本は糞石ただ1個だけである．ここ数年にわたってメアリーの手紙を探した結果，ケンブリッジ大学のセジウィック博物館が彼女の見つけた魚竜の標本を数点保有していることも明らかにされている．

　彼女の後半生は悲しいものだった．世間全般の化石に対する関心が衰えて，彼女がすばらしい化石を発見することもなくなり，収入は減った．彼女は乳癌になり，海岸で宝探しをするきつい生活を諦めなければならなかった．幸い知り合いの紳士たちは，彼らがどれだけ彼女に世話になったかをすっかり忘れてはいなかった．彼女を助けようという声があがり，1835年に英国科学振興協会の会合で個人寄付金が200ポンド集められた．バックランドは総理大臣のメルボーン卿を

ジュラ紀の海の風景を描いた1843年の復元図．空を飛ぶ翼竜からウミユリや海底のその他の貝類まで，さまざまな化石生物が見られる．陸上にはカメやワニ，ソテツやトクサなどの植物が描かれている．

説得して1838年にこれに300ポンドを加え，それで25ポンドの年金が得られるようにした．彼女は1847年に48歳で死んだ．彼女のことをいっているとも思われる最も有名な詩句に，有名な次のような早口言葉がある．

> She sells seashells on the seashore
> The shells she sells are seashells, I'm sure
> For if she sells seashells on the seashore
> Then I'm sure she sells seashore shells.

第3章
アダム以前の人間
――化石人類の考察

● ホモ・ディルヴィイ・テスティス――大洪水の証拠

　これまで見てきたように，18世紀初めまでに発見されて，人間と関係があるのではないかと思われたごく少数の骨は，人間以外の動物，特にゾウと類縁の化石動物の骨であることがわかった．しかし，人間の化石が欠落しているように見えるのは何となく不思議なことと思われた．ユダヤ・キリスト教の伝統の中で一般に受け入れられている世界観によると，世界創造の歴史とその後の大洪水ははっきりと記述され，歴史的事実として受け入れられていた．罪人（つみびと）である人間たちと，箱船に乗せてもらえず救われることのなかったその他の動物たちは，すべて溺れ死んだ．このことが自然や化石の存在を歴史的に説明するものであるとすれば，当然化石の中に罪人の人間たちの骨も含まれていなければならないはずだ．では，どうしてそれが見つからないのだろうか？

　過去三千年紀のほとんどの期間，ユダヤ・キリスト教の時代よりもさらに長期にわたって，司祭たちは読み書きの能力をもたない信徒に聖書の話を口頭で語り伝えてきた．中世以降，キリスト教会は彫刻，ステンドグラス，飾彩写本など，さまざまな手段によって，その物語を絵にして見せたが，飾彩写本を見ることのできるのはごく少数の人に限られた．読み書きの能力が向上し，書物を安く複製する手段が発達するまでは，もっと広い範囲の読者がこれらの文章や挿絵に接することは不可能だった．

　世界創造の物語を書いた最もみごとな初期の飾彩本のひとつに，スイスの博物学者ヨハン・ヤーコブ・ショイヒツァー（1672-1733）が出版したものがある．彼はチューリヒで医者としての教育を受け，18世紀初期のヨーロッパで最も大きな化石のコレクションをつくり上げた．ショイヒツァーはアルプス地方を広く旅して歩き，スイスの自然史について広範に著作を著した．当時の多くの博物学者たちと同じく，彼も化石は大洪水の遺物であり，その出来事が歴史上の事実で

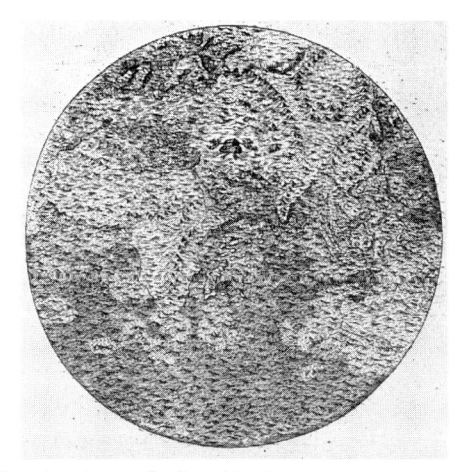

(左）有名なスイスの博物学者ヨハン・ヤーコブ・ショイヒツァーは1731年の著書『神聖自然学』の中で，創世の証拠としていくつかの標本の図を示した．
(右）トーマス・バーネットが1684年に示した大洪水のときの地球のようす．ノアの箱船がアララト山に漂着しつつある．

あることを示す証拠となるものであることを固く信じていた．彼の1709年の著書『大洪水の植物標本集』は，大洪水の犠牲となったものと彼が考えた広くさまざまな化石植物を描いている．

　大洪水の遺物の中に人間の化石が見られないことを不思議に感じたショイヒツァーは，コンスタンス湖（ボーデン湖）畔のエーニンゲンで石版用石材を採掘している岩層から発見された，長さ1.2mの人間のもののように見える化石を取り上げた．1725年，彼はこの化石骨格をホモ・ディルヴィイ・テスティス（*Homo diluvii testis*）――「大洪水と神の使者の証人」を意味する――として記述し，挿図も示した．ショイヒツァーにとって，この骨格は「水に呑み込まれなければならなかった呪われた種族のきわめてまれな遺物」だった．すべてきめの細かい泥質石灰岩の地層中で押しつぶされて，平たくなった頭骨，背骨，四肢の各部を示すもののように思われた．これは人間と近縁と思われる動物の，最初に発見された化石だった．

　1731～33年にショイヒツァーは，最後で最大の著作であるラテン語，ドイツ語，フランス語で書かれた『神聖自然学』を出版し，これは教養世界に広く知ら

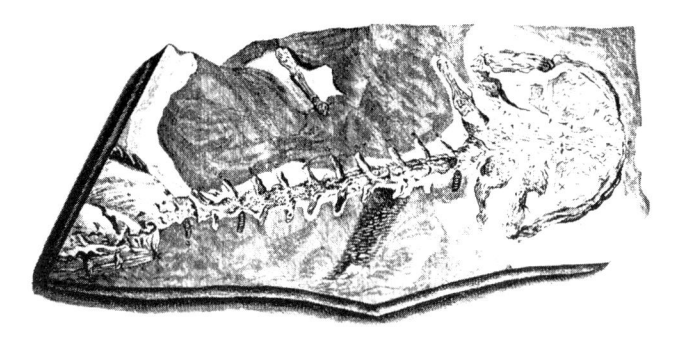

ショイヒツァーによれば、1725年に発見されたこの化石は、「かの悪名高い人間たち（ホモ・ディルヴィイ・テスティス）のひとりの骨格であり、この人間たちの罪のために世界に大洪水という恐るべき不運がもたらされた」という．

れるようになった．聖書の物語に750点にのぼる全ページ大の銅版画がつけられ，その大多数は1611年の欽定訳聖書で語られる創世記から黙示録に至る歴史を描いたものだった．これは学問的聖書批判におけるルネサンス以前のことだったため，ショイヒツァーの著作は聖書の物語をおおむね文字どおりに解釈したものであり，最初の混沌から完全な人間の世界に至るまでを，細かく一連の絵によって示した．

旧約聖書創世記第1章1～31節は，一連の出来事が次々に起こったことを記している．第1日には光と闇，第2日には天と水がつくられた．第3日には乾いた土がつくられて「地」と呼ばれ，「水は一カ所に集まって」海がつくられた．神はまたいわれた（第11節）．「地は青草と，種をもつ草と，種類にしたがって種のある実を結ぶ果樹とを地の上にはえさせよ」と．

ショイヒツァーはこのシーンを次のように書いている．「この第3日にわれわれは地表が隆起し，水が丘の斜面を流れ下るのを見る……しかし地はまだはだかで一様であり，彩りある飾りは何ひとつなく，なにがしかの恐れを引き起こしさえする汚い色のみが見られる．しかしこの沈泥は豊かな苗床だった．この泥水は同時にはらみ，育てることができた．地は肥沃であり，あらゆる種類の植物がそこに育つことができた．そして一瞬のうちに美しい緑が広がり，地をさまざまな色に彩った．しかしそれでも，地みずからはすべてをつくり出す力をもっていなかった」．

（左）ショイヒツァーは1731年の著書『神聖自然学』の中で最初の図説創世記を書いた．それによると，第3日には乾いた地がつくられ，水が集められて海ができた．
（右）第3日はさらに続き，古いヤシの木以外はきわめてヨーロッパ風の被子植物がつくり出された．ジュラ紀後期まで，被子植物の化石は保存されていない．

　ショイヒツァーの考え方は，18世紀初めにはごく一般的なものであり，岩だらけの不毛の山々は忌まわしいものであり，美は青々とした豊饒の低地にあると考えられた．神の与え賜うた種をもつ植物の重要性を強調するため，ショイヒツァーは彼の絵を，胚芽から収穫期を迎えた麦の穂に至るまでの小麦の生育を詳細，精緻に描いた一連の絵によって構成している．

　第4日は，昼のための日光と夜のための星の光がつくり出された．続く第5日に神はいわれた（第20節）．「水は生き物の群れで満ち，鳥は地の上，天のおおぞらを飛べ」と．さらに神は，「海の大いなる獣と，水に群がるすべての動く生き物とを種類にしたがって創造し，またあらゆる種類の鳥たちを創造された」．ここでショイヒツァーは苦心しながら，「魚は……いずれにしても水そのものの力によってつくられたものではない．水が与えたものは場所だけであり，構成は神の業だった」ことを指摘する．2枚の絵が，魚とクジラとトビウオと，別個にさまざまな貝類を示し，当時の博物学者が明らかにした自然を描いている．

　世界創造の最後の第6日に，神は「地は生き物を種類にしたがっていだせ．家

(左) 第5日には, 魚 (哺乳類のクジラも含む) や鳥たちがつくられた. ショイヒツァーの絵には, 品物のそろった地中海地方の魚市場ならどこでも見られるような魚が描かれている.
(右) 第5日には, 貝類もつくられた. 現代の二枚貝や巻貝の正確な絵は, 実物の観察によってではなく, コレクションにもとづいたものである.

畜と, 這うものと, 地の獣とを種類にしたがっていだせ」といわれた (第24節). さらに「われわれのかたちに, われわれにかたどって人を造り, これに海の魚と, 空の鳥と, 家畜と, 地のすべての獣と, 地のすべての這うものとを治めさせよう. ……生めよ, ふえよ, 地に満ちよ, 地を従わせよ. また海の魚と空の鳥と, 地に動くすべての生き物とを治めさせよ. ……私は種をもつすべての草をあなたがたに与える. これはあなたがたの食物となるであろう. また地のすべての獣, 空のすべての鳥, 地に這うすべてのもの, すなわち命あるものには, 食物としてすべての青草を与える」といわれた.

ショイヒツァーは次のように述べる.「第6日の作業, すなわち鳥, 魚, 昆虫たちは, 植物よりも人間に似ている. 四足獣やヘビ類の地を這うものたちは, 魚や鳥たちよりもさらに人間に近い. すなわちわれわれは植物や動物の構造から人間の構造へと, 何段階も高いところにいる. あらゆる生き物のうちで最も高貴なもの, 小宇宙もしくは大いなるこの世界全体の縮図が, 今世界という劇場に姿を現す. 今やテーブルの用意はできあがり, 主人役が席に着くことができる……」.

アダム以前の人間——55

(左)世界創造の最後の第6日は爬虫類や野獣で始まり,やや南ヨーロッパ風に描かれていた.ライオン,ヒョウ,クマなど,異国の動物もいくつか見られる.
(右)最後に,他のあらゆる生物の上に立つ人間の創造を見る.ショイヒツァーはここに,解剖学的に正確な胎児の骨格を泣いているような姿で描いている.

　まず最初に彼は異国風のエデンの園または理想郷アルカディアのシーンを描き,そこではライオン,クマ,ヒョウ,ワニ,ヘビなどの野獣たちが,「歯や爪を血の色に染めた荒々しい本性」の感じられない,ルソー風の平和と調和に満ちた姿を見せ,人間だけが見られない.
　次に,緑に満ちた,きわめてヨーロッパ風の情景が示される.そこにはウマ,ビーバー,ウサギ,鳥たちと,それにはだかのアダムのほかには,荒々しいものは何もない.背景には,胎児から子どもに至るまでの人間の発達を描いた,一連の細かい解剖学的な図が示されている.絵の質はきわめて高く,したがってこうして示された世界創造の物語は,詳細な自然史を織り込んだ,きわめて精緻なものである.ここでは,初期の科学は明らかに創造主の'召使い'として,神の業をより広い聴衆に知らしめるために働いており,そのとおりの成果をあげている.ショイヒツァーの著作は,特にフランス語版が,きわめて広く読まれることになった.

●大洪水──その前と後

　岩石や化石の解釈に影響を及ぼした，もうひとつのきわめて重要な聖書の物語は，ノアの大洪水である．創世記はノアの物語と，いかにして「人間が地上で多くの悪事をなし」，神が「わたしが創造した人を地のおもてからぬぐい去ろう．人も獣も，這うものも，空の鳥までも．わたしは，これらを造ったことを悔いる」と考えるに至ったかを記している．しかしノアは主の恩寵を得た（創世記第6章5〜9節，16節）．神はいわれた（第6章17〜19節）．「わたしは地の上に洪水を送って，命の息のある肉なるものを，みな天の下から滅ぼし去る．地にあるものは，みな死に絶えるであろう．ただし，わたしはあなたと契約を結ぼう．あなたは……箱船にはいりなさい．またすべての種類の生き物を連れていき，あなたとともにその命を保たせなさい」．「大いなる淵の源は，ことごとく破れ，天の窓が開けて，雨は四十日四十夜，地に降り注いだ」（第7章11節）．「洪水は四十日のあいだ地上にあった．水が増して箱船を浮かべたので，箱船は地から高く上がった……水はまた，ますます地にみなぎり，天の下の高い山々は皆おおわれた．……地の上に動くすべての生き物は，鳥も家畜も獣も，すべての這うものも，すべての人もみな滅びた．鼻に命の息のあるすべてのものは死んだ」（第7章17〜22節）．「水は引き始めた．また淵の源と，天の窓とは閉ざされて，天から雨が降らなくなった」（第8章1〜2節）．

　まずショイヒツァーは寸法の細かく記された3層からなる箱船を描いた．すでに雨が降り始めて戸は閉ざされ，箱船に乗れなかった人々はみずからの運命を嘆き悲しんでいた．1709年には，彼は水が引き始めたシーンの絵を描いた．

　山々の頂が水の上に現れ，そこには

ノアの箱船の物語はユダヤ・キリスト教的世界観のきわめて大きな部分を占め，19世紀前期まで，多くの博物学者がこれを歴史的事実として受け入れていた．

アダム以前の人間──57

木々が生えている．手前には，くちばしに月桂樹の小枝をくわえたハトが見える．創世記によると，ハト（箱船から放ったハト）はむしり取ったばかりのオリーブの葉をくちばしにくわえて，ノアのもとに帰ってきた．「ノアは地から水が引いたのを知り……」（第8章10～11節），ノアとその家族は箱船を出た．神は彼らにいわれた．「生めよ，ふえよ，地に満ちよ．地のすべての獣，空のすべての鳥，地に這うすべてのもの，海のすべての魚は恐れおののいて，あなたがたの支配に服するであろう」（第9章1～2節）．

ショイヒツァーは次のように記している．「われわれが現在採集し，注意深く保存している無数の大洪水の遺物の中には，大洪水が春，もっと正確には5月に始まったことをはっきりと示す多くの証拠が見られる．私は別のところで自分のコレクションを数多く発表してきた．ここにさらにいくつかを示す」．彼が描いた最初の大洪水の絵には，植物と昆虫の化石がいくつか示されている．第2の大洪水後の絵の前景には，山のふもとにある岩の水際に打ち上げられた貝類や魚が見られる．ショイヒツァーが指摘するところによると，現在の海岸から遠く離れた山腹の高いところに見られるこのような化石は，「いわば新種のコインであり，その年代はギリシャやローマのあらゆるコインよりも比較にならないほど古く，はるかに重要で，信頼度の高いものである」という．

大洪水の物語の感情に訴える魅力やドラマ性は，19世紀前期の人々の想像力をとりこにする力をいぜんとしてもっていた．イギリスのジョン・マーティン（1789-1854）などの画家や，バイロン卿（1788-1824）のような詩人たちは，このロマンチシズムの爆発を利用することができた．特にマーティンはメゾチント彫法の新技術のおかげで，彼の巨大なキャンバスのドラマチックな画像を，容易に版画に変えることが可能になった．当時増大しつつあった中産階級の人々も，ロンドンにある原画は簡単に見ることができなくても，安い版画ならば手に入れられるようになった．『バビロンの没落』（1819），79年のヴェスヴィオ山噴火によるポンペイの破壊（1822），『大洪水』（1826）などをテーマとしたものやそのメゾチント版（1828）は大成功を収めた．マーティンは『大洪水』の版画につける説明パンフレットまでつくっており，そこにはこの物語が真実かどうかについての疑念はいささかも認められない．彼は内容の真実性に関心はなかった．これは高度にロマンチックなドラマだったのである．

これは絵画の1ジャンルとして，'賞味期限'をはるかに過ぎても生き続けた．

画像化されたノアの洪水は，ルイ・フィギュエのような画家たちが，19世紀中ごろにきわめて人気の高かったこの世の終末の想像図を構想するのに多くのヒントを与えた．

　ギュスタヴ・ドーレ（1832-83）のような画家は19世紀中頃から後期にかけて，まだ聖書にこのようなシーンを描いていた．しかし，他の人々は聖書の内容に疑いをもち始めており，ショイヒツァーの有名な「大洪水の証人」も疑いをもたれていた．

　キュヴィエはショイヒツァーの絵から，例の化石は人間のものではないと判断することができ，1809年にあの化石は巨大なサンショウウオの骨であるとする論文を発表した．ショイヒツァーの死後，彼のコレクションはハールレムのテイラー博物館に買い取られ，キュヴィエは1811年にそこを訪れた．演出上手な人でもあったキュヴィエは，比較解剖学の予知能力を証明するチャンスを捕らえ，聴衆の面前でホモ・ディルヴィイ・テスティスの仮面を剝いだ．彼はこの化石が人間の骨ではなく，自分の主張したようにプロテウス（*Proteus*）属のサンショウウオの骨であったならば，きわめて特徴的な肩帯と骨盤をもっているはずだと聴衆に語った．キュヴィエがのちに書いているところによると，博物館長のヴァン・マルム氏は，「石の中に隠れている部分を取り出すことを許してくれた」．その結果，化石は「巨大な未知の種の水生サンショウウオ」の骨であることが疑問の余地なく明らかになった．

●大きくなる疑問

　旧約聖書を文字どおりの事実あるいは歴史的事実とする解釈には，必ずなにがしかの問題があり，そのことははるかに古い時代から気づかれていた．太陽の創造以前に光がつくられた（創世記第1章3節および16節）ことは5世紀の学者たちを悩ませ，月は光を放たず，光を反射しているという事実は16世紀にカルヴァンによって真実と認められた．18世紀後半には，特にドイツをはじめとして，学者たちは聖書に書かれている事柄に批判的な目を向けるようになった．彼らは創世記の記述に異なる成分を見出した．例えば創世記第1章は8つの創造の作業を創造の6日にまとめており，第3日と第6日の2日には2つの創造の作業を行わなければならなくなっている．さらに創世記には2つの異説がある．ひとつは神が命令を口から発することによって創造を行い，もうひとつは神が細工者として自らの手で創造を行う．その他の内部的な矛盾や，翻訳あるいは解釈にともなう問題が多数現れてきて，歴史文書としての創世記の価値に疑問が生じ始めた．

　代わりに，創世記の物語はしだいに神話と見られるようになっていった．その物語はそれほど知的な真実ではなく，信者たちが困難な社会環境，しばしば危険な世界での生活に対処することを可能にするための真実であるという意味においてである．嵐，洪水，旱魃(かんばつ)，暑さ，病気，死などに直面する古代世界の住民たちは，自然の世界をなんとか手なずけようとした．これは一部には事物に名前をつけ，それを分類し，深い意味をもつ宇宙の枠組みの中に人類を置くことによってなされた．しかしその枠組みは，その中ではものごとの秩序が完全に唯一の神に従属しているというものだった．

　聖書に見られる大洪水の物語の権威を揺るがした最大の挑戦は，19世紀後期に行われた．1872年，ロンドンの大英博物館のジョージ・スミスは『エヌマ・エリシュ』と呼ばれるバビロニア文書に見られる『カルデア人の大洪水の物語』について講演したのがそれである．約3600年前のものとされるこの古代文書は，ノアの洪水ときわめてよく似た大洪水について述べているが，創世記の物語は歴史的に約2900〜2400年前に限定されるので，この洪水はそれよりも1000年くらい前のことになる．今では，聖書に出てくる洪水の話は数多くある洪水の話のひとつにすぎず，その多くは創世記よりも古いことがわかっている．

● カール・リンネ——生命に秩序を与えた賢者

　人間の学名はホモ・サピエンス（*Homo sapiens*）といい，「賢い，または知恵をもった人間」という意味である．この学名は1758年にスウェーデンの博物学者カール・リンネ（1707-78）が彼の自然分類法を鉱物および植物界からさらに拡大して，動物界まで包含させたのにともなって与えられた．絶対の自信に溢れ，若干の傲慢さもあって，彼は北欧白人男性である彼自身を全人類の代表例としてあげた．リンネがこの名を選んだことに微かな皮肉が含まれていたかどうかはわからないが，この種について彼はすばらしく簡潔な記述を残している．それはむしろあるべき姿を示した言葉ともいうべきもので，ただひとこと「おのれを知る」と記した．私たちは今なおそうあるために苦闘しているのである．

　リンネは熱烈なキリスト教徒だったが，彼にとって人間はそれでもやはり動物であり，解剖学的な分類という点では，ほとんど類人猿と区別がつかないものだった．したがって神の秩序のもとにある世界において，人間を綱，目，属，種の階層構造のどこかに当てはめることができるはずだった．当然，そこにはよりキリスト教正統派の博物学者からの反対があった．それよりわずか140年前の1616年には，イタリアの哲学者ルチリオ・ヴァニーニ（1584-1619）が人間は類人猿から生まれたと明言して，トゥールーズで異端者と宣告され，火あぶりになっていた．北欧のもっと進んだ文化的，宗教的風土の中で，リンネは批判者たちに立ち向かって，チンパンジーと人間との根本的な違いを探すだけの知的な強さをもつことができた．今では，私たちとチンパンジーの遺伝子はほぼ98％まで共通であることがわかっている［訳注：ヒトとチンパンジーの遺伝情報の違いが1.23％とされたのは推計によるもので，理化学研究所のヒト21番染色体に相当するチンパンジー22番染色体に関する研究では，5.3％の違いがあると判明

直立する類人猿——1616年にイタリアの哲学者ルチリオ・ヴァニーニは，人間は類人猿から生まれたという異端の意見を述べたため，トゥールーズで火あぶりになった．

アダム以前の人間——61

している (2004年現在)]．これは (分子時計によれば)，約600万年前のアフリカに人間とチンパンジーの共通の祖先が生きていたことを意味する．

240年以上にわたって，リンネの階層分別による生物分類整理法とラテン語二名法——属名 (例えば，ホモ，*Homo*) と種名 (例えば，サピエンス，*sapiens*) による——は生物学の共通言語となってきた．それ以外に，世界中の生物学者はどのようにして，間違いなく同じ生物について話し合っていると確信することができただろうか？　現存種，化石種を問わず，あらゆる生物のそれぞれに，それがどのような姿をしているかについての正式な記述や図を連想させる独特な名前をつけることができなかったとしたら，どうにもならなかっただろう．リンネが1735年にこの方式をはじめて明らかにするまで，混乱はいちじるしいものだったのだ．

プロテスタントの支配する北欧の文化的，宗教的風土のもとで働いていた多くの博物学者と同じく，リンネにとっても，'地球上のすべてを与えて下さった'創造主の業を研究し，解釈することは道徳的義務だった．18世紀の博物学者たちには，創造主が慈愛と合理性に満ちたものであることに疑問の余地などなかった．したがってその創造物である地球やそこに住むものたちは，何らかの意味のある秩序にしたがってつくられているにちがいなかった．この自然の世界とその根底にある秩序を発見することは，「賢明な人間」の義務だった．

交配して生殖能力をもった子供をつくることのできる生物は，すべて同じ種に属する．リンネは種の不変性を信じていた．彼はこの植物および動物命名法を考え出したわけではなく，これを知られているすべての生物に体系的に適用することを試みた最初の人だった．植物学者であるリンネは最初，その努力を植物のみに向けた．

リンネの時代，既知の植物の分類学の世界は全体を体系的に整理して，すべての生物を全1巻にまとめることが十分可能であるように思われた．彼の著作『自然の体系』は1735年にはじめて出版された．新しい生物は絶えず発見されていた

リンネは知られているすべての生物をひとつの分類構造のもとに整理しようとした最初の博物学者であり，それはその後，動植物分類の基礎として採用された．

――リンネ自身の発見したものも多い――ため,彼はその大冊の新しい増補版をいくつもつくらなければならなかった.この仕事によって彼はしだいに国際的名声を得ていき,1741年にはウプサラ大学の医学および植物学の教授に任命された.

1744年,リンネは世界はどのようにしてこれらすべての動植物をもつに至ったかを説明しようと試みた.箱船の物語がそれほど説得力のあるものではないことを知り,彼は創世記と大洪水の物語をくっつけ合わせ,すべての生物は原始の海に取り囲まれた,山の多い熱帯の島に生まれたと考えた.山の高さによって気候の違いが生じて,高度が増すにしたがって気候は厳しくなっていき,山のふもとの熱帯性のもの(ヤシの木やサル類など)から,山頂部の極地性のもの(トナカイや地衣類など)まで,さまざまな生物にすみかが用意された.すなわちこの山は全体として地球のミニチュア版であり,大洪水の水が引いたとき,生き残ったものたちは地球全体に広がっていった.このような熱帯から極地にまで至る生物の気候帯分布は,1800年代前期にアレクサンダー・フォン・フンボルトとエーメ・ボンプラン(1773-1858)によってペルーで発見されたが,それ以外の話は間もなくすべて崩れ去った.

リンネや当時の多くの博物学者にとって,不変の存在物としての種は,それぞれ特定の目的と,最低位のものから最高位のものまでに至る物事の全体計画の中の特定の場所のために神によって創造,設計されたものだった(人間がその階層のどこに位置しているかを推測することには何の意味もない).ときおり,既存のカテゴリーに容易に適合しない生物が発見され,そこで新しいカテゴリーがつくられ,それらに新しい名前がつけられた.したがって,階層構造は全体として絶えず大きくなり,混雑していった.特に低いほうの分類レベルで,新しいカテゴリーが増えていった.もはや全1巻ではそれらをすべて入れるには十分でなく,ひとりの博物学者がすべての事情を把握していることは期待できなくなった.1758年には『自然の体系』は10版を重ねていた.それでも,リンネの推測する限りでは,生物は4200種をそれほど超えることのない動物と,7700種の植物からなるとされていた.

1758年に出版された第10版に達するまでは,リンネはまだ彼の分類を動物および人間にまで拡大してはいなかった.ホモ・サピエンスは人間のもうひとつの種であるホモ・トログロディテス(*Homo troglodytes*)およびチンパンジーといっ

しょのグループに入れられていた．チンパンジーをリンネはヒト形目のサティルス・トゥルピイと名づけていた．ホモ・トログロディテスは分類学上の'インチキ話'の一種であり，噂や旅行者のほら話にもとづいた空想上の動物だった．チンパンジーは1698年に若い病弱なチンパンジーがロンドンに送られてきたときから西欧世界に知られており，科学的に論文として記述されていた．この哀れなチンパンジーが死ぬと，ロンドンの医師エドワード・タイソン（1650-1708）が遺骸を解剖して，チンパンジーの解剖学的構造と骨格に関する最初の正確な記述を行った．タイソンはチンパンジーと人間は48の共通の特徴をもつことを明らかにし，そのリストを示した．これに対して一般のサル類と人間の間には，共通の特徴は27しか認められなかった．

リンネにとって，チンパンジーと人間との間に認められるこのいちじるしい類似性は，同じヒト形目（のちに霊長類と改められ，今もこの両者はそこに分類されている）に両者をまとめることの正当性を裏づけるものだった．今日私たちは，ホモ・サピエンスがホモ属の中で現在生き残っている唯一の種であることを知っており，ホモ属にはホモ・ネアンデルターレンシス（*neanderthalensis*）やホモ・エレクトス（*erectus*）など，現在5ないし6種の絶滅種が含められている．そのホモ属はヒト上科に属する多数の属（現存するゴリラ属，ポンゴ（*Pongo*）〔オランウータン〕属，パン（*Pan*）〔チンパンジー〕属や，絶滅したアウストラロピテクス（*Australopithecus*）属など）のひとつであり，ヒト上科はサル類やキツネザル類などとともに哺乳綱霊長目に属する．

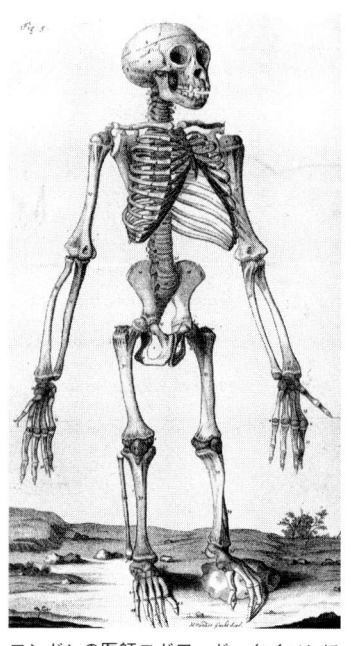

ロンドンの医師エドワード・タイソンによる1698年のチンパンジーの解剖図およびその記述．チンパンジーと人間の間に見られる48の共通の特徴を正確に指摘している．

● 霊　長　類

日本語で霊長類と訳される「primate」という名前はラテン語の「*primatus*」

1758年，リンネは人間，類人猿，その他の空想的な動物たちをすべてヒト形類という同じ目（もく）に入れた．彼は旅行者の誤った報告を批判的に評価することができなかった．今なおイェティ（雪男）やビッグフットの話が伝えられるのと同じである．

からきたもので，これは「第一級のもの」，「主たるもの」という意味をもつ．私たちすべてと同じく人間中心主義のリンネがこの言葉を用いたのはそのためである．なお，「primate」という言葉は教会の最高位者である「大司教」も意味する．

　人間とその他の哺乳類とを区別する生物学的な特徴を知ることは，重要な問題ではない．しかし，霊長類の動物学的グループは多くの人が考える以上に多様であり，特に絶滅した化石動物を考慮に入れるとそれはさらにいちじるしくなる．欧米世界に住む人々は，最も近い親戚であるサルや類人猿を動物園や映画で見るだけということが多く，したがってその人々のサル類に対する知識や理解はごく限られている．化石霊長類では47％が北米およびヨーロッパ原産だが，今日北米，ユーラシア大陸北部，オーストラレーシア（オーストラリア，ニュージーランド周辺地域）原産の霊長類は生存していない．このような地理学的事実が，このわれらの親戚に対する欧米人の考え方や思考態度に微妙な影響を及ぼしてきたのではないかと思われる．これに比べて日本人は霊長類に対してはるかに密接な関係と理解をもち，はるかに以前から真剣な研究を行ってきた．これはひとつには，ニホンザルが日本列島の原産であるため，サルをよく知っていることにより，またもうひとつには宗教的な理由もあると思われる．つまり日本人には，ユダヤ・キリスト教文化のようにサルや類人猿を「より劣ったもの」としてではな

く，「別のもの」として受け取ることについて，観念上の問題が少ない．

霊長類は哺乳類の目（もく）のひとつであり，これらが5000万年以上前にそれから分かれて進化してきたコウモリ類（翼手目に属する動物），ネズミ類（齧歯目に属する動物），ハリネズミ類やその仲間（食虫目に属する動物）と同等のものなのだ．

霊長類の中には，現在13の科，64の属，約256の種がある．現存する私たちの類縁動物には，馴染みのあるサル類，キツネザル類だけでなく，比較的馴染みの薄いメガネザル類，ロリス類，ガラゴ類のほか，メガネザルに似たオモミス類やキツネザルに似たアダピス類のような多数の重要な絶滅グループも含まれる．今日の問題は，これらすべてのグループをどのように互いに関連づけるか，明確な進化のようすを描き出すことができるかということである．

化石の新しい統計分析の結果は，霊長類の最も新しい共通の祖先は白亜紀後期の8150万年前ごろに現れたという考え方を支持する．これは分子時計から推定される分岐の時期に近い．この分析結果（Simon Tavaré et al, Nature 2002, 416, pp. 726-729）はまた，これまでに存在した霊長類のすべての種のうち，化石として知られているものはせいぜい7％程度であることを示している．これは白亜紀の哺乳類の保存率が新生代に比べて低いことにもよるが，小型の陸生脊椎動物，特に熱帯環境に生息するものは，岩石中に保存されることが一般にむずかしいことも関係している．この偏りが，霊長類のようなグループの初期の進化に関する理解にかなり大きな影響を及ぼしていると思われる．現在，化石による初期の霊長類進化の記録は主として，中生代および新生代の岩石の記録が世界で最もよく知られている北米およびヨーロッパから得られている．霊長類が暁新世に北方の大陸（当時亜熱帯の気候だった）で生まれ，南に移住していったようすが明らかにされてきた．しかしこうして描き出された絵が，保存の偏りによっていちじるしく偏っているとすれば，霊長類はもっとずっと早い時期に，化石の記録が乏しい南方の熱帯地域で生まれていた可能性も――高くはないとしても――ある．それが，気候が温暖になるのにともなって北方に移住していっただけかもしれない．

●失われた大洪水の犠牲者

ジョルジュ・キュヴィエの確信のひとつは，進化は起こらなかったということ

現存動物と化石動物の研究を結びつけ，それらを正確に図示する上で，フランスの解剖学者で博物学者であるジョルジュ・キュヴィエの貢献は特に重要なものだった．

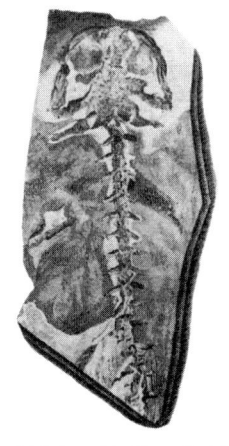

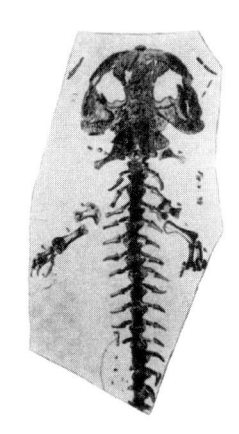

（左）ショイヒツァーの人間の「大洪水の証人」が含まれている岩．キュヴィエが標本を剖出する以前のもの．
（右）1809年にキュヴィエはショイヒツァーの標本を詳細に分析して，これが実は巨大なサンショウウオの骨格であることを明らかにした．

だった．それは生物がしだいに他のものに変化していった証拠が，まったく見つからなかったからである．もうひとつの確信は，'人間' と文明の出現は，生物のその他の変革や過去の生物の完全な絶滅より後に起こった最近の出来事だということだった．化石の記録を構成する大洪水の堆積物，波に運ばれた動物の殻や骨，植物の葉や木質組織の中に，人間の遺物はまったく見られなかった．キュヴィエは1809年に，主な攻撃相手だったショイヒツァーが人間の化石だと主張したホモ・デルヴィイ・テスティスが巨大なサンショウウオの骨格にすぎないことを証明して，その誤りを明らかにした．

　宗教を拒否する人々と，支配的なカトリック信仰を保持する人々との二極に分解する革命フランスの潮流の中で，プロテスタント信者であるキュヴィエは珍しい存在だった．彼はまた，まったくの時代の子であり，信仰と科学とをはっきり区別していた．この点で彼は，まだ地質学的発見と旧約聖書の物語との折り合いをつけようと努力していた19世紀初めのイギリスの多くの科学者とは異なっていた．キュヴィエはドイツで発展しつつあった聖書批判の新しい'科学'を知っており，聖書に書かれた歴史の土台をさらに削り取りつつあった．

　大洪水以前の人間の証拠となる化石は，19世紀の最初の数十年間に少しずつ

見つかり始めた．しかしそれらが何であるかが広く認められるようになるまでには，当時の科学界においてさえ，何十年かを要した．ユダヤ・キリスト教の伝統と，人間は他のすべての動物と根本的に異なり，特別につくられたものだという考え方が圧倒的に信じられていたためだった．

● サフォークのハンドアックス（握斧）

しかしながら，キュヴィエは英国のサフォーク州ホクスンで，それまでの考え方を文字どおり根底からひっくり返すような発見が行われたことを知らなかった．それは，人間は現代のものであるとする彼の主張が誤りであることを白日の下にさらすものとなった．その発見は1797年にロンドンの古物収集学会で報告され，挿図つきの論文が1800年の同学会誌に発表されたが，その当時は誰もそれほど注意を払わなかったようだった．著者はサフォーク州に住む紳士階級の教養人で古物収集家のジョン・フリア（1740-1807）であり，少なくとも自分が記述しているもの——明らかに人間の手で加工されたフリントの斧——が何を意味するかを十分に承知していた．

1800年にジョン・フリアが発表したフリント製ハンドアックスに関する記述は，世界ではじめて，氷河時代の絶滅動物と同じ時代に行われた有史前の人間活動を認めたものだった．

サフォーク州を含むイースト・アングリア地方の比較的新しい岩層には，美しい建築用石材はほとんど見られず，多くの建物にはそれ以外の木材やレンガのような材料が伝統的に用いられてきた．レンガづくりに適した粘土は何世紀も前から地表の堆積層から採取され，作業員が奇妙な形をしたフリントをいくつか掘り出したのは，1700年代後期，サフォーク州ホクスンに近いこのような採掘地でのことだった．発見のニュースを耳にしたフリアは，その現場を訪ね，砂，粘土，礫の層のようすを詳しく記録し，地層中のフリントのあった位置にしるしをつけた．近くの同じような堆積層から，氷河時代の絶滅動物の骨も見つかっていた．

フリントの中には，手で握れるくらいの大きさで，平たく，セイヨウナシの形をした，きわめてきれいな標本がひとつ含まれていて，これは明らかに加工してつくられたもので，両面に刃をもつ，刃先のとがった石斧だった．形は

きわめてきれいにつくられており，フリアは，「これは金属を使っていなかった人々がつくって，使用していたものにちがいない……」という正しい結論を下した．彼はまた，これが堆積層の地表からかなり深いところに埋まっていたことから，「これらの武器は発見された状況からみて，はるかに遠い昔，あるいは現世の範囲さえ超える古い時代のものと考えたくなる」とも述べている．

　これはこのような観察結果が発表された最初の例であり，彼の描いたハンドアックス（握斧）の美しい挿図は，それがはるか遠い過去に'人間'の手でつくられたものであることを疑問の余地なく示している．当時，このフリントの加工物が含まれていた地表に近い堆積層は洪積層と呼ばれ，一般に聖書の中の大洪水によって堆積したものと考えられていた．まだ押し固められて石になっていないこれらの砂や礫や粘土は，しばしば大型哺乳類の骨を含み，それらは洪水の犠牲になったものと考えられた．

　残念ながら，フリアの発見に注意を向けたり，それが真実だと確信するものは誰もいなかったようだ．人間の先史学の研究に大きな進展が見られるようになるのは，まだ数十年先のことだった．しかし初期の発見のいくつか，特にウェールズ南部のパヴィランド洞穴の発見は，述べておく価値のあるものだろう．

●パヴィランドの「赤い貴婦人」

　1822年から23年にかけて，ウィリアム・バックランド師はガワー岬に数カ所ある洞穴のひとつ，パヴィランドのゴーツ・ホール洞穴の発掘を行った．パヴィランドの洞穴は石炭紀の石灰岩が自然に掘られてできたもので，ブリストル海峡を見下ろす海岸の険しい断崖の基部にある．5000点以上の人工物がここから出てきたことが知られているが，ごく新しい時代にそれよりもはるかに多くのものが波によって流し去られたものと思われる．海面が今よりずっと低かった氷河時代の多くの時期，この洞穴からは，カーマーザン湾に向かって西に延びる幅約2km，長さ8kmの細長い沿岸平地が見下ろせた．洞穴は天然の避難場所として役立っただけでなく，狩りの獲物の動きを見るための絶好の見張り台ともなった．

　バックランドがこの洞穴を発掘したころ，考古学における科学的な発掘方法はまだ発達していなかったため，洞穴内堆積物の元の層構造や，さまざまな層に埋まっていた多数の人工物の位置についての正確な情報は残されていない．バック

ランドが発見したのは1体の骨格で，浅い墓の中に，首飾りか何かその他の装身具とするために穴の開けられた貝殻や，彫刻をした腕輪状あるいは細い棒状のマンモスの牙の小片などといっしょに埋められていた．すべてあたりにまき散らしたレッド・オーカー（赤黄色土）でおおわれていて，その遺体は何かの儀式を行って埋葬されたように見えた．

バックランドはこの発見を十分正確に記述しているが，その遺骸はウェールズ人女性のものだという結論を下し，それに「赤い貴婦人」という名前をつけた．彼女はローマのブリタニア占領時代に生きていて，洞穴内で見つかった骨や象牙製の人工物はその親族たちがつくったものにちがいないと彼は考えた．解剖学的に見ると，その骨格は完全に現代のものであり，したがって「赤い貴婦人」がきわめて古いものであるとバックランドが考える特別な理由はなかった．今では，彼が性別を間違えたことははっきりしている．「彼女」は身長170cmくらいの若い男性だった．

しかし副葬品の製造についてのバックランドの込み入った説明は，彼がこの埋葬の年代について——つまりこの若者が，今は絶滅した氷河時代の動物たちがまだブリテン諸島に生きていた時代に生き，死んでいったということを——簡潔に説明するのを意図的に避けていたことを暗示している．若者の遺骸は2万6350±550年ごろのものと考えられており，したがって彼が解剖学的に現代人類であることは驚くに当たらない．彼は4万年前ごろ西ヨーロッパに移住してきた狩猟民，クロマニヨン人のひとりだった．この人々の一部は海面が低下したのを

19世紀前期の洞穴探査によって絶滅動物や人類の化石が明らかにされつつあったが，バックランドのような科学者たちはまだ，これらをすべて大洪水の証拠だと考えていた．

19世紀中ごろにはほとんどの科学者が,多くの自然現象を説明するのに,大洪水よりも第四紀氷河時代によると考えるほうがよいことを認めるようになった.

利用して,陸地を歩いてブリテン島に渡ってきたが,やがて再び海面が上昇して他と切り離された.しかしバックランドには,まだこのような情報はまったく与えられていなかった.

現代の目で振り返って見ると,パヴィランドは特にイギリス考古学の中で,かなりの重要性と面白味をもった場所といえる.これはウェールズのすべての旧石器時代遺跡のうちで最も豊かなものであり,ブリテン諸島で知られている唯一の後期旧石器時代初期の儀式的埋葬例である.得られた全人工物の中にはフリント,チャート,骨,角などでつくられた道具類が含まれていた.石器の中には2万8000〜3万年前ごろのものもあり,骨のさじは2万3670年前ごろのもので,この洞穴にはかなり長い期間にわたって間欠的に人が住んでいたことを示している.2万3000年前には氷河極大期のいちじるしい低温のため,氷河と氷床がガワー岬まで南下してきて,1万3000年前ごろに気候が温暖になって,人間が再び住みつくようになるまで,ブリテン諸島は無人の土地となったものと思われる.

この洞穴から得られた化石の骨を分析した結果は,そこが氷河時代の食物,衣服,道具の材料として捕らえていた大型動物類の動きを人間が見張るのに絶好の場所だったことを示している.これらの狩猟対象動物は主として,今日アフリカのゲーム・パークといえば連想されるような大型の草食動物で,例えばシカ類(ここではトナカイ),ウシ類(ヤギュウ),サイ類(ケナガサイ),ゾウ(ケナガマンモス),ウマ類,それにクマ類やそれほど多くはない巨大シカ,オオカミ,

アダム以前の人間——71

ハイエナなどだった．

● **フランスで得られた証拠**

　フランス革命の遺産のひとつは，フランスの知識人や科学者が，人類の先史時代の可能性に対する積極的な関心を自由に追求できるようになったと感じたことだった．キュヴィエの同僚で古脊椎動物学者のエティエンヌ・ジョフロワ・サンティレール（1772-1844）は，1834年にガスコーニュで類人猿の最初の化石が発見されたことを知らされると，「これは人間主義的知識の新時代の予兆となった」と述べ，さらに「化石の類人猿が存在したとすれば，化石人類もいたにちがいない」と主張した．

　サンティレールが正しかったことは，地質史の偶然の出来事に助けられたフランスの先史学者たちによって間もなく証明された．ベルギーからフランスの北海沿岸低地地帯の大地は，イギリスや北ヨーロッパの多くの地域に比べて，それほど氷河時代の研磨，浸食作用を受けていない．この後者の浸食が大きい地域で例外となるのが石灰岩の洞穴で，その内部では堆積層や化石が氷河の破壊的な作用から守られた．全体としてフランスや南ヨーロッパでは，地表の堆積層に化石や考古学的遺物が蓄積し，残っている確率がはるかに高かった．フランスの知的伝統，知的風土は特に18世紀から19世紀前期にかけて南方の多くの近隣諸国よりも活気を呈し，その当時の盛んな考古学的発見は多くがフランスの先史学者によってなされた．

　数多くの初期の重要な発見が，当時，多くの博物学者たちの間に見られた先入観の障壁を打ち破るのに役立った．ピカルディ州ソンム県アブヴィルの税関所長をしていた若いアマチュアの考古学愛好家ジャック・ブーシェ・ド・クレヴクール・ド・ペルト（1788-1868）は裕福な家庭の出身で，1830年代後期から40年代にかけて，サンタシュール周辺のソンム川渓谷堆積層から出土する加工されたフリント標本を1000点以上集めた．1846年に彼はその研究成果をフランス科学アカデミーに報告したが，これはフランスの有名な地質学者エリー・ド・ボーモン（1798-1874）によって却下された．幸いド・ペルトはこれにめげることなく，翌年自分の研究成果を挿図入りのりっぱな書物として出版した．『ケルトおよび大洪水前の出土品』と題するこの書物には，独特のセイヨウナシ型フリント（これはアシュール式ハンドアックスと呼ばれるようになる）や，それといっしょに見

つかった骨の化石についての詳しい記述や挿図が含まれていた.

ド・ペルトは熟達し,説得力をもった文章家だったが,特に芸術の起源についてロマンチックな空想が無批判に飛躍しがちな傾向も見られた.彼は人間に似た奇妙な形の石を見ると,それは実際には自然の作用でできたものであるのに,人間の手でつくられたものと主張するという,よく見られる落とし穴に落ちるのだった.博物館の学芸員たちは,魚,動物の脚,頭部,その他あらゆるものに似た形をもつ石が,風化や浸食によって偶然できたものにすぎないことを絶えず観客に説明しなければならない.

しかし,フリントの道具と絶滅動物の骨とを関連づける考え方はフリアの先駆的な観察にもとづくものであり,両者がいっしょに見られたことは,人間が,マンモス,真直ぐな牙をもつゾウ,サイ,ヤギュウなどの大洪水前の大型動物といっしょに生きていたことを示す最初の決定的な証拠だと主張した点では,ド・ペルトは正しかった.10年後に彼は,2冊目の著書を出版した.それは彼の考えに対して向けられた反論を取り上げたものだった.そのころには,ペルトの示した証拠でイギリスの科学者たちも納得しつつあり,ほぼ同じころ,フランスではいくつかの重要な発見物について,別の先駆者であるフランスの考古学者エドゥアール・ラルテ(1801-71)とその息子のルイ・ラルテ(1840-99)が研究を進めていた.

1852年,フランス南部のオーリニャックで,道路作業員が丘の斜面のウサギの巣穴から人間の骨を引っ張り出した.丘に溝を掘ると,石灰岩の石で入り口を塞がれた洞穴が現れ,その中に17体の骨格があった.現代人の骨のように見えたため,それはすぐ土地の墓地に埋葬された.その発見のニュースがエドゥアール・ラルテの注意を引いた.彼は1860年に洞穴の地面を発掘し,さらにばらばらになった骨と,絶滅した動物の骨を見つけた.しかし当時の学者たちは,まだ話に乗ってはこなかった.

父親のラルテは動物学者で,現在では最初の化石類人猿の発見で最もよく知られている.1837年に彼は自分の故郷であるガスコーニュから見つかった類人猿の化石について論文を書いた.その骨は現代の東南アジアのテナガザルに似ていた.のちにこの化石はプリオピテクス・アンティクウス(*Pliopithecus antiquus*)と名づけられた.「古代の大型のサル」という意味である.ラルテは,このような化石類人猿が存在しうるならば,化石人類も存在できた可能性があると主

張した．プリオピテクス・アンティクウスは今では，中新世のものであって，人類の一族である動物が現れるよりずっと前の，1400万年前ごろに生きていたことがわかっている．1856年にラルテはまた別の類人猿の下顎と歯について記述し，これをドリオピテクス（*Dryopithecus*）（「オークの木のサル」）と名づけた．その外見は現代の大型類人猿にさらに近かった．これはその後オランウータンといっしょに，ヒト上科ショウジョウ科に分類されている．

　この重要な化石は現在では，約700万〜800万年前の中新世後期のものであることがわかっている．しかし近年，1000万年前ごろのドリオピテクスの新しい頭骨がハンガリーで発見された．保存状態のよいこの頭骨の化石は，さらに強い人間との類似性を示しているようであり，アフリカの大型類人猿や人類と同じグループに属するものであることが暗示される．このことは，進化の初期に私たちと大型類人猿の共通の祖先がアフリカを出て，ユーラシアで進化を遂げ，さらにその子孫が700万〜800万年前に再びアフリカに再移住した時期があったことも暗示しているという点で，特に興味深い．

● ネアンデルタールで見つかった骨

　19世紀中ごろにはしだいに進む工業化と農業改良のため，当時発展していた製鉄産業や，あるいは農業用石灰に使われる石灰岩の需要が増大した．デュッセルドルフなどをはじめとするライン河畔のドイツの工業中心地周辺では，良質の石灰岩が見つかる場所ならどこでも，採石作業員たちがそれを採掘していた．近くにあるライン川の支流デュッセル川は，絵のように美しいネアンデルタール（ネアンデル渓谷）を流れている．その名は17世紀の聖職者で作曲家でもあったヨハン・ノイマン（1650-80）にちなんでつけられたもので，彼のラテン語名がネアンデルだった．渓谷沿いに見られる石灰岩の露頭には無数の洞穴がうがたれていた．

　1856年，数人の採石作業員が，その土地でフェルトホーファー洞穴と呼ばれる洞穴のひとつで人間のものに似た骨を掘り出した．洞穴の地面の堆積層を掘ってみると，頭骨頂部，何本かの四肢骨，骨盤の一部など，保存状態のよい骨が多数見つかった．作業員たちはときおりホラアナグマやその他の絶滅した氷河時代の動物の骨や頭骨を見つけてはいたが，こんどの骨はそれらとは違っているので，この土地の校長で，古物好きで知られるヨハン・フールロットの興味を引く

1856年に発見されたネアンデルタール人の骨格の原物が、19世紀末にボン博物館で展示されていたようす．

だろうと考えた．

　フールロットは完全なアマチュアだったが，よく勉強しており，この頭骨頂部は眉弓隆線がきわめて顕著で，前頭部がきわめて低く傾斜しており，彼が最近に見たゴリラの頭骨の図（リチャード・オーウェンが1848年に描いたもの）とそっくりであることに気づいた．四肢骨は奇妙に湾曲し，骨が厚かった．フールロットは骨格が不完全であることに気づき，さらに骨が回収できないかを見るため，作業員といっしょにもう一度発見現場にいってみた．

　残念ながら，洞穴に残っていた堆積物や化石はすっかり取り除かれていたが，発見の状況を作業員から詳しく確かめることができた．最も重要だったのは，骨が少なくとも1.5m以上の泥の下に埋まっていたことがわかったことだった．さらに，骨を詳しく調べてみると，骨がところどころ奇妙な小さなコケのような形をした鉱物形成物でおおわれていることがわかった．それはホラアナグマの骨に見られたものと似ていた．

　これは鋭い科学的な観察だった．フールロットは自分が見たものの真の意味はわかっていなかったが，それでもこれを書き留めた．現在振り返って考えると，この鉱物形成物は忍石と呼ばれるもので，この骨がかなり古いものであることを知る重要な手がかりとなる．これが発達するには堆積物中に長期間埋まってい

て，鉱物を含む地下水に周期的に浸されなければならない．

　フールロットは当時の新しい生物学の考え方にも興味をもっていた．あからさまな進化論的メッセージを記した匿名著者による『創造の痕跡』が1844年にイギリスで出版され，それによって引き起こされた衝撃はヨーロッパ本土に広まった．フールロットは，この骨格はいずれかの時代の人間の祖先，ひょっとすれば類人猿と現代人の間に位置する'失われた環（ミッシング・リンク）'なのではないかと考えた．しかし，彼はこの骨について適切な記述を行うのに十分な自信あるいは学問的資格がないと感じ，そのためボン大学の解剖学教授ヘルマン・シャーフハウゼン（1816-93）の助力を求めた．

　機会をとらえたシャーフハウゼンとフールロットは，1857年2月4日にボンで開かれたライン下流地方医学・自然史学会で，彼らのデータ，考察，および結論を発表した．シャーフハウゼンはそれらの骨について細かく記述し，このどっしりした骨はその'もち主'が筋肉の発達した体をもち，身体的に楽ではない生活を送っていたことを意味すると述べた．1861年に出版された『ネアンデルタールの骨』に関する彼らの論文には，美しい版画による正確な挿図がつけられた．

　この発見のもつ意味を解釈し，結論を導くに当たってシャーフハウゼンとフールロットは，かなり大きな問題に直面した．ダーウィンの『種の起源』はすでに1859年に出版されており，時間にともなう生物の発達についての活発な論議や，中でも人間がどのくらい古くから存在したかという厄介な問題についても，二人は十分に承知していた．シャーフハウゼンは『種の定常性と変移について』を著し，その中で種の固定性，もしくは彼のいう「種の不変性」は立証されたものではないという結論を仮説的に下している．これは，種は時間にともなって変化する可能性があるという，まだきわめて議論のある考え方を認めることを迂回して通る道だった．

　「ネアンデルタール人」に関する既成の先史時代の背景もない中で，シャーフハウゼンとフールロットはあいまいな歴史的年代記を頼りに，「ネアンデルタールから出土した人骨はいくつかの特徴に関して，その他のものの範疇を明らかに越えており……それらの特徴から彼らは未開の獰猛な種族に属していたという結論が導かれる」と推測した．また，このような種族は，「'洪積層'に見られる動物たちと共存していたのかもしれない」とも考えた．

　多くの点でシャーフハウゼンとフールロットは正しかった．ネアンデルタール

人は確かに，'洪積層'の絶滅動物たちといっしょに生きていた太古の人類グループに属するものだった．洪積層というのは今では，大洪水ではなく，氷河時代と関連する堆積層であることがわかっている．さらにシャーフハウゼンは，時代とともに種が進歩していく可能性についての'原進化論的'思考をちりばめるという誘惑に抗することができなかった．「多数の未開種族は……古代世界の動物たちとともに姿を消していったかもしれないが，生体組織が進歩した種族がその系統を保ち続けた」と彼は書いている．ネアンデルタール人の生と死の歴史を復元する作業は，これが最後に人類の家系図の中で正しい位置を見つけるまで，さらに奇怪な道筋をたどることになった．

「未開さ」と「獰猛さ」はネアンデルタール人の人間像の必須の部分となり，このイメージに疑問がもたれるようになったのは近年になってからのことにすぎない．当時の科学者が高度の文明人以外のものをすべてこのように考えたのは，むりのないことだった．多くの科学者は現代人を優越性と劣等性の尺度で判断しており，それを多くの歴史的人類に，したがって彼らが発見したすべての先史時代の人々にも当てはめたのである．

この場合も，現代的な言葉でいえば，シャーフハウゼンとフールロットはそれほどひどく的はずれであったわけではないが，そのような意見は当時いちじるしく議論のあるところであり，批判の嵐を巻き起こした．ボン大学のシャーフハウゼンの同僚で，病理学者のアウグスト・マイヤーも，この骨を調べた．彼は湾曲した大腿骨は生涯馬に乗って暮らした人に特徴的なものと感じ，あるいはくる病によって生じた可能性もあると考えた．くる病は，食物中のビタミンDまたはカルシウムの欠乏によって起こる小児期の慢性栄養欠乏症である．19世紀のヨーロッパでは，この病気は貧しい，栄養状態の悪い子どもによく見られた．マイヤーはまた，このネアンデルタールの人骨が生きていたときに左肘を骨折し，ひどい状態で治癒していることを指摘した．そして，この怪我からくる長期の苦痛のため眉をひそめることが多く，そのため，眉弓に溝が刻まれたという結論を下した．

1864年にその観察結果をまとめるに当たって，マイヤーはこの骨格に見られる変わった特徴をふつうの歴史との関連の中で説明しようと試みた．すなわち彼はバックランドと同じように，自分の調べているものが何であるかが理解できず，その骨はプロシアでナポレオン軍を追撃してきた部隊のコサック騎兵のもの

(左) ルドルフ・フィルヒョー (1821-1902) は有名なドイツの生物学者で，政治的にはリベラル派だったが，それでも進化の考え方には情け容赦ない反論を浴びせた．
(右) トーマス・ヘンリー・ハクスリー (1825-95) (1863年撮影). 彼は進化論が人間にも当てはまると主張した最初の科学者のひとりだった．

だという空想的な説明を加えた．その兵隊は小競り合いの中で負傷し，1814年1月にフランスに攻め込む前にライン川の近くで部隊が休息したときに置き去りにされた．コサック兵は隠れ場所になりそうなフェルトホーファー洞穴を見つけ，そこに這い込んで，やがて死んだ．

マイヤー教授の物語は空想としては面白いものだったが，ネアンデルタール人の特異な骨格の説明としてはよくできているとはいえなかった．科学史家の中には，マイヤーの説明の裏には何かが隠されている可能性があると考える人もいる．当時ドイツの生物科学の大学者ルドルフ・フィルヒョー (1821-1902) は細胞病理学の研究の道を開き，白血病についてはじめて記述した優れた科学者で，発展する考古学にも関心をもっていた．マイヤーの経歴も考えてのことと思われるが，フィルヒョーはネアンデルタール人の身体状況についてのマイヤーの解釈を病理学的なものとして支持した．

フィルヒョーは政治的に積極的なリベラル派で，「科学と信仰は互いに相容れないものであり，信仰について科学的な論争はありえない」と述べていたが，そ

れでも彼は進化の考え方に徹底的に反対した．マイヤーはこのことを知っており，この発見に対する彼自身の解釈に有名なフィルヒョーの支持を得るために，フールロットの進歩論的な考え方に取りわけ鋭い反論を加えた可能性もあり，これは狙いどおりの効果を上げた．

最初のネアンデルタール人の遺骸にどのような位置が与えられるかという問題がすべて忘れ去られてしまったり，または少なくとも学術書のきわめてあいまいな脚注に追いやられてしまったとしてもしかたのないことだったかもしれない．しかし，少数のイギリスの科学者がドイツで行われた議論を知っており，彼らがネアンデルタール人をあいまいさの中から効果的に救い出した．

ドイツの科学者たちがあまり実りのない議論の泥沼にはまり込んでいった一方で，イギリスではシャーフハウゼンの研究はもっと熱狂的に受け入れられていた．人間がきわめて古いものであることを受け入れる心の準備ができていた人はごく少数の専門家しかいなかったが，何人かのきわめて有名な人々——チャールズ・ライエル，トーマス・ヘンリー・ハクスリー（1825-95），チャールズ・ダーウィン（1809-82）といった人たち——はその下準備ができていた．ダーウィンは，人間の祖先に関するダーウィン/ワラスの進化論の意味するところについてできる限りの注意を払った．彼は『種の起源』の中でこれについて，さりげなくひとこと，「人間およびその歴史の起源に光が投げかけられるであろう」と述べただけだった．だがこの穏やかな言葉でさえ，一部の原理主義者にとっては，闘牛の牛に見せた赤い毛布のようなものだった．しかしながら，ハクスリーはさらに図太く，1863年に『自然の中で人間の占める場所に関する証拠』と題する小論集を出版した．

ハクスリーはネアンデルタール人の頭蓋の形や大きさを記し，「これは知られている人間の頭骨のうちで最も類人猿に似ており，ここから徐々に最も高度に，最もよく発達した人間の頭骨に至る系列の最末端に属するものである」と述べている．「さらに古い地層で，まだ生まれていない古生物学者の研究を待っているのは，これまでに知られているよりも，もっと人間に似た類人猿の化石骨だろうか？ それとももっと類人猿に似た人間の骨だろうか？」と彼は問いかけた．

同じ年，ネアンデルタール人の化石は，やっとその正しい身元，つまり絶滅種の人間の骨であることが認められた．アイルランドのゴールウェー大学地質学教授ウィリアム・キング（1809-86）によって，この化石はホモ・ネアンデルター

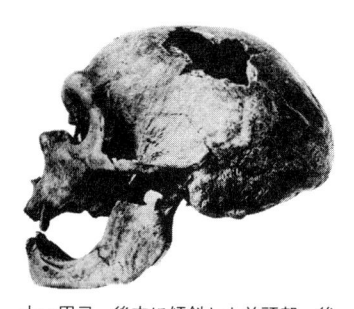

太い眉弓，後方に傾斜した前頭部，後方に引っ込んだ顎先，大きな脳をもった標準的なネアンデルタール人の頭骨の形が，このフランスのシャペル＝オー＝サンで1908年に発見された標本に見られる．

レンシス（Homo neanderthalensis）と名づけられた．彼はホモ・ネアンデルターレンシスは絶滅しているが，それでもやはりこれは人間の親戚であることをはじめて認めたのだった．だが，このキングの新しい人間の種が一般に広く受け入れられるようになるまでには，さらに長い時間が必要だった．

現在では，ネアンデルタール人はウェールズ北部から南はジブラルタルまで，東はレバント（今日のイスラエルとレバノン一帯の地域），北はコーカサスまで広くヨーロッパに住み着いていたことがわかっている．ネアンデルタール人はたぶん今から40万年以上前に，さらに古い人間の近縁種であるホモ・ハイデルベルゲンシス（Homo heidelbergensis）から進化してきたものと思われる．その骨の同位体分析を行った結果では，彼らは'徹底的な'肉食人種で，カメからマンモスまで，広くさまざまな獲物を捕らえた．絶滅に至る2万8000年前ごろまで，第四紀氷河時代後期の変動いちじるしい気候の中でネアンデルタール人は生きていた．彼らの最後の1万2000年には，15万年前ごろにアフリカから移動を始めた現代人ホモ・サピエンスが徐々に進出してきた．最近のネアンデルタール人のDNA分析によって，両者の生息地が重なり合っていたにもかかわらず，大規模な交雑はなかったらしいことが示されているのは驚くべきことだろう．

● DNAの法医学的証拠

1997年，科学者はいくつかのネアンデルタール人の骨から化石のDNAを採取し，分析することができた．この遺伝物質は1856年にネアンデル渓谷で発見されたホモ・ネアンデルターレンシスの標本から取り出された．詳しい比較の結果，ネアンデルタール人と現代人のDNAの差は，現代人全体の間に見られる差の3倍に達するが，現代人類とチンパンジーの差の半分にすぎないことがわかった．

このような現代人類とネアンデルタール人の遺伝子の差は，この2つのグルー

プがかなり昔に分岐したにちがいないことを示し，分子時計によると，それは55万5000年から69万年前のことと推定される．交雑の遺伝的特徴は残存しているものがまったく認められないようであり，ネアンデルタール人と現代人類は互いに近づかなかったように思われる．彼らは遺伝的には隔たりがあったかもしれないが，地理的には互いに見える範囲に暮らしていたことを示す明らかな証拠が認められる．

●最新の研究

　1997年に2人のドイツの考古学者ラルフ・シュミッツとユルゲン・ティッセンは，1856年にフェルトホーファー洞穴から掘り捨てられた堆積物の山を探し出した．崖の下にはまだ捨てた堆積物が残り，その上をおおった石灰岩の岩屑によってこの間の140年間，守られていた．シュミットとティッセンは堆積物の中を丹念に探し，驚いたことに，石器のほか，動物や20点にのぼる人間の骨のかけらを見つけた．人間の骨の中にはもとの骨格にぴったりはまる破片や，別の右大腿骨の破片などが含まれ，もともと洞穴には2体以上の遺骸があったにちがいないことが示された．動物の骨には石器による切り傷が見られ，ネアンデルタール人がこれを解体したことを示していた．骨の放射性炭素年代測定によると，約4万年前とされている．

第4章

過去を切り分ける
——地質学の成立

● 「地層のスミス」と地質図の作成

　化石の本質的な性質に関する論争は18世紀後期にはおおむね決着がついていたが，まだ一般には，化石はそれが含まれている地質学的な岩石とは別の関連の中で考えられていた．ある特定の化石が一般にどのような場所で得られるかがわかったとしても，それは単に地理的な位置を示すものにすぎず，地質学的な位置や時間的枠組みの四次元的な背景を示すものとは考えられていなかった．しかし博物学者たち——例えばジョン・ウッドワードやロバート・フック（1635-1703）など——の間では，地層にはしばしば，それが最初に堆積したときの状況と関連する特有の特徴が認められることが少しずつ知られるようになっていた．さらに，特定の堆積層には特定のタイプの化石が含まれていることも多かった．しかし，それらの堆積層の堆積時の状況や，その層に含まれる化石はいぜんとして，どうしても大洪水の出来事と結びつけて考えられていた．

　地層の地理的分布やそこに含まれる化石は，このような複雑な空間的，時間的関係の中にあることが明らかになりつつあった．そこには三次元の地表の地形があり，その下に地層があり，地層の中にはこの先史時代の地層と化石の堆積の連なりによって表される第四の時間の次元があった．それ以前には，地表に見られる地層の露頭の配置が，どのような形であれ，一定の方法で地図として示されたことはなかった．存在するわずかばかりの地質図はすべて，一般にヨーロッパのどこかの小地域で，地表に岩石がどのように分布しているかを示すものだった．地層が地下深いところで互いにどのように関連しているかを少しでも示しているようなものはほとんどなかった．このような点を描き表そうとする先駆的な試みもいくらかは行われており，特にドイツの鉱業地帯——例えばトゥリンギアなど——でそのような例が見られる．ゲオルク・フュクゼル（1722-73）が1761年に作成したトゥリンギアの一部の注目すべき地図は，地形がその下にある地層とど

ゲオルク・フュクゼルの1761年の先駆的な地質図．トゥリンギアの丘陵地帯の地層分布を示す．

のように関連しているかを表す斜め方向の鳥瞰図と，地質構造の垂直断面図を示している．

　18世紀末から19世紀初めにかけて土地利用のしかたが変化するのにともなって，もっと質の高い地質図に対する要求が増大した．農業革命は，もっと優れた輸送システム，特に大量の農産物を安く運ぶことのできる運河に対する要求を生じさせた．このためには，ほとんど地質のわかっていないさまざまな土地を切り開かなければならなかった．さらにその後に続く産業革命は，石炭，鉄鉱石，石材，粘土などの地質物質に対する需要を急速に増大させた．これらは次世代の輸送システムである鉄道や舗装道路の建設に必要となるものであり，そのような輸送システムには新しい橋やそれを支える基盤構造も必要だった．土地所有者や投機家ははじめて，地下にどのような種類の岩石や価値の高い天然資源が隠れているかを知りたがるようになった．それを知ることのできる唯一の方法は，新しい職種である専門の地質調査家に，自分の土地の地図作成や地質調査を依頼することだった．厚い土壌，作物，森林におおわれたイギリスの大地の下にどのような地層が眠っているかを予測するためには，地下の地層の幾何学的構造を理解していることが必要だった．積み重なる地層を理解し，それが地球内部で構造的にどのように配列されているかを正しく理解してはじめて，その知識を有効に働かせ

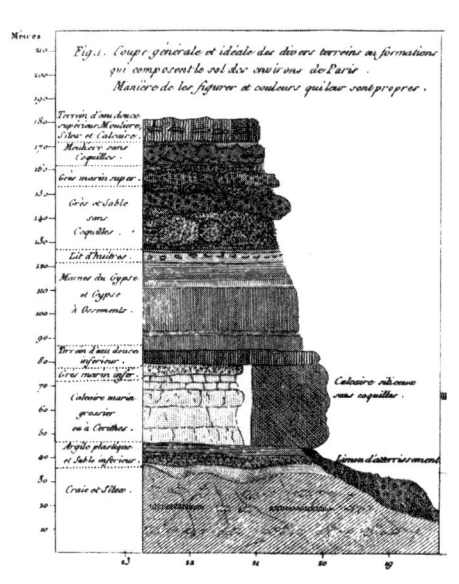

パリ盆地の地層系列の総合垂直断面図．ジョルジュ・キュヴィエおよびアレクサンドル・ブロニャールの測定による．

1811年に刊行されたキュヴィエおよびブロニャールのパリ盆地の地質図（部分）．断面図に見られる地層の配置を示す．

ることができるのだった．

　地質図作成のいわゆる層序学的方法は，フランスとイギリスでそれぞれ独立に発明された．フランスではジョルジュ・キュヴィエとアレクサンドル・ブロニャールが，1811年にこの方法を用いてパリ盆地の地層分布図を作成したのが最初だった．イギリスでは，測量技師で，運河技術者でもあったウィリアム・スミスがこの方法を考え出した．

　スミスはオックスフォードシャーの鍛冶屋の息子で，幼いうちに孤児となった．田舎の貧しい階層の生まれという社会的背景や，彼の受けた教育は，当時の多くの地質学者たちといちじるしく異なるものだった．新たに芽生えてくる科学は主として大学を本拠とする学者や，経済的に独立した都会人の紳士階級の人々，それにこの新しい科学を収容するものとして発達しつつある博物館，研究所，地質調査所への就職を望む，小さいが成長しつつある中産階級の地質学者たちといった人々の手に握られていた．スミスの社会的，教育的背景は，彼を科学的地質学の世界の埒外に置いた．しかし，特徴的な化石を利用した地質図作成における

彼の専門的な業績は，スティーヴンソン父子（ジョージおよびロバート）やブルネル父子（マークおよびイザムバード）のような当時のイギリスの大技術者たちの業績に匹敵するものだった．こうした人々の成し遂げた仕事についてはよく知られているが，これに比べてウィリアム・スミスと彼の業績はごく最近まで，地質学者や科学史家の比較的小さな世界以外にはほとんど知られていなかった．

　スミスは測量技師としての仕事でどこへ出かけても，地層の順序（地中で石に変わった古い堆積物の地層），その物理的特性，含まれている化石などを直接観察する機会をしっかりととらえた．彼は地下や鉱山にもぐり，泥の深い運河の切通しや危険な採石場にも入った．紳士階級の地質学者たちには，このように価値のある直接的な経験をもつ人などほとんどいなかったばかりでなく，そんなことをしたいとさえ思わなかっただろう．オックスフォードシャーでの子ども時代から，スミスは経済的に有用な建築用石材層や粘土層の地方名や性質を学んだ．例えば，ウーライト（魚卵岩）やラグストーン（ラグスレート）などの石材や，フラーズ・アースという粘土（織物漂白用の特殊な粘土）などのことを，子どものころから覚えていった．低い丘や谷が起伏し，乾いた石灰岩の崖や湿った粘土の河谷が連なるイングランドのこのあたりで，彼は多くの田舎の子どもたちと同じように，この地方の地層にふつうに見られる「羊飼いの王冠」（ウニ）や「蛇石」（アンモナイト）などの化石も見慣れていた．畑を鋤で掘り起こしたり，石灰や建材を取るため石を切り出したりするとき，しばしばそのような化石が出てくるのだった．

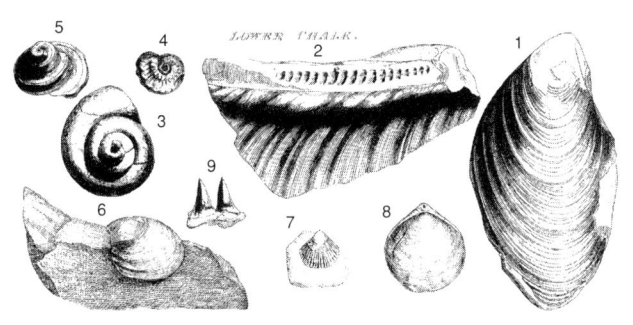

ウィリアム・スミスが1816年に描いたみごとな化石の挿図（1〜6軟体動物，7，8腕足動物，9サメの歯）．白亜紀のチョーク中によく見られるもので，彼はこれらをこの層位の特徴的なものと考えた．

スミスは石切職人や鉱山労働者の言葉で話すことができた．困難な思いをして得た経験や観察結果を口伝えに伝えてきた何世代にもわたる職人の経験を土台にして，彼は当時の学術文献では得ることのできなかった膨大な量の情報を身に付けることができた．スミスの最も不利な点は，彼のもつ情報や観察結果を中流階級の求める特別の専門的な形式で提示する才能をほとんどもたなかったことだろう．あるいは，彼がそのような形の情報伝達の教育を受けていなかったというだけのことといえるかもしれない．彼の偉大な才能は，地層に関する情報を，美しく精密な地図の形で視覚的に伝達することにあった．さまざまな色の縞や区画が人目を引くこれらの地図はみごとなものだったが，多くの解釈を必要とし，今日でさえ，正式の教育を受けてない人にとっては理解不能とはいわないにしても，きわめてわかりにくい場合もある．

　運河網の急速な拡大にともなって新たな機会が生まれた．経済上の必要から岩石の基層を正確に予測することが要求され，それぞれの地方に適した岩石材料，閘門，橋梁，導水路などのための石材，運河のための'こね土'用の粘土（内面に塗って水が漏らないようにする）などの入手の可能性に関する知識も求められた．測量の技術と種々の地層の特性に関する深い知識を合わせもつスミスは，このような仕事を引き受けるのに打ってつけの人であり，流れ者の労働者たちの一団がイギリスの大地に新しい運河を開削するのにともなって明らかにされていくさらに多くの知識を蓄積していくのに，彼以上に適切な人間はいなかった．

　同時代の人であるフランスのキュヴィエやブロニャールと同じように，スミスもある種の化石が特定の層準の地層にしか見られないことに気づいていた．1799年までにスミスは，イングランド西部の地層の順序を示す最初の表をつくり上げた．さまざまなタイプの岩石とそこに含まれる化石の種類を同定することによって，指示されたある地層の上や下にどのような地層があるかを予測することが可能になった．

　化石は地層の相対的な年代決定に基本的な重要性をもつことが明らかにされた．スミスは田園地帯で岩層の露頭の見られる丘がどのように並んでいるかを追跡することによって，地層が地球の運動によってどのように傾斜したかを観察，測定し，場所が違っても現れる地層の順序が一致することを明らかにすることができた．全体的な地層の順序は——特にイングランド南東部で見られる比較的新しい層位については——すでに大まかな輪郭は知られていたが，スミスはその細

ウィリアム・スミスが1815年に作成したイングランド，ウェールズ，およびスコットランドの一部の地質図．この種の地図で世界最初のもの．

部を埋め，新たにイギリスの他の地域で見られるほぼ同じ年代の地層と互いに関連づけられることを知った．

　1801年までにスミスは，ウィトビーに近い海岸から南西にノースヨーク・モアーズ，コッツウォルズの傾斜地を通り，ドーセット海岸まで，ジュラ紀地層の露頭をたどった．彼はさらに，その地質図の作成をイングランド南部にまで広げた．そこには'第二紀'（現在では中生代と呼ばれる）の地層の多くが見られるが，それは緩やかに傾斜している．もっと新しいパリ盆地の'第三紀'の地層と同様，これらは褶曲や断層の生じ方という点で，比較的単純な地質構造をもっている．1815年，スミスは『イングランド，ウェールズ，およびスコットランドの一部の地層図』と題する彼の大地図を出版することができた．これには文章による覚え書きもついていたが，スミスは彼の仕事を文章によって発表するのは得意ではなかった．それでも，日誌には多量の記録を書き残している．彼のイングランドとウェールズの地図は，このように広い地域の，これほどの倍率（約32

万分の1）のものとしては，世界で最も古い詳細な地質図である．ほとんど個人による努力という点で，これはいかなる基準から見ても驚嘆すべき業績だった．

これらの地図を編纂して地層系列の層序を示す総合柱状図もつくられた．いちばん上の最も新しい'洪積層'（時代的には完新世および更新世）から，下って最も古いウェールズの未区分の'グラウワッケ'層（時代的にはシルル紀，オルドヴィス紀，およびカンブリア紀）までにわたるものだった．地層の順序が，ロンドンからスノードンまでの垂直断面で示されていた．イングランド南西部，ウェールズおよびスコットランドの古い岩石はまだよくわかっておらず，このあまり開けていない地質構造の複雑な土地については，スミスの踏査も十分ではなかった．したがってその地方の岩石は，地図にスケッチが示されているにすぎない．

スミスは興味を示す人誰にでも自分の地図を自由に見せ，やや軽率に複写もさせた．ロンドン地質学会は1807年，地質学の問題について話し合うことに興味をもつ裕福な紳士階級の人々の私的な晩餐クラブとして設立された．スミスは一部の創設メンバーにはよく知られていたが，正規の教育をあまり受けていない測量技師にすぎなかったため，学会に参加するよう招請されることはなかった．スミスは紳士階級の人間とは見られず，彼はそのことに苦い思いを感じていて，「地質学の理論はある階級の人々の所有物であり，実践は別の階級の人々のものとなっている」と日誌に記している．彼は間違いなく後者の階級の人間だった．

さらに悪いことに，学会の紳士たちが自分たちの地図づくりを始めた．それはスミスが苦労して得た情報を利用し，しかも彼の大地図と競合するものだった．地質学会の地図は1819年に出版され，スミスの地図の予約販売部数は400部を越えはしたものの，販売総数は大幅に減ることになった．このことと，さらに投資に手ひどく失敗したこともあって，彼はいちじるしい経済的苦境に陥り，同じ年に約300ポンドの負債のため，王座裁判所サザーク刑務所に入れられた．負債者刑務所に入れられるのは，それほど珍しいことではなかった．技術者のマーク・ブルネル（1769–1849）は，有名な技術者イザムバード・キングダム・ブルネル（1806–59）の父親だが，同じように投獄されたものの，出獄して，のちにナイト爵位を贈られている．

いずれにせよスミスは経済的に破綻し，妻は精神の健康を脅かされた．刑務所を出ると，彼はイングランド北部で測量技師と土地差配人の仕事に戻った．幸い彼の雇い主で庇護者だったジョン・ジョンストン卿は議会の有力メンバーで，地

質学会の会員でもあった．ジョンストンや，スミスの業績を認識した新進の地質学者たちの支援によって，しだいに学会内でのスミスの評判は回復していったが，それには刑務所を出てから9年を要した．

どうしてライエル，マーチソン，セジウィックといった地質学会の大御所たちがスミスの昇格を認めることを決めたのかは，興味深い問題である．地質図作成に関する新技法は自分たちの業績だとする主張が，海外から上がってきたことと何らかの関係があるのかもしれない．要するに，フランス側はすでに国際的な名声をもつキュヴィエが地質図を'発明した'という説得力のある主張をしていたのに対して，イギリス側が示すことができるのは地質学会の会員にすら受け入れられていない無名の測量技師だけという状態だったのだ．

ウィリアム・スミスの公的な名声回復の始まりは，チャールズ・ライエルの『地質学原理』(1830)の第1巻にさかのぼることができる．これはダーウィンが彼の地質学の「バイブル」として，ビーグル号の航海にもっていったといわれる本であり，そこでライエルはスミスの1790年の『表で見るイギリスの地層』を賞賛していた．「スミスはこの中で，成層岩の地層累重の法則に到達していた．彼は異なる（地層の）層群の重なりの順序は決して逆転しないこと，はるかに遠く離れた地点でも，体系づけられた特異の化石によって同定しうることに気づいていた」．さらに，「スミスはイングランド全体の地質図をつくり上げることに骨を折った．また，欲得をまったく離れて，自分の研究結果を情報を必要としているすべての人に伝え，彼の独創的な考え方を広く世間に知らせて，同時代の人々がほとんど彼と競合することさえ可能にした」とライエルは述べている．この後の点は外交辞令的弁明であり，スミスのデータを自分たちの地図に'勝手に取り込んだ'学会の名士たちのした行為を半ば認めるものでもあった．いうまでもなく，スミスに及んだ個人的な不幸な成り行きについては一言も言及されていない．

ライエルはさらに続けて，「スミスの地図は，独創的な才能と類まれな忍耐の永遠の記念碑である．……彼は複雑なイギリスの全岩石系列をそっくり自然分類の体系の中に投入することに成功し

チャールズ・ライエル．彼の1830年の『地質学原理』は，地質学の世界におけるウィリアム・スミスの功績と名声を回復させた．

過去を切り分ける——89

た」と書き，ドイツの大鉱物学者アブラハム・ゴットロープ・ウェルナーの弟子のひとりドービュイソンが1819年に「多数の高名な鉱物学者たちが半世紀かけてドイツの小さな一部でやっと成しえたことを，ただひとりの人間がイングランド全体について成し遂げた」と述べていることを紹介した．明らかに，ライエルの1830年の出版とこのような賛辞によって，スミスの名誉回復は大きく進み——ライエルはスミスのことをウェルナーその人になぞらえてもいた——1831年にスミスはロンドン地質学会の新設の功労賞であるウォラストン金賞を贈られた．

ケンブリッジ大学の地質学のウッドワーディアン教授職にあった地質学会会長のアダム・セジウィックは熱烈な賛辞の中で，「子ども世代としての義務を果たし……英国地質学の父に私たちの最初の栄誉を捧げないわけにはいかない．……彼は誰の助けも借りることなく，自らの手を働かせて，計画を立て，基礎を固め，堅固な壁の一角を築いたのだ」と述べた．「英国地質学の父」という称号は，その後ずっと彼について回っている．科学人名事典や地質学入門書のほとんどがウィリアム・スミスに同様の敬意を払い，「層序地質学の真の創設者」(『コンサイス英国人名事典』，1903)，「今日，'英国地質学の父'と考えられている」(『ケンブリッジ科学者事典』，1996) などと記す．

著名なドイツの地質学者カール・アルフレート・フォン・ツィッテルでさえ，自著『地質学および古生物学の歴史』(1899) で偉人礼賛に加わっているが，その調子は多少冷静であり，「スミスは自国の経験的研究の枠内に自らを限定し，地球生成の歴史についての一般的思索を試みようとすることはなかった．彼の偉大さはこの賢明な控え目な態度と，明確な彼の目的から決してはみ出さなかったことにもとづいている．'英国地質学の父'という彼の名声は，これらの資質，慎ましく，献身的で，率直な自然の学徒であることによって得られたものである」と述べている．

スミスが与えられた学位は，1836年にダブリンで英国科学振興協会の大会が開かれたとき，スイスの古生物学者ルイ・アガシとともにダブリン大学トリニティ・カレッジから贈られた名誉博士号唯一のものだった．この学位の授与は，彼の甥であるジョン・フィリップス (1800-74) の後押しがあったことによるものと思われる．ジョン・フィリップスは当時同協会の事務次長で，その後1844〜53年にトリニティ・カレッジの地質学教授を務め，このときスミスの職業生活に関する数少ない論文のひとつを書いている (1844)．スミスと同様，フィリッ

プスも子どものころに孤児となり，伯父のウィリアムの養子となって，地質学に対する関心を受け継ぎ，基本的な教育を与えられた．

借財による投獄や妻の狂気など，スミスの人生に起こったいくつかの出来事は，伝記を書こうという人たちに二の足を踏ませることになったのだろう．今日ならば，こうしたことはこのような伝記にむしろ不可欠といってよいくらいのエピソードとなるのだが，それでも19世紀は，スコットランドの石切職人ヒュー・ミラーやサーソーのパン屋ロバート・ディックのような'たたき上げの男たち'の名を世に出すような伝記を書くことを

ウィリアム・スミス（1769-1839）．ほとんど独学の技術的天才であり，地質調査と地質図作成の先駆者だった．

放棄したのだと考えることもできただろう．この2人はともに地質学的な発見と論議に深く関与し，それによって世間の称賛を受けた人たちだった．面白いことに，自立の伝道師サミュエル・スマイルズ（1812-1904）は有名な著書『自助論』（1859）の中でスミスについて言及してはいるが，さらにそれに続いてスミスではなく，ディックの完全な伝記や，3巻からなる『技術者たちの生涯』（1861-62）を書き，それによってこのスティーヴンソン親子やブルネル親子の同類たちを世に知らせるのを助けた．

スミスの先駆的な仕事と彼の偉大な専門的業績は，産業革命の発展によって刺激を受けた．彼は土地の評価，地上および地下の地形学的，地質学的測量調査を行う職業的な土木技師として生活費を得た．当時これほど多くの土地所有者や新しい会社がこのような土地調査を依頼することになった主要な要因のひとつは，運河建設と「黒い黄金」，すなわち石炭を得るための地下探査に対する需要がいちじるしく増大したことだった．太古の熱帯の森林で生育した植物が3億年もかけて圧縮されてできた石炭は，文字どおり産業革命の火を供給する化石燃料だった．ブリテン諸島や西ヨーロッパの多くでは，この化石燃料の経済的に利用可能な埋蔵資源は200年足らずの間にほとんど燃やし尽くされてしまった．植物化石の本質についての地質学的理解は，動物化石についての理解が進むのとまったく同じくらい遅々としたものだった．

●植物化石の発見

　植物の化石は一般に，堆積岩中にまれにしか見られない．岩石として保存される地層は，多くが浅い海の海底堆積層であることによる．しかし，石炭は圧縮された植物物質からできており，したがってある種の岩層，特に今日石炭紀のコールメジャーズ（夾炭層）と呼ばれる部分の地層には植物が広く存在していたことは間違いない．この時代の地層はブリテン諸島，北西ヨーロッパ，北米のところどころに露頭をつくっているので，産業革命がスタートして石炭鉱床が利用され始めると，すぐに多数の植物化石が発見されるようになった．19世紀の最初の10年間に石炭とともに発見された植物化石は，石炭紀にシダやその他の不思議な形をした樹木が豊かに鬱蒼と繁茂していたことを示す証拠となった．これらはまた，地球全体の気候が地質時代の全体を通じて激しく変化してきたらしいことを示す最初の証拠となった．しかし，化石植物の最も初期の発見のいくつかは，化石の本質についてまだ論議が行われていた17世紀後期にまでさかのぼる．

　エドワード・ルウィドは学者であると同時に，イギリスの主要公道や田舎のわき道を広く踏査した人としてよく知られる．彼は過去とつながりのあるものや，自然界の生物と関係のあるもの，ほとんど何にでも強い好奇心をもっていた．化石の起源については有機物説にも，無機物説にも確信がなく，'中間説'を唱えていた．1699年に出版された書物の中で，彼は石炭紀の夾炭層から見つかったシダや昆虫の化石の図をいくつか描いているが，特にシダの外観や起源に興味を引かれていた．どうにもわからないのは，それらがきわめて植物らしく見えるのに，植物らしい物質が保存されていないことだった．それは岩石表面に見られるシダの葉の圧痕にすぎなかったし，それは知られている現生シダの葉とは少し違っていた．ルウィドは，この化石はそれらが最もよく似ている現生植物の'種子'（花粉）が岩石中に浸透し，岩層内で生育したものにちがいないという結論を下した．ヨハン・ショイヒツァーもやはり1709年に著書『大洪水の植物標本集』を出版したとき，化石植物について同じ問題を抱えており，今日正真正銘の化石植物と見られるものといっしょに，無機物である鉱物の忍石の図も数点描いている．ショイヒツァーの著書名が示すように，はるか内陸部の岩層中に植物らしい化石が保存されているのは，ノアの洪水の結果だと考えられた．

　有名な日記作者ジョン・エヴリン（1620-1706）は1668年にはじめて，ロンドン粘土中に始新世（約5000万年前）の植物と関連する化石が存在することを報告

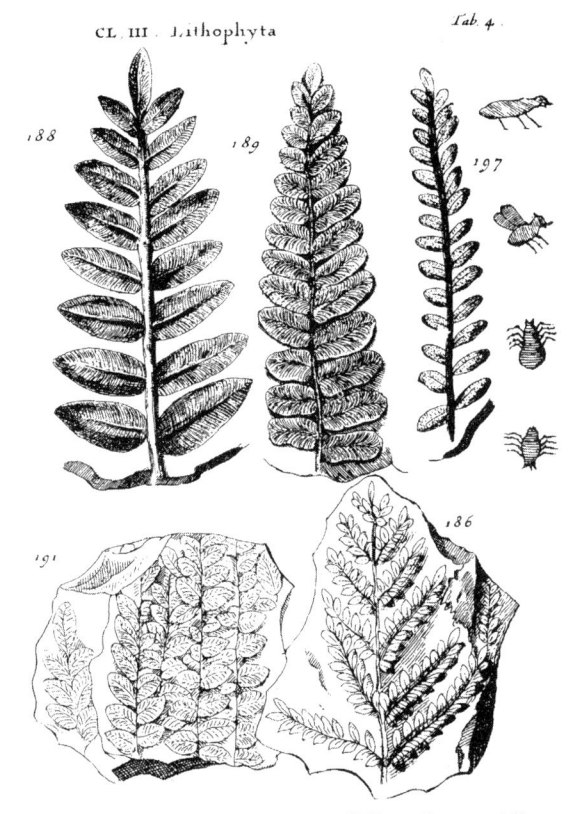

現在では石炭紀のものとわかっている石炭層から見つかった植物および昆虫の化石の図．1699年，エドワード・ルウィド画．

した．その後，約300種，35属の化石植物が，テムズ河口のシェピー島から報告された．これらの化石を含む堆積層がロンドンに近いことから，一般に自然の'珍奇物'に興味をもつ紳士階級のコレクターたちが多数，それについて話を聞くためここにやってきた．労働者階級のこの土地の人々，特に女性や子どもたちは組織的に手分けをして，しばしば霧におおわれる泥の波打ち際で標本を探した．それは褐色でしわの寄った外観をもつため，一般には'イチジク'と呼ばれた．質のよい標本は買取り商人の手から仲買人の手を経て，それに喜んで金を払う人々に売られていった．化石の多くは，鉱物化した顕花植物の種子や，さまざまな種類のサメの歯，硬骨魚，爬虫類，それにカメの体の断片，その他といった

ものだった.

　1757年，ジェームズ・パースンズ（1705-70）はいくつかの種子の化石についての記述と図を描き，その中にはみごとなニッパヤシの実の標本が含まれていた．それらの実が明らかに熟していることから，大洪水がその木を押し流したのは秋だったにちがいないと彼は断定した．18世紀の終わりまでに，フランシス・クロウは20年以上の時間をかけて膨大な化石のコレクションをつくり上げ，1810年には100種について記述することができた．それらが分類学的に近いものだという判断にもとづいて，彼はこれらがかつて熱帯もしくは南の低緯度地方の植生に属するものだったという結論を下した．これは化石植物と古代気候とを結びつけた最初の例のひとつであり，その点では驚くほど正確なものだった．

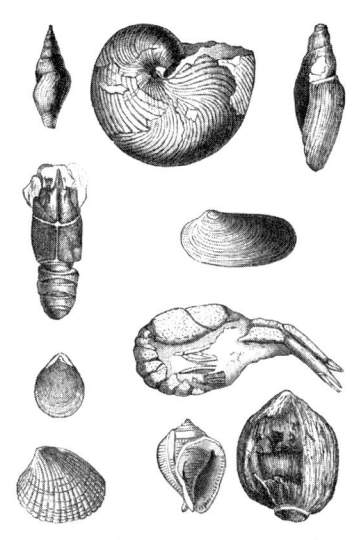

ロンドン粘土から得られた化石．亜熱帯のニッパヤシが見られる．

　蒸気船を使ってもロンドンからまだ5時間くらいはかかったシェピー島で化石を採集するという慣習は，19世紀いっぱい続いた．1840年に都会のビジネスマンであるジェームズ・バワーバンクが，植物相の最初の記述的カタログである『ロンドン粘土に見られる化石の果実と種子の歴史』を出版した．バワーバンクは自称コレクターたちに，「海岸で仕事をする宝探しの人々のディケンズ風の世界に入り込むにはどうしたらよいか」を教えた．「ママリーという女性や，その他何人かのこうした人々は，旅行者たちにクロックフォードという家族の小屋にいくよう教え……クロックフォードはわれらの化石ハンターたちを，これまた海岸で仕事をする他の多くの仲間たちのもとへいくよう指示するだろう．……ヘンズブルックではピードという男について聞いてみなければならない．……ここで……マッド・ローについて聞いてみなければならない．そこの住民で海岸で働いている人は多い」と彼は書いている．

　ここに見られる5000万年前の多様な化石植生の最近の標本は，これらが鬱蒼たる準熱帯広葉樹林を代表するものであることを示している．そこにはウルシ，

バンレイシ，ヤシ，ハナミズキ，ニュウコウジュなどの熱帯樹のグループが含まれ，新しく進化してきたイヌくらいの大きさのウマなどの哺乳類が住んでいた．その近くの暖かく浅い海には魚，カメ，ワニなどがたくさん見られた．

● **植物化石をめぐるトラブル**

　化石植物を研究するにあたっては，化石のでき方にかかわる特別な問題があった．植物体が，根の先端から葉の先端や生殖器官まで完全な形で岩石中にそっくりそのまま保存されているということはきわめてまれである．それには植物が引き抜かれ，ただちに堆積物中に埋まることが必要で，これはまったく不可能ではないにしても，不可能に近い．ふつうは生と死の過程で，植物体はさまざまな部分が切り離され，それぞれの部分は異なる時期に，異なる場所に埋まる．

　まれに，夾炭層のような化石の森や湿地に似た状況では，根のついた樹木大の幹が直立したまま保存されていることはある．しかし残りの樹冠の部分はそっくり元のまま保存されることはない．枝，葉，生殖器官などが周囲の堆積物中に見られることもあるが，それらが元はどの根と幹についていたかについては何の保証もない．葉は植物から吹き飛ばされ，風や水によって植物体の軽い構成部分，特に花粉などといっしょにある程度遠くまで運ばれてきたものかもしれない．花は特に繊細な構造物で，ほとんど化石にならないが，種子，ナッツ，果実などはそれよりもはるかに強靱な場合がある．

　これらは一般に親の植物体から離れ，花粉やその他の浮力のある植物片といっしょに，湖や川の泥のような細かい堆積物中に埋まる．しかしこのような過程は一般に多くのさまざまな植物の破片をごちゃ混ぜにする．初期の研究者が感じたように，破片の化石から元の植物体を再び組み立てることはきわめてむずかしい場合がある．植物のさまざまな部分の化石にそれぞれに名前がつけられたことは，さらに問題を混乱させた．そのため葉はある種とし，幹は別の種とされるといったことも起こった．

● **植物の先史を明らかにする**

　19世紀初期の化石植物研究のうちで最も重要なもののひとつは，フランスの博物学者アドルフ・ブロニャール（1801-76）によって行われた．キュヴィエの協力者だったアレクサンドル・ブロニャールの息子である．1828年の化石植物

に関する先駆的な著書『化石植物の歴史』の中で，息子のブロニャールは植物の先史時代は，はっきりと異なる4つの時期に分けられるという結論を下した．それぞれの時期にゆっくりとした変化が見られるが，そのような変化に突然の断絶が起こって，各時期は隔てられる．最初の時期は，夾炭層の原始的な陸生植物が優勢を占めていた．第2の時期には最初の針葉樹が見られる．第3期（中生代）にはソテツ類が現れて，針葉樹とともに優勢を占め，最後（新生代）に顕花植物がその後を引き継いだ．このことは全体としてしだいに複雑さと多様性を増していく前進的な歴史を表すものであり，それは化石に残された動物の記録から現れつつあるように見える歴史と似たものだった．

　ブロニャールはまた，植物化石の記録にもうひとつの重要な特徴を認めた．第1期の化石植物，鬱蒼と繁茂した化石木性シダ，ヒカゲノカズラ類，トクサ類などは絶滅したが，今日暑く湿潤な熱帯雨林にのみ生育する植物と同じような特徴を示した．ブロニャールは，地球の気候は現在よりもずっと暖かかったにちがいないという結論を下した．熱帯の温暖さが，はるか北方の北西ヨーロッパ地域（これらの植物化石が発見されたスコットランドを含む）にまで広がっていたか

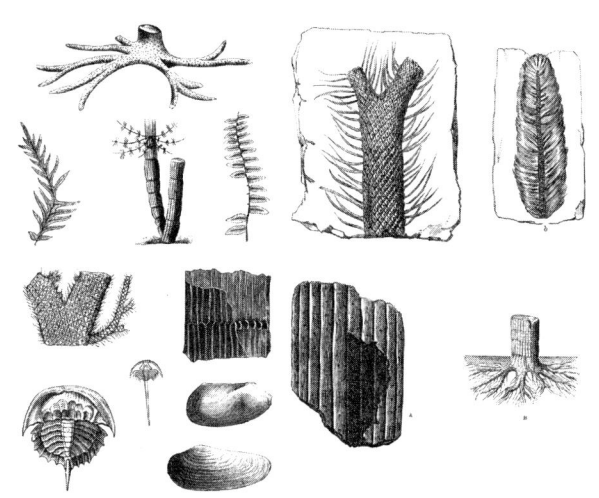

（左）夾炭層から得られた化石．シダ類，トクサ類，ヒカゲノカズラ類などを含む．
（右）石炭紀の化石の木の株，幹，球果．これらにもとづいて夾炭層の森に生えていた元の植物を復元しようと科学者たちは苦心した．

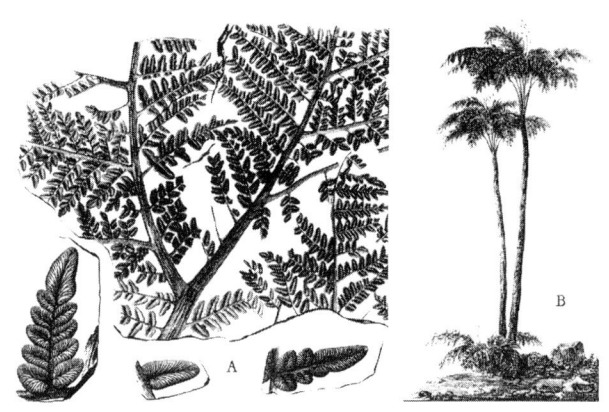

高緯度地方の夾炭層の木性シダと現代の熱帯性木性シダとの比較．この化石シダからアドルフ・ブロニャールは，石炭紀には地球は今よりずっと暑かったという結論を下した．

らである．今では，この現象について別の説明ができることを私たちは知っているが（下記参照），その当時はこれは重要な考え方の顕著な進歩であり，ビュフォンの地球寒冷化説を復活させることになった．

　夾炭層の時代に植物が多量に繁茂していたことは，大気中の炭酸ガスの濃度がかつて高かったことを示すというブロニャールの説は，その時代よりもっと先をいくものだった．二酸化炭素濃度は地球の温度の上昇を引き起こす．さらに，多量の植物が存在することは，活発な光合成により酸素濃度を高め，大気中の炭素を石炭層の中に固定し，大気中で呼吸する爬虫類の繁栄を可能にした．［訳注：2002年に発表されたバーナー（Berner）による研究では，カンブリア紀からデヴォン紀ごろまで二酸化炭素濃度は高いが，石炭紀には急速に低下する一方，石炭紀には酸素濃度のピークが訪れる．高い二酸化炭素濃度はデヴォン紀に最初の森林を育む．石炭紀には大森林が活発な光合成を通じ，逆に酸素濃度を高めたと考えられる］．現在では，彼は基本的に正しいことがわかっている．デヴォン紀には大気中のCO_2レベルは現在よりも10倍ほど高かった（600 ppm前後）と思われる．しかし陸生の植物は石炭紀を通じて繁栄していたため，これが大気中のCO_2を取り込んで，それを植物体内に閉じ込めた．植物の残骸はきわめて広範囲にわたって大量に蓄積され，ところによってはきわめて厚い層をつくった．さらにそれがやがて埋没され，圧縮されて，長い時間をかけて石炭層を形成した．地球全

(上)ルイ・フィギュエが1865年,著書『大洪水以前の地球』第4版のために描いた夾炭層湿地の復元図.シダ類,トクサ類,ヒカゲノカズラ類,魚類,爬虫類などが見られる.
(下)アウグスト・ゴルトフスの百科事典的な『ドイツの化石』(1826-44)のため,クリスティアン・ホーエが描いた挿絵.夾炭層で化石が発見されたさまざまな陸生植物,貝類,魚類などが見られる.

体の植生はいちじるしい量にのぼり,その結果大気中のCO_2は今日の約354 ppmに近いレベルまで低下して,地球の気候はデヴォン紀の高温期から急激に寒冷化した.この冷蔵庫気候の状態が,石炭紀の終わりからペルム紀の氷河時代を起こさせた.赤道地域では,気候は以前よりも乾燥し,雨林はいちじるしく縮小したが,石炭層はいぜんとしてペルム紀初期の中国で形成されていた.

今日石炭紀にできた石炭の分布が全世界にわたっているのは,プレートテクトニクスによって説明することができる.大陸の石炭を豊富に含む地域を,もういちど石炭紀にあった状態に戻してみると,それらはすべて北米中部のアーカンソ

ーおよびカンザスから，カナダ東岸の沿岸諸州，北西ヨーロッパ（ブリテン諸島，ドイツ北部，オランダ，ベルギー，フランス北部，およびポーランド）を経て，ウクライナおよび中国にまで伸びる赤道帯地域内に入る．

● 恐竜が食べていた植物

　1820年代後期，ウィリアム・スミスの甥のジョン・フィリップスは，ヨークシャー海岸の地質に関する先駆的な著作のための情報を集めていた．海岸の地層はすっかり露出していることも多く，ところどころに化石をきわめてたくさん含む場所があることは，土地の人には何世代も前から知られていた．この国の反対側の端に当たるドーセット州の人々と同じく，化石を売って金が得られるようになると，すぐに土地の採集人と買取り商人の組織ができた．地質学を学ぶ人々はアマチュアの間にも増えた．18世紀後半に時代の流行となり，19世紀初めまで盛んだった地方の文学会や哲学会の会員が，地質学ファンであることも多かった．ときどきではあったが，専門家のグループもやってきて，その数は増加していった．この人々の多くは（必ずというわけではなかったが）大学の人たちや，地質調査や地図作成によって苦心しながら不安定な収入を得ているウィリアム・スミスや彼の甥のような人々だった．

　1825年までに，ウィトビーの南，スカーバラやソルトウィックより北のヨークシャー海岸の多くの場所で，ウーライト紀（のちにジュラ紀と呼ばれるようになった）の岩石中に植物の化石が発見された．土地の人々が採集した標本はヨークなどの学会が，博物館のために買い上げた．アドルフ・ブロニャールはスコットランドへいく途中，ヨークでジョン・フィリップスに植物化石のコレクションを見せられた．1826年，スコットランドのサザーランドへの旅の準備をしていたロデリック・マーチソン（1792-1871）は，それらの標本や，それが出てきた海岸の地層断面を見るため，ここにやってきた．そこにはモーレイ湾北岸のブローラ村に炭鉱があった．

　ブローラの石炭は1529年以来，地表の露頭から採掘が行われており，1598年に最初の縦坑が掘られた．1810年には新しい鉱山が開かれ，マーチソンはブローラの石炭層がヨークシャー・ウーライト層と同じ年代のものかどうかを知りたいと考えた．ジュラ紀のヨークシャー層では1648年以来，多数の小さな坑道から断続的に石炭の採掘が行われてきた．バードフォース炭鉱は1760年に掘られ

た深さ46mの縦坑をもつ最大の炭鉱だったが，それでも生産の最盛期の作業員数は約30人にすぎず，1798年に閉鎖された．マーチソンは地質学の知識を経済的目的のために応用することに熱心で，土地所有者が産出する見込みのない岩層で石炭を探すことに金を浪費するのをやめさせようと，かなりの努力を払った．

1827年にヨークシャー海岸のグリストホープで植物の化石が発見されたことによって，この地域は化石コレクターの地図にその所在がはっきりと記されることになった．化石の産出地を最初に発見したのが誰だったかについては，若干の議論があった．互いにいとこ同士だったこの地方の2人の採集人ウィリアム・ビーンとジョン・ウィリアムソンが，ともに自分こそ最初の発見者だと主張した．それ以後これまでに，300種以上の植物――新種も多い――がこの地域のジュラ紀層から発見されている．そのうちの3分の1は，グリストホープの海岸に露出している地層から得られたもので，今ではここはこの時代の化石植物を見つける最良の産出地として国際的に知られている．ブロニャールは4種の新種にウィリアムソンにちなんだ名前をつけ，さらにその後ソテツの属にビーンにちなんだ名前がつけられて，彼の貢献も公に認められた．

この堆積層についての現在の解釈によると，これらの植物はコケ類，ヒカゲノカズラ類，シダ類，ケイトニア類，ソテツ類，イチョウ類，針葉樹類，その他海岸沼沢地周辺に生育していたさまざまな植生の一部であると考えられている．植物の破片は海岸沼沢地に落ちたり，風に飛ばされてきたりして，長い年月の間に細かい泥に埋まり，保存された．ソテツのビーニアの木のように，グリストホー

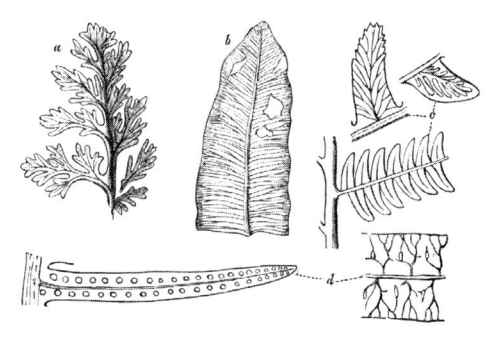

ジュラ紀のシダの化石の細部．ヨークシャーの標本からアドルフ・ブロニャールが名前をつけたものも含まれる．

プの化石から元の姿が再現された化石植物もいくつかある．この化石はジョン・フィリップスの1829年の著書『図説ヨークシャーの地質』によって，はじめて地質学界で広く注意を集めた．ジョン・ウィリアムソンの息子のウィリアム・ウィリアムソン（1816-95）は，フィリップスの著書のため，植物の標本，記載，図などを多数用意した．ウィリアム・ウィリアムソンはのちにマンチェスターのクイーンズ・カレッジ（のちのマンチェスター大学）で植物学と地質学の教授になり，イギリスにおける化石植物の学術的研究の実質的な基礎を築いた．10年ほどのち，このジュラ紀地層に保存されていた注目すべき化石植物相が，恐竜の食物連鎖の基礎的食物であり，ダチョウくらいの大きさの二本脚恐竜から，あらゆる時代を通じて最大の陸生動物だった巨大な竜脚類恐竜まで，あらゆる大きさの無数の草食恐竜がこれを食べていたことが知られるようになった．

● ウェールズ丘陵の境界論争

　最もふつうに見られる化石は，今日の海でも見られる二枚貝，巻貝，ウニ類，サンゴ類などのようなよく知られた海生動物や，古い堆積岩中に見られる絶滅した三葉虫類，アンモナイト類，腕足類，筆石類などのグループの殻である．このような化石によって，岩層の堆積順序を見分けることが可能になり，さらにそれらがもともとどのようにして，どこで堆積したかを知ったり，全体的な層位の系列や地層の堆積の歴史を確定したり，地質時代を細分したり，同じような時代の地層の露頭を対比したりすることも可能になった．

ヨハン・レーマンの描いた1756年の地質断面図．トゥリンギアの堆積岩層，すなわち第二紀層（ペルム紀～三畳紀層）の断面．

1800年代の最初の10年が過ぎるころには，地球表面に現れている岩層はすでに第三紀層，第二紀層，始原層に分けられていた．この大きな区分けは最初，1760年代にドイツのヨハン・ゴットロープ・レーマンのような鉱物学者によって定められた．始原岩層は最初，地球創造の最初の段階で形成されたものであり，そのため化石が残っていないと考えられた．この種の岩石は花崗岩，片岩，玄武岩を含み，山岳地域に見られた．その上には何層にもなった第二紀堆積層があって，山腹に見られる．これは大洪水のときに堆積したもので，したがって洪水の犠牲となった動物の石化した遺骸がたくさん見られると考えられた．石灰岩，粘土岩，砂岩などがこれに含まれた．さらにその上には，第三紀層が乗っていた．化石に富むさらに新しい堆積層で，低い丘陵をつくっていた．これをつくっている物質の一部は，第二紀層の浸食や再堆積に由来するものと考えられた．
　18世紀中ごろには，イタリア・パドヴァ大学の鉱物学教授ジョヴァンニ・アルドゥイノ（1713-95）が，自然に見られる地層の系列がそれほど単純なものではないことに気づいた．岩石にはそのほかに，例えば火山岩のように前記のような単純な体系には当てはまらないグループもあった．石灰岩のように，第二紀層と第三紀層の両方に見られるタイプの岩石もあった．1787年にドイツの鉱物学者で，大きな影響力をもつ教師でもあったアブラハム・ゴットロープ・ウェルナー（1749-1817）が，もっと進んだ岩石分類法を発表した．
　ウェルナーは，始原岩層の上に彼のいう遷移岩が乗っていることに気づいた．これは主として地球の大洋の化学的沈澱物と考えられたが，始原岩層の浸食によって生じたある種の成層堆積層を含んでいた．ウェルナーは彼の第二紀層を'フレッツ・シヒテン'，すなわち成層岩と呼び，これは化石を含む砂岩，石灰岩，スレート，石炭，その他から構成されていた．この層の上に彼の'アウフゲシュヴェンムテ・ゲヴィルゲ'，すなわち沖積層（第三紀堆積層に相当する）が乗っており，これは浸食物を陸地から海へ運んで砂，泥炭，粘土などをつくる流水によって形成された．さらに，そこには火山灰や噴石層のような火山生成物もあり，これらもすべて化石を含む可能性があった．ウェルナーにとって，彼の4つの細区分は地殻形成の歴史を反映するものだった．
　19世紀初期の数十年が過ぎるころには，地方や地域による地層の細区分が多数明らかになって，名前がつけられ，フランスのジョルジュ・キュヴィエやアレクサンドル・ブロニャール，イギリスのウィリアム・スミスといった先駆者たち

によって地質図もつくられていた．すでに，独特のいくつかの地層群はもっと大きな地域にわたって同時代のものだと考えられていた．ベルギーのテレン・ビチューミニフェール（瀝青炭田）がその例で，これはキュヴィエやブロニャールの仕事に大きな影響を受けたベルギーの地質学者ジャン・バプティスト・ジュリアン・ドマリウス・ダロワ（1783-1875）によって1808年に名づけられた．1822年までにダロワはフランスやベルギー，ドイツおよびスイス隣接地域などの低地帯の主要な地質累層を全般的に調査し終えていた．彼の400万分の1地質図は，1822年に自著『地質学教科書』ではじめて発表された．同じ年イギリスで，ウィリアム・ダニエル・コニベア師およびウィリアム・フィリップス（1775-1828）の『イングランドおよびウェールズの地質学概説』も出版された．この時代を表すCarboniferous（石炭紀）という英語化された名前はこの2人のイギリス人によってつけられたもので，それ以来国際的に通用している．

彼らは書いている．「このような構成をもつ岩石群は，大石炭層そのものを含むだけでなく，石炭層を乗せている石灰岩や砂岩層も含む．……Carboniferousという形容語は明らかにこれらの統にも当てはまる」．この石炭系はウェルナーのフレッツ・シヒテンとも，遷移岩層とも別個のものだが，どちらかといえば，前者よりも後者に近いものと彼らは考えていた．石炭系はその後国際的に認められた系となり（ただし旧赤色砂岩は除いて），地質時代の石炭紀に相当するものとなった．今では，この時代は3億6250万年前から2億9000万年前まで続いたことがわかっている．

19世紀初期の数十年には，その他の地質学上の系——ひとまとまりのものとして認められる地層群で，先史時代の特定の一時期に相当するもの——を区別し，命名する国際競争のようなものが見られた．また1822年には，ドマリウス・ダロワも一群のフレッツ・シヒテンもしくは第二紀地層に'テレン・クレタセ'という名前をつけ，これは現在，白亜紀として世界中で使われている．

イギリスでは若い元陸軍士官ロデリック・インピー・マーチソンが，地質時代を'わがものにする'ことの魅力にとらえられた．全般的な地層分布の大どころについては，ウィリアム・スミスや，それとは別個にジョージ・ベラス・グリーノーをリーダーとするロンドン地質学会会員グループによってすでに地質図がつくられていた．これらイングランドの新しい時代の地層は，おおむね地質構造が比較的単純で，地質図もつくりやすかった．しかし，イングランド南西部，ウェ

ールズ，イングランド北部，さらにその先のスコットランドでは，岩石が一般に古く，構造的にもっと複雑だった．フレッツ・シヒテンもしくは第二紀層の下には，石炭紀層や遷移岩層があって，これらは有機遺物を含んでいることが知られ，生命の始まりを記録しているものと考えられた．

シュロップシャーでは18世紀前期から石炭を得るために石炭紀の地層が掘られて，この地方の製鉄産業を支え，イギリスの産業革命の基礎となってきた．その下層や西方にはウェールズ境やウェールズのさらに古い岩石があって，これは遷移岩層，グラウワッケ，またはグレーワッケと呼ばれるようになり，一般に詳しく細区分したり，地質図がつくられたりはしていなかった．スミスの1815年のイングランドおよびウェールズの地質図や，それよりも少し精密な1819年のグリーノー編纂の地質図でも，ウェールズ，湖水地方，イングランド南西部，スコットランドの大部分などに見られるこれらの古い岩石は「未知の土地」として示されていた．スミスの甥のジョン・フィリップスは，「1831年の夏以前は，古代の岩石および化石の埋まった原野は……まったく探査されていなかったが，そこへ2人の男，アダム・セジウィックとロデリック・マーチソンが現れて，同時にこの放置されていた荒野に手をつけ始めた」と書いている．いつものことだが，事実はもう少し複雑だった．

イギリスにおける地質研究の歴史として一般に書物で語られるのは，ウェールズの遷移岩層，グラウワッケ，初生岩層の最初の体系的研究が，1820年代および30年代にロデリック・インピー・マーチソンおよびアダム・セジウィックによって行われた話である．

マーチソンは紳士階級の出だが，比較的貧しいスコットランド人だった．イベリア半島戦争のときスペインで英国陸軍士官として従軍したが，'恵まれた'結婚をして若くして退役した．ありきたりの狩りや射撃を趣味としていたが，妻にもっと役に立つことをするよう勧められた．そこでロンドンで行われた地質学の講演会に出かけたところ，それがすっかり気に入って，銃をハンマーにもち換えることになった．資産家である彼は野外で好きなだけ時間をつぶすことができ，社会的なつながりから地方の紳士階級や貴族階級の人々の好意を利用することもできた．

これに対してカンブリア州の牧師兼学校教師の息子だったアダム・セジウィックは，学問の道で良い成績をあげ，ケンブリッジ大学で特待免費生の資格を得

た．これはつまり，仲間の学生の身の回りの世話をすることにより，自分の学費の費用は一部払うだけですむというもので，優秀だが貧しい多数の学生たちが学位を得るためにたどった道だった．セジウィックは取りわけ優れた成績をあげて，1810年にはトリニティ・カレッジのフェロー（名誉校友）となり，1817年にはノリッジの聖職に就いた．1818年にはまだ地質学の知識は限られたものにすぎなかったにもかかわらず，大学のウッドワーディアン鉱物学教授および地質学会会員に選ばれた．すぐに彼はその知識の足りない部分を埋め，長い年月の間でこの職を真剣に務めた最初のウッドワーディアン教授となった．1822〜24年にセジウィックは湖水地方で最初の体系的な地質調査を行って，マーチソンと知り合い，2人はいっしょに1830年代にスコットランド，デヴォンシャー，ウェールズの地質調査を実施した．セジウィックの現地調査の時間は大学の休みのときに限られ，そのときでも彼はノリッジでの聖職者としての職務を果たさなければならなかった．

ケンブリッジ大学ウッドワーディアン教授，アダム・セジウィック師．ワーズワースの友人で，ダーウィンの地質学の先生だった．古い岩石を細区分することに熱心で，1835年にウェールズのラテン語名カンブリアにちなんでカンブリア系という地層の名前をつけた．

　ウェールズでこの2人の友人は，未知のグラウワッケ統の土地が地質学的にどのような意味をもつかを解き明かす研究を進めることを決めた．このころには2人のうちでより経験を積み，褶曲や断層を起こした地層の調査を経験していたセジウィックは，最も古い北ウェールズの初生岩から地質図作成を始め，そこから南と東へ地質図を広げていくつもりだった．マーチソンは，すでにわかっている時代の新しい岩石の基底から下へ向かって作業を進めていくことにした．作業を始める前に，彼はまずグラウワッケ層について何かを知っている地質学上のあらゆる知人たちの'知恵を借りて'回った．その結果，彼はワイ渓谷の南端から調査を始めて，旧赤色砂岩層からしだいにより古い岩石へと，層序系列を下方に向かって作業を進め，その特徴や含まれる化石を記録していった．

　後になってマーチソンは，ウェールズにおける彼の地質図作成は'スミスの層序学的原理'に従ったものだといっており，確かに岩石中に含まれる化石をリス

ウェールズ境界地方のシルル系の土地．マーチソンの妻シャーロットが1839年の彼の著書『シルル系』のためにスケッチしたもの．

トにすることによって岩石単位の特性を表すよう心がけていた．彼は他の人々に若干の助力を受けたこともある程度認めてはいるが，この地域の多数の研究者によってすでにどの程度まで基礎が築かれていたかについては認めることを惜しみ明確にしていない．マーチソンはウェールズにおける研究を要約した1839年の著書『シルル系』の前書きで，「この地域はかつてシルリア人が住んでいた土地であり……［私が］名づけたはるか遠い時代の膨大な，整然と積み重なった未報告の堆積層を含んでいた」と書いている．さらに彼は，「旧赤色砂岩の下に特異な有機遺物を含む堆積層の整然とした系列が存在することを誰も気づいていなかった」といっているが，これはいちじるしい真実の書き惜しみといわなければならない．ウィリアム・フィットン (1780-1861)，アーサー・エイキン (1773-1854)，T・T・ルイス師 (1801-58) などをはじめ，各地で小地域の地質を真剣に研究していた人は少なくない．何十年も前にさかのぼれば，ほかにもドイツ人鉱物学者ルドルフ・エリッヒ・ラブゼ (1737-94) のような人がたくさんいる．彼は1780年代にシュルーズベリー近郊で鉛鉱石を発見した人物だが，空想的な『ミュンヒハウゼン男爵のたった一人の旅行，キャンペーン，冒険』の著者としてのほうがよく知られている．

　ヒュー・トレンズのような地質学史家が最近指摘しているように，イギリスの実践的地質学の歴史に関する私たちの知識と，もっと学問的な理論の発展との間には深刻なずれがある．産業革命が18世紀後期，まだ世紀の終わりまでにはか

なり間のあるころに始まったことや,それが地質物質に大きく依存していたことを考えると,理論化が遅れていたように見えるイギリスで,どうして産業革命がこれほどみごとに成功を収めることができたのだろうか? 大都市の紳士階級の人々や,科学を'もてあそんでいた'少数の大学とは無縁の実践家たちの間にかなりの量の知識が蓄積されていたのにちがいない.

　ルイス師はマーチソンにとって特に重要な人だった.彼は,「1831年7月にヘリフォードシャーをはじめて訪れたマーチソン氏を……古い道に沿って案内し……下部ラドロー層の岩石から旧赤色砂岩まで連続する断面をお見せする栄誉を得た」.ラドロー層の層序やそのすぐ下の地層は1812年以前に,アーサー・エイキンがこの地域の地質調査を試みた際に手をつけていたが,この試みは資金不足のため失敗に終わっていた.マーチソンはエイキンのノートやスケッチを見て,やはりエイキンと同じようにウェンロック石灰岩とエイムストリー石灰岩とを1833年まで混同していた.

　セジウィックが直面した地質学的状況は,さらにはるかに複雑だった.北ウェールズの地層は野外ではどれも同じように見え,一般に化石を含まないため,細区分することが容易ではないばかりでなく,しばしば褶曲によっていちじるしく変形し,断層によって位置

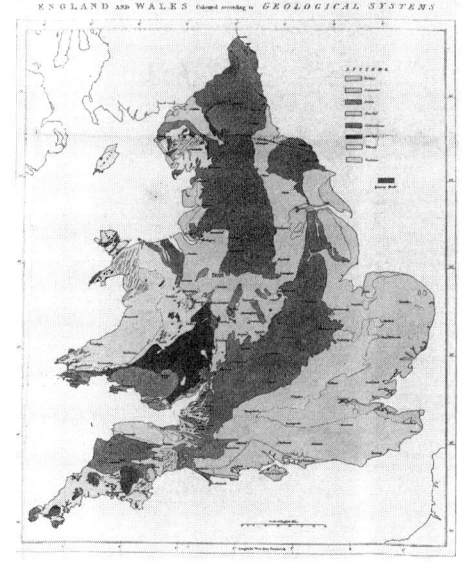

(上)ウェールズ境界地方のシルル系の土地.これもマーチソンの妻シャーロットが1839年の彼の著書『シルル系』のためにスケッチしたもの.
(下)イングランドおよびウェールズの地質図.マーチソンの『シルル系』に記されたもの.カンブリアはウェールズ北部の小地域となっている.

がずれている．セジウィックは地層の順序を解明しようと苦闘し，化石を見つけたときでさえ，その同定にはマーチソンほど熱心ではなかった．それでも1835年までには2人の地質学者はともに，古い遷移岩層という名前をもつものに代わるべき，別個の新しい系をはっきりと理解できたと確信した．セジウィックは彼の系をカンブリア系（ウェールズのローマ名，カンブリアにちなむ）と名づけ，これをアングルシーの初生岩層の上，マーチソンのシルル系の下にくる一連の地層として区別した．シルル系（紀）はローマ・ケルト系山地部族シルリア人から取った名前だった．最初彼らは，2つの系の間の境界が地質学的に明確であることに満足していたが，その状態は長くは保たれなかった．セジウィックが最初にカンブリア系化石動物相をリストにできなかったことが，その後，カンブリア系とシルル系の境界決定をめぐる衝突が拡大する原因となった．

　マーチソンは古生物学者ではなかったが，彼の1839年の有名な3部作『シルル系』では，シルル系動物相の挿図や記載について多数の専門家の助力を求め

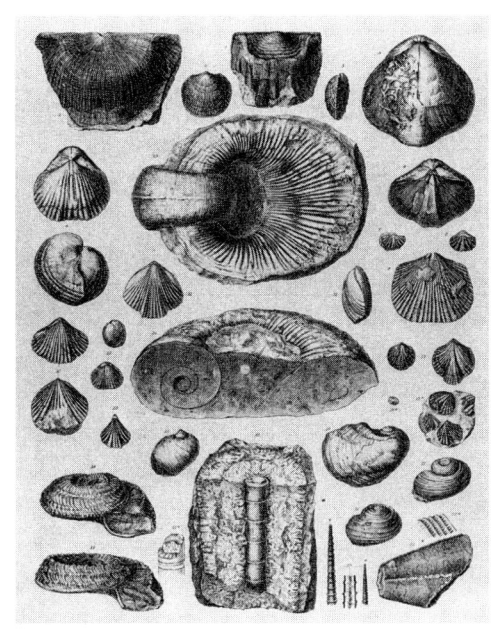

マーチソンはシルル系内のさまざまな層準で発見された代表的な化石の図を描いている．これらはウェンロック石灰岩から見つかった腕足動物や軟体動物．

た．無脊椎動物の化石の同定に全般的な専門的知識をもつJ・de C・ソワビー，スイスの氷河学者で化石魚類の専門家J・L・R・アガシ，化石サンゴの同定を専門とするW・ロンズデールといった人々だった．その後の数十年，マーチソンは'彼の'シルル系に磨きをかけ，1854年には『シルリア：最古の化石含有岩層とその基礎の歴史』の初版を出版した．タイトルが示すように，これは彼の多くの学術出版物を総合したものであるだけでなく，シルル系生命起源説を主張するものでもあった．この本は長い年月の間に多くの版を重ね，これが広く流布したことはシルル系が国内，国外で広く受け入れられるようにするのに役立った．しかし，マーチソン版は英国およびアイルランド地質調査所で採用され，その中では最終的にこれらの島の下部古生層露頭の多くが独特のシルル系のブルーに塗られていて，この状態は1900年代前期まで続いた．マーチソンは1855年に地質調査所の所長になっており，調査所が彼の版を採用したのはおそらく偶然のことではなかっただろう．

1840年代以降，カンブリア系とシルル系の境界の定義をめぐってセジウィックとマーチソンの間に衝突が起こり，その結果マーチソンはシルル系の最下層をもっと下方に広げた．これによってマーチソンは，最も古い有機質遺骸によって表される生命の本当の起源は必ず拡大されたシルル系内に見られるはずだと主張できることになった．これが本当にそうであったとしたら，それはセジウィックのカンブリア系にとってきわめて深刻な意味をもつことだった．セジウィックが，含まれている化石にもとづいてカンブリア系を定義できる可能性が排除されることになるからである．マーチソンの定義によれば，発見される化石はすべてシルル紀のものであり，したがって化石を含む岩石もシルル系のものとなる．マーチソンの主張を，ボヘミアで示された証拠も支持しているように思われた．それはフランスの地質学者ジョアキム・バランド（1799-1883）がボヘミアで，シルル系内の'階'（'a'～'g'階）の順序を確定したことだった．'c'階はバランドが'第一'もしくは'原始'動物相と呼ぶものを含み，その下にはさらに古い無化石岩層があった．この'c'階の限られた動物相のうちには，実は英国地質調査所の古生物学者J・W・ソルターが1854年に北ウェールズで発見した属のものもいくつかあった．生命の起源そのものは'彼の'シルル系内に記録されているというマーチソンの主張は，広く受け入れられた．このことを表すものとして，イギリスの『大洪水前の世界』という出版物に見られた，生命の歴史を絵によって

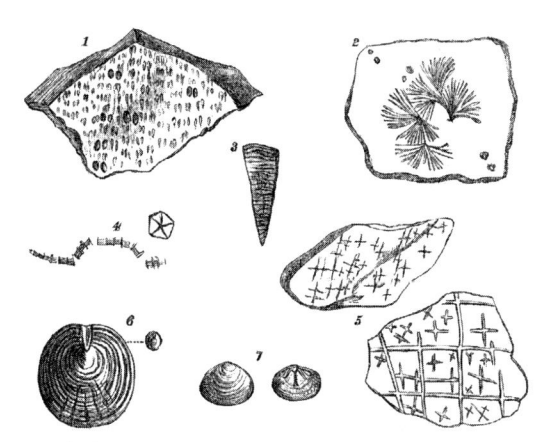

19世紀後半には，セジウィックのカンブリア系の代表的な化石には虫穴(1)，海綿動物(5)，腕足動物(6,7)，オルダミア(2)などが含まれることが知られていた．

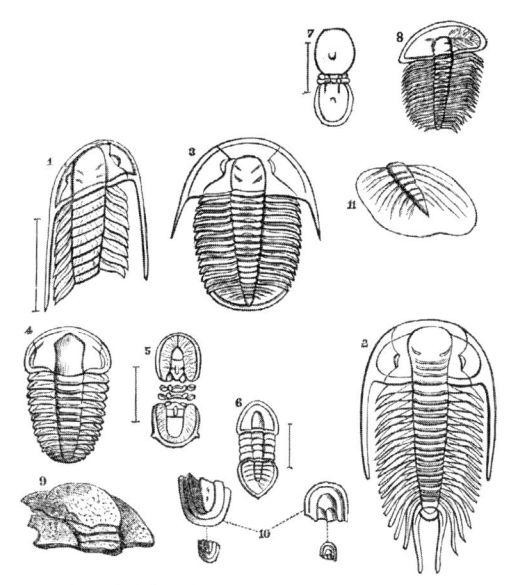

カンブリア紀を細区分するのに最も役立つことになった化石は三葉虫類だった．この時代までに進化してきたきわめて多様な節足動物の一部類である．

示そうというごく初期の試みのひとつをあげることができる．1858年には，オーストリアの植物学者フランツ・ザヴィエル・ウンガー（1800-70）の一般向け著書『形成のさまざまな時代の原始世界』第2版の挿絵によって，この考え方はさらに広く流布された．しかし1860年代になると，シルル系の下に別個のカンブリア系動物相が存在すること，したがって生命の起源はマーチソンの主張したよりもずっと古いことが，多数の地質学者の目にはっきりしてきた．

　1840年代後期から1850年代にかけてスカンジナヴィアや北米でバランドの原始動物相の化石が発見され，それらがシルル系動物相とははっきり異なるものであることがしだいに明らかになっていった．さらに，アイルランドの生痕化石オルダミア（Oldhamia）のような，古い岩石中に存在した原始生物の証拠も現れてきた．マーチソンもついに『シルリア』の第2版（1859）で，このような定義の不正確な化石は，時代はカンブリア紀のものかもしれないと認めたが，それでも正しく定義され層位学的に有用な三葉虫や腕足類のような殻をもった無脊椎動物についてはシルル紀のものであることに固執した．

　カンブリア・シルル系境界の定義の問題は，解決するまでに長い時間を要した．スコットランドの校長から地質学者に転じたチャールズ・ラップワース（1842-1920）は1879年に下部シルル系の大部分を独立の大区分として分離することの妥当性を証明したが，この古生代層の新しい三分割法が一般に受け入れられるようになったのは数十年後のことだった．ラップワースはやはりローマ時代のイギリスのウェールズ部族オルドヴィセズ族にちなんで，この新しい地層区分をオルドヴィス系と名づけた．スコットランドの南部高地，ウェールズ，および湖水地方の研究と，新しく発見された筆石化石の垂直分布に関する詳細な知識から，ラップワースは以前には得られなかった精密さと自信をもって，下部古生代層を細区分し，相互の関連性を明らかにした．この種の詳細な生層序帯区分は，1850年代にドイツの古生物学者オッペル（1831-65）がもっと新しいジュラ紀層でアンモナイトを用いて行ったのが最初だった．

　ラップワースが生層序帯区分を大きく発展させたことは，下部古生代層の生層位学およびシルル系再定義の近代の幕開けとなった．1878年以降，国際地質学会で継続して層位学の命名法およびその使用法を世界的に標準化しようという努力がくり返されたが，この動きが下部古生代層について成功したのは1950年代後期から1960年代になってからのことだった．

シルル紀の海景を描いた最初期の復元図．ルイ・フィギュエ画（1864）．殻をもつ海の動物（三葉虫類，軟体動物，腕足動物など）が示されている．

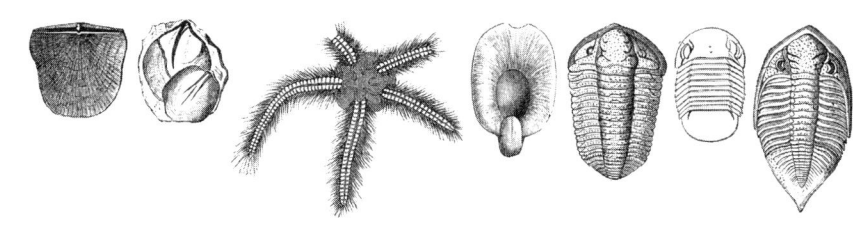

代表的なシルル紀の化石．腕足動物，ヒトデ類，海の巻貝，三葉虫類などが含まれる．

　イギリスのシルル系から得られる化石遺物は，古生代生物相の独自性，魚類の初期の進化，最初の陸生動物および維管束植物，シルル系内の海底群集の概念の適用と発展，下部古生代層内におけるそれらの進化などといった進化の重要な種々の側面を明らかにするのに役立った．

　19世紀から20世紀にかけて，地質学者たちは細かい化石分類学や連続する地層内の種の時間的配列という問題に追われ，地質図を作成し，世界中のほぼ同じ時代の堆積層の相互関係を明らかにすることに多くの学者が懸命に働いた．しかも，堆積層とそこに含まれる化石は，水の深さや気候といった環境の変化にともなって横方向に変化するという事実によって，状況はさらに複雑になる．陸上と海底の同時代の堆積層を関連づけることは，両者に共通の起源を示す生物がいな

いことから，取りわけ困難な場合がある．相互関係を決定する対比は主として陸地に由来するある種の化石，特に水や風の流れによって沿岸沖の堆積層に運ばれてきた花粉のような植物遺物に依存する．

　しかし，化石に対する民衆の関心は，19世紀初めにまでさかのぼる多数のさまざまな発見によって刺激されることになった．この場合も，それは主としてある種の陸生動物の巨大な骨の同定と関係があった．ただし，それはゾウの類縁動物ではなかった．こんどの怪物はまったく予期しなかった絶滅爬虫類の1グループであり，それは最終的に恐竜として知られることになった．

第5章

恐竜の発見
―― 恐竜から鳥への進化

● プリニー・ムーディと大きな鳥

　1802年にプリニー・ムーディというマサチューセッツに住む少年が，サウスハドリーにある父親の農場を鋤で耕しているとき，いくつかの不思議な化石を見つけた．鋤の刃が板状の岩を掘り起こし，そこに小さいがくっきりとした足跡が5つついていた．それは若いムーディの心をとらえ，彼はそれを家にもって帰った．それはムーディが大学に入って家を出るまで7年以上，農場の家の玄関口に飾られていた．マサチューセッツ州の地質学者で，アマースト大学教授のエドワード・ヒッチコック（1793-1864）がのちに語ったところによると，その石は同じように足跡に興味を引かれたエリヒュー・ドワイト博士が買い取った．「ドワ

1802年，マサチューセッツ州の農場の少年プリニー・ムーディは，動物の足跡がたくさんついた平たい岩を掘り出した．これはやがてドワイト博士の手に渡り，彼はこれはノアのカラスがつけた足跡だと考えた．

イト博士は客がくると嬉しそうに，これはノアのカラスの足跡かもしれないといっていた」という．

30年ほどたった1839年，ヒッチコック教授（このような化石の足跡について詳細な研究を行った）は自分のコレクションに加えるため，この石を買い取った．1841年に，彼はこの足跡をオルニトイディクニテス・フリコイデス（*Ornithoidichnites fulicoides*）として記載報告した．「オオバンに似た鳥のような足跡」という意味で，これがアメリカオオバン（フリカ・アメリカーナ（*Fulica americana*））の足跡に似ていたことによる．

化石の足跡にヒッチコックが興味をもつようになったのは，土地の医師ジェームズ・ディーン博士に影響されたためだった．ディーンは1835年に，歩道の敷石にするためマサチューセッツ州グリーンフォードで切り出された変わった板石の話を聞いた．土地の人W・W・ドレーパーによると，その石には「3000年前の七面鳥の足跡が一面についていた」ということだった．ディーンはヒッチコックにこの発見のことを手紙で知らせ，一度現地にきて，自分で調べてみるよう勧めた．真新しい発見であることに強く興味を引かれたヒッチコックは現地で同じ種類の赤色砂岩を含む採石場を調べ，さらにいくつか同じようなものを見つけた．彼はその化石の足跡を現在生きている動物の足跡と比べ，1836年に結論を発表した．3本の指をもつコネチカット渓谷の化石の足跡は，大洪水以前の鳥によってつけられたものというのがヒッチコックの結論だった．彼はそれをオルニトイディクニテス（*Ornithoidichnites*）と呼び，これに対して爬虫類の足跡はサウロイディクニテス（*Sauroidichnites*），四本脚の足跡はテトラポディクニテス（*Tetrapodichnites*）と呼ばれた．

その後何年もかけて，ヒッチコックはこれらの「足跡属」と「足跡種」の名前を組み合わせて，一般的な分類学的慣行と一致する彼の分類法を練り上げていった．こうしたやり方はその後ずっと，このような足跡の化石やその他の生痕化石について用いられている．特定の足跡が正確にどの化石種によってつけられたものかがわかっていることはめったにあることではない．一般に，足跡をつけた動物がその場で死んで，種を同定できるような遺骸の化石を残すことはないからだ．したがって，遺骸化石の分類群と足跡の分類群の命名が並行して存在し，そのうちには同物異名［同じ生物に異なる名前がつけられているもの］も含まれているにちがいない．

ヒッチコックの足跡化石のコレクションはきわめて膨大なもので，アマースト大学にはそのための特別な博物館が建てられた．

(左) ヒッチコック教授は注意深く足跡化石の研究——彼はそれを生痕学と呼んだ——を行い，その3本指の足跡は大洪水以前の鳥類のものだという結論を下した．
(右) ヒッチコックの1858年の論文に見られる足跡の挿図．現在では，恐竜の足跡であることがわかっている．

　足跡化石に対するヒッチコックの熱意はさらに強くなった．多くの点でヒッチコックは彼のいう「イクノリソロジー (ichnolithology)」——「石につけられた足跡の研究」を意味する——の創始者のひとりだった．今日，この学問はもっと簡潔に「イクノロジー (ichnology)」[訳注：「足跡の研究」を意味するが，日本語では「足跡以外の生物痕跡」の意味も含めて，「生痕学」と訳される]と呼ばれる．足跡のついた岩を集めたヒッチコックのコレクションは，やがてアマース

ト大学でそのために特別に建てられた博物館——アップルトン・キャビネット——の一階全体を占めるほどになった．一方，同じように足跡化石に興味をもったディーンは，ヒッチコックが自分こそ最初の発見者だと主張したことに頭を悩ませていた．ヒッチコックは，自分が詳しいことを発表していなかったら，科学界の誰も足跡化石の存在を知らなかっただろうといって自らの正しさを主張した．激しい騒動は何年も続いた．

ヒッチコックの死後，彼の詩（のようなもの）が息子によって発表されており，それを見ると，19世紀半ばになってもまだ保守的な地質学者の間に広く見られた化石に対する考え方をある程度知ることができる．

●エドワード・ヒッチコック氏による砂岩の鳥

場面：コネチカット川河畔．地質学者がただひとり，鳥（オルニティクニテス・ギガンテウス（*Ornithichnites giganteus*）の足跡を調べている．

> 石についた足跡！　何とわかりやすく，しかも何と不思議なのだ！
> まさに鳥の足跡だが，きわめて大きい．
> だがこの怪物のその他の痕跡はすべて消え失せた．
> 鳥よ，お前が解決した問題を，
> 人間はいまだ解決していない．
> 自分の痕跡を地上に，
> 時間も，運命も決して消し去ることのできないほど深く残すことに．
> この岩にお前が足跡を印して以来，
> 1000ものピラミッドが朽ちて，崩れ落ちた．
> だがこの岩は，そのとき以来変わることなくここにある．
> 地殻はいくたびとなく隆起し，断裂した．
> また，大洪水が次々と襲い，
> 地表から生物を流し去った．
> 前世の鳥，お前の姿が，
> 再びここに現れるだろう，この古代の生息地に……
> アダム以前の鳥，
> その力によってお前の時代の創造を支配したもの，
> 私の言葉に従い，
> 創造主の前に立て……

ヒッチコックは散文の形で，頭の中に思い描いたコネチカット渓谷の過去の光景も称えている．1848年に彼は次のように書いた．「私ははるかに遠い時代に戻り，この巨大かつ異様な生き物が歩いた浜辺を見たとき，ロマンのもたらす興奮をすべて経験した．今や私は科学的幻想の中で，体高4〜5mもある無翼の鳥が一羽——いや大群をなして——泥の上を歩き，その後に形は似ているが，もっと小型のものたちがついていく．次にくるのは二本脚の動物，たぶん鳥だろう．足とかかとは長さ2フィート近い．……本当に変わっている，この遠い砂岩の時代の風変わりな動物たち」．

　その当時，ヒッチコックの解釈は科学的に完全にまっとうであり，妥当なものだった．このような三本指の足で歩いた二本脚の足跡を残す動物といえば，鳥類しか知られていなかった．最大の問題は，現存する鳥類のうちに，体高が4〜5mに達するようなものはいないということだった．しかし，1838年にヒッチコックの鳥類説は大きく勢いづけられることになった．

　イギリスの解剖学者リチャード・オーウェンは，一世代前にキュヴィエが効果的に活用したのと同じ比較解剖学の方法を用いて，ニュージーランドで発見された長さ15cmほどの大腿骨の小断片について公式に記載報告した．彼はこれを，マオリ族がモアと呼ぶ空を飛べない巨大な鳥の骨だろうと推測した．5年後，彼はほとんど完全な標本を手に入れて，その驚くべき推測が証明され，これをディノルニス（$Dinornis$）と名づけた．「恐るべき鳥」という意味だった．それは体高3.5mに達し，三本指の足をもっていた．

　唯一の問題は，ディノルニスやその他の絶滅したモア類がコネチカット渓谷の足跡と関係があると考えるのには，あまりに新しすぎるということだった．コネチカットの足跡は今から約2億年前，三畳紀後期からジュラ紀前期のものである．モアは第四紀の「氷河時代のいわゆる巨大動物類の一部をなすものであり，人間活動の影響を受けてマンモス，剣歯ネコ類，オーストラリアの巨大有袋類などの多くの動物たちとともに絶滅した．それでもオーウェンはこれら

若く，野心満々のイギリスの解剖学者リチャード・オーウェン．手にはモアの脚の骨をもっている．彼は進化に関する論争の「主役」として登場した．

の大型鳥類がかつて生きていたことを明らかにしており，これらがもっと古い時代に存在してはならない強い理由はないように思われた．

　一方，これから述べていくようにヨーロッパでもその他の重要な化石が発見され，それによって過去の時代や，特にヒッチコックの足跡に対する考え方に革命的な変化を生じさせることになる．また，生命の歴史や時間にともなう生命の発達――すなわち進化――の問題について，激しい嵐も巻き起こりつつあった．ここでも，リチャード・オーウェンがドラマの重要登場人物のひとりだった．

● 世界創造――改訂版
　1844年，『創造の自然史の痕跡』という本がロンドンで出版された．ヴィクトリア時代の知性と文化の発展の中で，まさにぴったりの時期に現れたきわめて野心的な著作物だった．地獄は力を失い，復讐する神の威力は薄れつつあった．知識が貪欲に求められ，その欲求をケンブリッジの科学史家ジェームズ・シーコードのいう「印刷文化の工業化」がどんどん満たしていった．『自然史の痕跡』はフランケンシュタインのように奇怪な雑種であり，アンスロポロジー（人類学）から，ジオロジー（地質学）やサイコロジー（心理学），さらにはセオロジー（神学）にまで至る多くの『オロジー』と，片やアストロノミー（天文学）のような『オノミー』までおまけに入っていた．さらにその著者も，きわめて人の気をそそるゴシップめいた謎を感じさせた．著者は匿名だったのだ．

　『自然史の痕跡』は，「生命は研究室でつくり出すこともでき，人間は類人猿から進化してきたものだ」と示唆した．そのこと自体，当時の宗教心の強い多くの人々にとって異端の考え方と感じられる可能性のあるものだった．著者が誰なのかも，その社会的地位，政治的立場，性別なども，誰ひとり知らないようだった．しかし，著者についての憶測によってこの本は何年も売れ続けた．バイロンの娘エイダ・ラブレースやサッカレーが著者ではないかといわれ，科学界の3人のチャールズ――バベージ，ライエル，ダーウィン――の名もあがった．1880年代には構文法上の手がかりから，著者はハドリアヌス帝の長城より北の人と考えられ，出版から40年たった1884年に，ついに著者はエディンバラの作家で，一般向けの百科事典，伝記，参考書などの出版業者であるロバート・チェインバーズ（1802-71）であることが確認された．チェインバーズは1871年に死んでおり，もはや批判の矢面に立たされることはなかった．

エディンバラの出版業者ロバート・チェインバーズが，ベストセラー本『創造の自然史の痕跡』の著者であることが明らかにされたのは，彼の死後のことだった．

『自然史の痕跡』は読者の興味をとらえ，ヴィクトリア女王，テニスン，フローレンス・ナイチンゲール，グラッドストン，ディズレーリー，ダーウィンなど，紳士たちから手機織りの女たちまで，イギリスだけでも約4万人の読者を引きつけた．ホイッグ党の貴族モーペス卿は，「この本の主張する前進的発展説は，受け入れられている近代地質学よりも，モーゼの物語と矛盾しない．ここに示される人類出現までの道順は，確かにこれと調和する」と考えた．それでも彼は，人類の起源に関するこの本の考え方が好きになれなかった．「私たちがサルから生まれたという考えはあまり好ましいものではない」といっている．文化現象となった『自然史の痕跡』について総合的なすばらしい本を書いたシーセコードは，「この本は進歩的なホイッグ党の貴族たちの心をとらえた．これが空想的で，大胆であり，偏見の足かせをはめられていなかったからだ」と述べた．

　テニスンは，「ここには何年も前から私たちがよく知っていた考え方がたくさん含まれているように思われる．……神はある法則に沿ってその業をなし，それによって新しい種がもたらされたのであり，人類の霊的感覚と理性は発達の産物であるとする説は有害なものではない」と書いている．しかし他方には，これを「国民の精神を毒する危険なヘビ［邪悪な存在］」と見る人々もいた．これはとりわけ，「近年増えつつある女性の学問愛好家たち，最もたっぷりと蜜を含む甘美さによって，最も味が深く，最も苦い果実へと導かれていく人々を毒するもの」というのだ．真紅の布で装丁されたこの本は「バビロンの売春婦」のようなものだった．

　『ノースブリティッシュ・レビュー』は1845年8月，次のように書いている．「全能者が地のちりから人間をつくり，命の息をその鼻に吹き込んだことが人間に示されているとすれば，キリスト教徒に人間はもともとはたんぱく質のかけらにすぎなかったのであり，放浪やサルの時代を経たのち，その知的な卓越した存

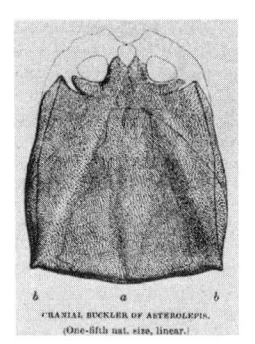

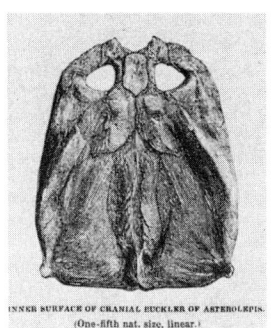

ミラーは1847年に、この初期の化石魚類に見られる頭部の骨板はきわめて複雑なものであり、原始的な魚類は簡単な形をしていたという進化論の物語の反証となるものだと主張した．

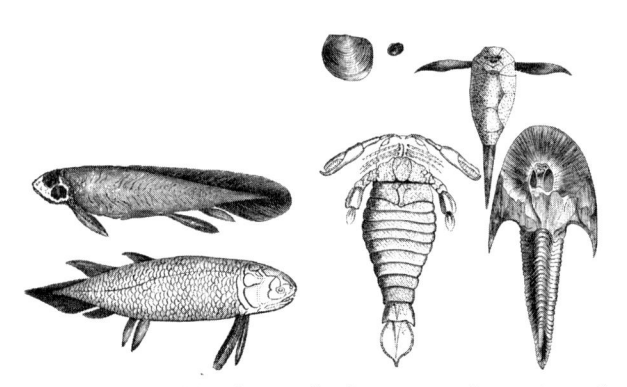

石工で，熱烈なプロテスタントであり，博物研究者でもあったヒュー・ミラーは，岩に刻まれた証拠が神の真実を明らかにしていると固く信じていた．彼は1856年に自殺した．

デヴォン紀旧赤色砂岩の魚類その他の化石．ミラーがスコットランドのはるか北部で発見したものも多い．

在に達したのだと話してみても何の意味もない．創造者が宇宙の支配にくり返し介入し，奇跡的介入に直接的な作用を示してきたということが真実として一般に受け入れられているならば，それは安逸をむさぼるものであり，"あらかじめ定められた意図"にもとづき，"事業に変更はありえないという法則"のもとに行わ

れる支配だといってみても，あらゆる読者に対する侮辱でしかない」．

　1849年，スコットランドの地質学者でジャーナリストのヒュー・ミラー（1802-56）は『自然史の痕跡』を批判するため『創造者の足跡』を出版した．これは本といってよいほどの長さをもったものだった．主として批判は，生命の進歩という考えに対して向けられた．ミラーは自分が発見した奇怪な骨でおおわれた魚を用い，これらはきわめて複雑な生物だが，オークニー諸島のきわめて古い旧赤色砂岩から見つかったものだと述べた．ミラーは何よりも，人間の歴史の最後の日々は現在よりも前進したものではなく，何千年にもわたる形態の変化で，すなわち罪と死をこえたキリストの最終的勝利を表すものとなるだろうと主張した．救済の可能性が人間と野獣の動物的生命とを分ける．種の変移が真実であるとすれば，私たちが「犬のような生来の無神論者」であってはならない理由がなくなってしまうというのだった．

　このようなみごとに偏向した推薦状を与えられた『自然史の痕跡』は「数十年間で最大の文学現象」となり，ディケンズの初期の小説を上回る売れ行きを示した．今日では，『自然史の痕跡』は15年後の1859年に出版されたダーウィンの『種の起源』の失敗に終わった先駆物と考えられがちだが，19世紀の終わりまでにこの両者はほぼ同じくらいの部数が売れたのだった．大きな違いは，『自然史の痕跡』は事実や解釈の重大な誤りをいくつか含んではいたが，民衆を対象とした進化に関する本であったのに対して，『種の起源』は細部にまで正確を期した科学論文であり，主としてダーウィンが同じ科学者や批評家たちを念頭に置いて書いたものだった．知らず知らずのうちに，チェインバーズはダーウィンのためにかなり役立つことになった．反進化論の火を自分のほうに引き寄せ，どれくらいの批判を予期すべきか，批判の火がどの方向に向かうか，火の手はどこからあがるかなどについて警告を与えることとなったのである．

　生命の歴史に関して私たちが知っていることの多くが化石の記録に含まれていることを考えると，ダーウィンが『種の起源』で化石についていちじるしくわずかしか述べておらず，そうしない理由は長々と説明しているのは驚くべきことだろう．彼はケンブリッジ大学ウッドワーディアン地質学教授アダム・セジウィックのような前の指導教官や，ロンドン地質学会での化石に関する最新の論議などから多くの知識を得ており，化石の記録は問題の多い情報の泥沼であり，多数の古生物学者が進化という考え方に強く反対していることを十分すぎるほど知って

いた．中でも大物がアダム・セジウィックとリチャード・オーウェンで，どちらも『自然史の痕跡』に対する長い反論を書いていた．2人とも化石の記録についてはきわめてよく知っており，ダーウィンなどは及びもつかないほどで，どちらも強固な意志をもち，論争に情け容赦のない，強力な敵となりうる人たちだった．

特にオーウェンは生物学や解剖学の学識が深く，危険な敵手だった．彼の攻撃は口頭で話す言葉も，書かれた文章も，強力な毒を秘めていた．大きな野心をもち，競争の激しいヴィクトリア朝中期のイングランドの社会や職業的世界で，自分の道を開くためにほとんどんな手段を弄することもためらわなかった．彼は自分が主としてふたつの方面から攻撃を受ける可能性があることがわかっていた．ひとつは，進化論者が主張するように地球の歴史を通じて適応にともなって生物は進歩し，改良されてきたのかという問題——これもヒュー・ミラーによって提起された——だった．もうひとつは，化石の記録の中に，主要な生物のグループ間の移行を示す証拠が含まれているかという問題であり，進化論が主張するようにそれらのグループが共通の祖先から生まれたものであるとするならば，そのような移行形が見られなければならないはずだった．

ダーウィンはこのような問題をきわめてよく知っていた．彼は自分の説に対して生起するであろう反論について詳しく述べ，『種の起源』の丸々一章を費やして，化石の記録がきわめて不完全で，この点に関連する情報が得られないのはなぜかについて説明している．彼の主張は，化石として保存されるのがある種の生物，主として古代の海底堆積層に堆積した軟体動物，棘皮動物，節足動物などの海生無脊椎動物の殻に限られるためということだった．さらに，当時知られている岩層系列として陸塊に付加された，ほとんどの海の堆積物の積み重ねには間隙がたくさんあることが明らかだった．したがって，化石の記録はきわめて偏った，断片的なものであり，異なるグループの間をつなぐような形のものが見つからないのは当然であり，それが見つかることは期待できないのだと彼は主張した．

しかしオーウェンは，新たに発見された絶滅爬虫類の際立って大きな骨の化石は，かつて間違いなく生存し，繁栄していたが，今ではもはや生存していない生物の存在を示す，きわめてよい実例であることを理解した．これが事実であるとすれば，進化による前進や最適者生存という考え方はどのような立場に立つこと

成功の絶頂にあったリチャード・オーウェンは，ヴィクトリア女王の子どもたちの家庭教師となり，アルバート公のお気に入りだった．このことがシドナムの'化石テーマパーク'の計画推進に役立ったことは疑いない．

になるのだろうか？　この絶滅した爬虫類のグループに名前をつけたとき，オーウェンは文字どおりのパンドラの箱を開くことになった．これを恐竜と名づけた人こそオーウェンだった．

● 恐竜——イギリスの大発明

　1842年以前には，恐竜は存在しなかった．まだ恐竜は'発明'されていなかったからだ．イギリス南部のジュラ紀および白亜紀層に散らばっている謎の爬虫類の化石はいくつか発見されていたが，それを分類すべき恐竜というカテゴリーはまだなかった．恐竜類という分類グループは，この石化した遺物——きわめて大きな何かの動物の遺物と思われるものが多かった——を分類するため，イギリスの解剖学者リチャード・オーウェンによって考え出されたものだった．

　19世紀前期には，世界の陸地や海の巨大動物類はすでによく知られ，辺境の森林や，深海の底でさえ，きわめて大きな動物が発見されずに残っている可能性はもはやほとんどなかった．これら化石の巨獣たちは，明らかに絶滅していた．このときより以前，19世紀のイギリスでも，世界のその他の場所でも，このような動物が存在していたという考えはまったくなかった．恐竜は聖書にも，古代世界のどのような古い話にも出てはこなかった．しだいに明らかにされていく地球の歴史はモーゼの物語とは一致しなかったが，面白いことに古生物学の革命を推進する多数の科学者が，いぜんとして天地創造の物語の熱烈な信奉者だった．ただし，それは旧約聖書に記されているものとぴったり同じものではなかったが……．

　地球はかつて，以前には知られていなかったグループの爬虫類に占拠されていたという考えは十分驚くべきものだった．しかしこのように複雑で，進歩した化石爬虫類が地球を支配し，やがて人類が登場するずっと以前に姿を消したという新事実は，まったく思いがけないものだった．「恐竜」の名前を考案したリチャ

ード・オーウェンには，その存在は先史時代の生物の'進歩'という考えに対する反証となるように思われた．

　恐竜の遺物は最初イギリスで発見され，その名前はイギリスの解剖学者によってつけられたが，それからさして時間がたたないうちに，新世界アメリカのはるかに膨大な地質資源によって恐竜の世界が拡大され始め，伝説や民話のドラゴンたちに取って代わる偶像となった．

　イギリスの恐竜愛好家にとっては残念なことに，イギリス南部のジュラ紀および白亜紀層は主に浅い海の堆積層のため，そこには陸生の恐竜の化石があまり見られない．北米，モンゴル，南米などのあちこちに見られる中生代の陸上堆積層はこれに比べてはるかに厚く，そこには恐竜やその他の陸生動物の化石が比較的たくさん含まれている．それでもとにかくイギリスに恐竜の化石が存在するのは，主としてここに北米とイギリス，ヨーロッパ，アジア（ユーラシア）を隔てる浅い海があり，その海に多数の島が散在していたことによる．海面の高さの変化によって恐竜はこの'踏み石'づたいに移住することができ，ときおりその遺骸が押し流されて沿岸の堆積層に埋まった．

　しかし，恐竜の姿についての古いイギリス風のモデルに疑問が投じられたのは，新世界から多数得られた新しい発見や証拠によってだった．ダーウィンの進化論が冒険心に富む自由な人々の鬨の声として乗っ取られたのとまったく同じように，恐竜のイメージは底なしの泥沼から，高みに引き上げられた．磨かれて不健全な中世風退廃の汚れをぬぐい去られた恐竜は，ダーウィンの進化論を称した「牙も爪も血にまみれた自然」というテニスンの言葉に合わせて姿をつくり変えられた．それ以来，カラスほどの大きさから，これまで知られる他のどの陸生動物よりも大きなものに至るまで恐竜は，科学者たちや幅広い一般の民衆を魅惑し続けてきたのである．

　19世紀前期以来，科学者は恐竜のイメージについて根本的な問題を抱いてきた．それはきわめてむずかしいジグソーパズルを組み立てようとするのに似ていた．ジグソー・パズルの小片（骨）はごくわずかしか残っておらず，割れているものも多かった．しかも全部組み立てたとき，どのような絵ができるのかもほとんどわかっていなかった．最もわかりやすいモデルとなるのは，トカゲやワニのような現在生きている爬虫類だった．しかしそこにはひとつ，大きな違いがあった．化石の骨の大きさから見て，過去の爬虫類は現代のものよりもはるかに巨大

画家ジョン・マーティンは絶滅した陸生爬虫類の想像図を書くのに，シー・ドラゴンのときと同じ中世のドラゴン風の像を用いた．マンテルの1838年の『地質学の驚異』に示されたマーティンの復元図．

な体をしていたということだ．ここではどうしても，新しいイメージをつくり出さなければならなかった．とにかくまず，恐竜の概念は事実によってあまり束縛されることはなく，思うがままに形を思い描くことができた．

19世紀の科学者，画家，ジャーナリストたちは，受容力の大きい民衆に，結びつけることのできるさまざまなイメージを描いて見せた．メロドラマ好みの傾向をもつ人にとっては，神秘のドラゴンの装いをもつ恐竜は心を刺激する硫黄と火の匂いを感じさせるものだった．宗教心の強い人々には，恐竜は危険を感じさせるものであるだけでなく，聖書の中の「低く地を這うヘビ」に近い罪深いものでもある．ゴシック賞賛者にとっては，恐竜は大洪水以前の'底知れぬ泥沼'の悪臭紛々のものたちだった．どちらかといえば感情的解釈によるイメージを広めようとする科学者もいれば，もっと形式的で，もったいぶった姿勢を取る人たちもいた．

大英帝国の力が増していくのと歩調を合わせて，描かれる恐竜の絵がどんどん大きく，強力で，恐ろしい何かを思わせる圧倒的なイメージを帯びていったのは偶然のことではないだろう．ヴィクトリア時代のイギリスそのものと同じように，恐竜は彼らの時代に全世界の支配権を握った支配者と見られるようになった．皮肉なのは，ヴィクトリア時代の人々はこのような過去の帝国建設者たち——そ

れが恐竜であれ，ギリシャ人やローマ人であれ——を自分たちになぞらえることに熱心だったが，このような支配がすべて結局は最後の「衰退と没落」に至るということを学んだとは思われないことだった．恐竜の勃興と没落はダーウィンの進化論の反証となるものだと考えたリチャード・オーウェンを除いては……．

　今日，恐竜は鳥くらいの大きさで姿も鳥のような動物から，大きさも強さも生物学の法則を無視するかのような恐ろしく巨大な動物まで，おびただしい数の動物群に膨れあがっている．今や恐竜専門家の中には，かつて存在した巨大なティラノサウルス類のような捕食恐竜たちはきわめて活発な温血の殺し屋であり，体の大きさ，獰猛さ，殺傷能力の点でどのような哺乳類の殺し屋をも顔色なからしめるほどのものだったと主張する人もいる．しかし，そうした恐竜像に疑問を投じて，そのように巨大な動物が走れるスピードの限界を証明し，彼らは腐肉食動物か，せいぜいリスクを避けるために待ち伏せ攻撃をする程度だったと考える専門家もいる．

　はるか昔に死んでいるため，恐竜は実際の姿を人間に観察されないですみ，推測により恐竜を復元する際の「裁量」の余地はきわめて大きい．それでも，いかに空想的解釈を膨らませるにせよ，恐竜の存在や大きさについては，化石の記録によって示される変えようのない事実が存在する．恐竜の驚異については疑いの余地がない．恐竜のうちのあるものたちはまさに，かつてこの地上に出現したもののうちで最大の草食動物や肉食動物だったのだ．

　オーウェンがこの特別な動物のカテゴリーをつくり出したのは，過去の生物の中に進化の証拠が見られるという危険な考え方が勢いを増しつつあると考え，それを阻止するためというのが理由のひとつであったのは皮肉なことだった．彼は進んだ爬虫類のグループである恐竜が絶滅したことを示すことによって，このような危険な異説の成長を阻止できると考えたのである．1842年に恐竜目（Dinosauria）という概念を考えついたとき，彼は自分がどのようなものをつくり出しつつあるのかをほとんど理解していなかった．フランケンシュタイン博士と同じように，オーウェンは怪物を生み出したが，フランケンシュタインとは違って，彼は事実とフィクション，ほとんど信じられないような化石と動物ファンタジー復活の新しい世界をもつくり出した．オーウェンが恐竜の名前の著作権を登録してさえいたら，彼は巨万の富を築いていただろう．

　今日，「恐竜」という言葉は二重の意味をもつようになっている．そこには

絶滅した恐竜のイメージは時代に適応して，19世紀中ごろには，オーウェンや彼の画家ウォーターハウス・ホーキンスによって，低く地を這うヘビのような姿から，堂々たる力強い姿につくり変えられた．

「歴史のゴミ箱に捨てられてしまったもの」という暗喩が含まれ，また世界最初のテーマパークである，ロンドン南部に再建された水晶宮（クリスタル・パレス）の「恐ろしいトカゲたち」や，その現代版空想編である「ジュラシック・パーク」——1850年代から現在まで，ともにあらゆる年頃の子どもたちに愛された——のイメージを含む．これらの恐竜は優しい草食動物として，あるいは眼の血走った，貪欲な肉食動物として描かれる．しかし恐竜のイメージは，ドラゴンのマントを身につけて以来，この160年間の経過の間にさまざまな変身を遂げてきた．

　アメリカ中西部の荒野で発見されたばらばらの骨から，すばらしい完全な骨格まで，この謎の動物の化石は，恐るべき巨大さと，奇妙に表情のない爬虫類の気味の悪さを合わせもったものを感じさせる．このイメージはどれほどの真実を含んでいるのだろう．これらの恐竜は，本当のところどのようなものだったのだろうか？　恐竜たちの勃興と滅亡は，ものごとをやりすぎれば，自らを滅ぼすことになるという客観的教訓となるのだろうか？

　彼らは適応し，変化することができなかったために滅亡したのだろうか？　それとも，隕石によって地球上から吹き飛ばされてしまったのだろうか？　すべては爆発とともに，あるいは悲しい鳴き声とともに終わったのだろうか？

　人類が地球上に出現する3億年以上前の石炭紀後期に，うろこのある皮膚をも

ち，卵を産む一群の爬虫類が現れ，しだいに地球上で支配的な地位を占めていった．恐竜と呼ばれることになるこの絶滅した爬虫類は，1億5500万年にわたって，アラスカから南極大陸までの世界の陸地を支配した．恐竜以外に，これほど長く，これほど繁栄し続けた動物のグループはいない．哺乳類は支配者の地位について6500万年にすぎない．恐竜に関する大きな謎のひとつは，これほど繁栄した恐竜が，どうして6500万年前に絶滅してしまったかということだ．陸上のワニやトカゲ，水中のカメのような他の爬虫類が生き残り，繁栄を保ったのに，なぜ恐竜は'選択排除'されなければならなかったのだろうか？　今日生きている種の数は，爬虫類（約6000種）のほうが，哺乳類（4250種程度で，そのうちの半分近くは齧歯類）よりも多い．

● 恐竜の発見

　19世紀の初期，オックスフォード大学の講師だったウィリアム・バックランド博士は，新しく生まれてきた地質学の発見によって，旧約聖書に記されている天地創造の順序や大洪水の物語の根本的な真実が確認されることに深く関心を持っていた．彼は講義の中で，創世の物語に記されている「第〇日」というのが実際に，地質学のデータが示すように思われるもっとはるかに長い創世の時代と一致するのかについて論じた．ディケンズ風の人物だったバックランドは，奇矯さの点でも有名だった．彼はモルモットからジャッカルやティグラート・ピレセル（アッシリア帝国の建設者）という名前のクマまで，さまざまなペットを飼っていた（ジャッカルがソファの下でモルモットをかじっている音が聞こえたりすることもあった）．また料理の実験を好み，マウスからワニまで，さまざまな生き物を食べてみたともいっていた．後年，彼の奇矯さはさらにひどくなり，ついには本当の狂気に陥った．

地質学会会長であるオックスフォード大学のウィリアム・バックランド博士．巨大なトカゲ類に関するマンテルの発見や情報を剽窃しようとした．

バックランドはアシュモレアン博物館の館長でもあり，そこには歴史的な化石のコレクションも収蔵されていて，未知の動物の巨大な骨などもあった．その中には，17世紀に地方の採石場で発見された，10kgもある大腿骨の膝関節端が含まれていた．これについては博物館の初代管理者ロバート・プロット博士 (1640-96) が，1677年に著書『オックスフォードシャーの博物学』の中で記載している．この骨は，ローマの侵攻の際にブリタニアにもち込まれたゾウの骨であるというのが，プロットの最初の診断だった．しかし，これをゾウの大腿骨と直接比較する機会を得た彼は，これがゾウのものとは異なることを認めざるをえず，この化石が「人間の大腿骨の下端部とまったく同じ形をもつ」という結論を下した．

　18世紀にはさらに，同じ地方のいわゆるストーンズフィールド・スレートから，正体のわからない骨――歯も含まれていた――がいくつか発見された．このジュラ紀の石灰岩は，割って薄い石板とすることができるところから，この地域で屋根材として広く使われていたため，盛んに採掘された．この石にはしばしば多くの化石が含まれ，採石職人は珍しい貝殻や骨を見つけると，それを取っておいてコレクターに売っていた．そのうちのあるものは博物館に収められた．

　キュヴィエは1818年，収蔵物を見るためアシュモレアン博物館を訪れた．問題の骨を調べた結果，彼はこれらの骨は哺乳類のものというより爬虫類の骨に似ているという結論に達した．化石のひとつは長さ30cmの下顎骨で，そこには後方に湾曲したきわめて長い（長さ15cm）歯や，まだ萌出しておらず，顎骨に埋まったままのもっと小さな歯が，まだ残っていた．キュヴィエはこれが爬虫類に典型的な連続歯牙置換であることに気づいたが，この顎骨がどの爬虫類のものかを突きとめることはできなかった．最もよく似ているのはワニだったが，化石の歯は平たく，縁にのこぎり状のギザギザがついた刃物のようであるのに対して，ワニの歯はもっと円錐状で，ギザギザはなく，うね状の隆起が見られるものもある．キュヴィエは大腿骨の大きさ

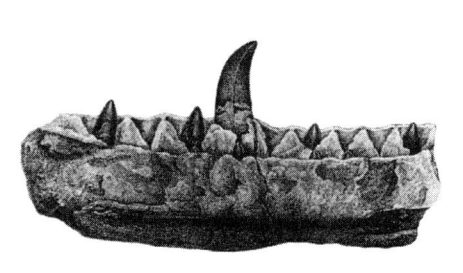

オックスフォードシャーのストーンズフィールドで発掘されたバックランドの巨大爬虫類の割れた下顎骨．捕食肉食動物に見られる，刃物のような形とのこぎりのようなギザギザをもった歯がある．

から，その持ち主である元の動物は体長12m以上で，体高2m以上のゾウに匹敵する体積をもっていたと計算した．

バックランドはこの1818年のキュヴィエの判定について知らされたが，これについて急いで発表しようとはしなかった（それは彼が広めたいと考える聖書の物語に当てはめにくかったためだろう）．彼がそれを発表したのは6年後だった．そのころサセックスで新たに巨大な骨がいくつか発見されたことが伝えられ，それをギデオン・マンテル博士（1790-1852）が調べていると聞いたのが主な理由だった．そこで1824年2月24日，バックランドは当時彼が会長をしていたロンドン地質学会の会合で'彼の'巨大爬虫類について報告するチャンスをとらえたのだ．彼は断片的なオックスフォードシャーの化石について記載し，どうして歯だけからその遺骨が「爬虫綱サウリア目」のトカゲのものといえるのかを説明した．

ギデオン・マンテル博士は医師としてしっかり地歩を築いたが，地質学者として名をあげたいという妄念が，医師の仕事と結婚生活をともに破滅させた．

それらの骨はワニやカメを含む海生動物の化石といっしょに発見されていることから，バックランドは，この絶滅したトカゲは「たぶん水陸両生の動物と思われる」が，陸上に上がってあたりを這い回ることもできたのだろうという結論を下した．彼がつくり出したイメージは，きわめて巨大だが，低く地面に伏せて這って歩くヘビのような動物というもので，それに「大きなトカゲ」を意味するメガロサウルス（*Megalosaurus*）という名前をつけた．聴衆の中にギデオン・マンテルがいた．バックランドは宣伝競争では今まさにマンテルを打ち負かしたのだったが，どちらが最大の巨獣について報告するかの競争ではマンテルがバックランドを出し抜こうとしていた．

見習い医師だったマンテルは，有名な医師ジェームズ・パーキンソン博士（1755-1824）に紹介されるという幸運を得た．彼は今もパーキンソン病と呼ばれる変性疾患をはじめて記述した人であると同時に，流血の社会革命を避けるために普通選挙が必要だと主張する急進的な選挙法改正論者だった．地質学の著作で

も知られ，ロンドン地質学会の創立メンバーのひとりでもあった．1811年，彼は5巻からなる著作『前世の有機遺物』の最終巻を出版し，そこでもともとの地層内における化石の分布について記した．この時点では，まだ彼の結論が，「モーゼの物語があらゆる点で確認される．ただし世界の年齢や，世界創造のさまざまな部分が完成するまでの時間の長さなどは例外で，地球創造の全過程はきわめて長い時間にわたる作業であったにちがいない」というものであったのは当然のことだった．パーキンソンは若いマンテルに，地質学に対する興味を追求するよう励ました．

ロンドンでの見習い期間を終えたマンテルは医師としての資格を得て，自分が育ったサセックスのリューイスに戻った．1819年ころにはすでによい成績をあげて，開業医としての地歩を築き，結婚して子どももうけ，興味のあるその土地の地質学の研究も進めていた．地域の知り合いたちから贈られた石や化石が家の中に溢れ，家はまるで博物館のようになった．彼のコレクションの話を聞いて，有力な知り合いをもつ客が訪れ，その人々によってさらに科学界の有力者たちに話が広がっていった．1820年6月にマンテルのもとに，近隣の町カックフィールドに近い採石場で採掘された化石がいくつか送られてきた．背骨，きわめて大きな脚の骨の破片，数本の歯などの化石だった．大いに興味をそそられた彼はその採石場を訪ね，幸運にもさらに数個の大きな骨の破片や，長さ1mもある木の幹の化石を発見した．その木の幹には，熱帯のヤシのようなダイアモンド形の葉柄痕が見られた．最初彼は，骨の破片はそのころ発見されたばかりの魚竜のような海の怪獣（海生爬虫類）のものと考えたが，すぐにワニと類縁の動物の骨だと考えを変え，この化石の樹木は，堆積物が最初形成されたとき，陸地はそこから

イングランド南部のホワイトマンのグリーンストーン採石場．マンテル（手前の座っている人物）はここで巨大な爬虫類の骨と歯を採集した．

遠くは離れていなかったはずだと考えた.

1820年代の初め, また別の変わった形の化石の歯をマンテルまたは彼の妻が見つけた (妻が見つけたという話のほうが人気がある). 歯冠の表面にはっきりと摩耗が見られ, 先端が丸くなったこの歯は, 明らかにワニの歯ではなく, むしろ草食哺乳類の歯に似ていた. 問題はその当時マンテルの知っているところでは, これほど古い岩層に哺乳類の化石は見られず, このように歯を摩耗させるほど食物を咀嚼する爬虫類もいなかったはずだった.

1820年代にマンテルの頭を悩ませ続けた, 奇妙なギザギザがついた木の葉型の歯の後面と前面.

彼がそれまでに集めた骨のうちに, 周囲60cmもある大腿骨の破片があった. マンテルはキュヴィエの信奉する比較解剖学や, 個々の骨の測定値を比例拡大して絶滅動物の全体を推定するという当時の議論の基礎にある論理を理解していた. それによってマンテルが得た結果は, ゾウほどの巨体をもち, 体長10m以上という驚くべき大きさの動物ということになり, それは当時知られていた他のどの化石動物よりもはるかに大きなものだった.

1821年にはすでにマンテルは, アシュモレアン博物館にあるストーンズフィールドの化石のことや, バックランドがそれらに強い関心をもつようになっていることを聞いていた. おそらく, そのころコレクションを見るためマンテルのところにやってきたチャールズ・ライエルから聞いたものと思われる. 翌1822年には, マンテルの著書『サウスダウンズの化石』が出版された. サセックスの地質学研究の成果をまとめたもので, 彼の妻の版画による地層や化石の挿図がついていた. そこには「トカゲ類の巨大動物の歯, 肋骨, および椎骨」についての記述もあった. 彼はこの本によって地質学会のエリート社会への参加が認められるものと期待したが, それは実現しなかった. 彼が化石の歯を学会の会合にもっていったとき, それは何かの大きな魚か, もっと新しい大洪水時の哺乳類のものというのが'専門家'たちの全体的な意見だった. 著書の売れ行きも期待はずれで, 出版経費もまかなえないほどであり, マンテルには300ポンドの請求書が残された.

それでもライエルの力添えもあってなんとか1823年には, ティルゲート・フ

ォレストの地層に関するマンテルの考えも盛り込んだ論文が地質学会で報告された．しかしその出版は3年後までもち越された．おそらくは彼の考えが上級会員の考え方と衝突するものだったためと思われる．ライエルはキュヴィエの意見を聞くため，わざわざマンテルの化石の歯をパリまでもっていったりもしたが，この大解剖学者はそれをサイの歯だといって退けてしまった．のちにキュヴィエは考えを改めたが，彼の最初のひどく冷淡な反応だけがマンテルに伝えられ，彼を大いに失望，落胆させた．多くの時間を費やしただけでなく，医者としての仕事や自分の家族をも顧みず，研究に打ち込んだにもかかわらず，科学の世界で名をあげるという望みは打ち砕かれたかに見えた．

　バックランドが地質学会でストーンズフィールドの化石について講演をするということを聞いたマンテルは，それに出席することを決めた．マンテルが論議に口を挟んできたことで，バックランドはサセックスの化石について競争者が現れる可能性があることを知り，サセックスの骨についての論議とその挿図を自分の論文に取り込んで，マンテルを出し抜こうと試みた．マンテルにとっては幸運なことに，学会の出版委員会は学会の会長がフェア・プレーと関連する問題に深くかかわりすぎることにストップをかけた．それでもバックランドは，マンテルのサセックスの巨獣はオックスフォードの巨獣の2倍はあったにちがいないと述べ，「カックフィールドの爬虫類」を「20m前後」にまで膨らませた．しかし，それが草食動物であったという点については同意しなかった．

　マンテルはもう一度運を試してみることを決め，歯の標本とその他の化石の絵をキュヴィエの元に送った．こんどは，キュヴィエはそれらが興味深い形をしていることを認め，最後にマンテルが新しい草食爬虫類を手に入れた可能性がある

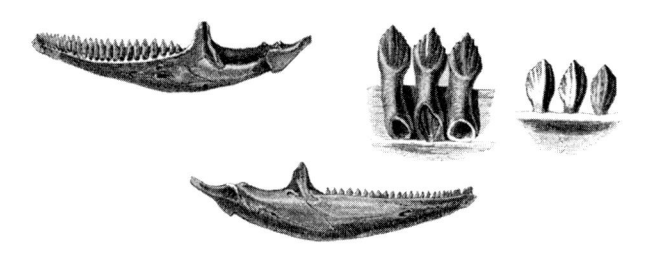

マンテルが描いた現代の草食イグアナの下顎骨と，彼の化石との比較．イグアナは当時発見されたばかりで，保存した標本を示されたマンテルは幸運だった．

という結論を下した．これによってやっと勇気づけられたマンテルは，自分の化石と似たものが何か見られないかを調べるため，ロンドンのハンタリアン博物館に出かけた．そこでは何も見つからなかったが，幸運なことに豊かな知識をもつ学芸員助手サミュエル・スタッチベリーが，この化石の歯が現代のイグアナの歯とちょっと似ていることに気づいた．彼は西インド諸島で得られた標本をよく知っており，バルバドスで得られた歯のびんづめ標本をつくったばかりだった．

これこそがまさに，マンテルが必要としていた突破口だった．木の葉のような形をしていて，縁にギザギザがつき，表面がすり減っている，風変わりなイグアナの歯は，その草食の習性に対する適応である．唯一の大きな違いは，その大きさだった．現代のイグアナは体長1mほどしかないのに対して，化石はその約20倍の大きさをもっていた．マンテルはすばやく計算をして，'彼の'化石が体長20m以上あったにちがいないという結論を下した．そしてこれをイグアナ=サウルスと呼ぶことを提案したが，正規の教育を受けた化石の専門家であるウィリアム・コニベア師から，イグアノイデス（*Iguanoides*）（「イグアナのようなもの」を意味する）またはイグアノドン（*Iguanodon*）（「イグアナの歯」）とするほうがよいという助言を受けた．マンテルはその後者を選び，それがこの動物の名前となった．キュヴィエが化石に関する自著の新版の中でマンテルおよび彼の変わった動物について述べたことによって，マンテルはついに科学界の輝く星となる資格を得た．

1825年に彼のイグアノドンに関する記載が権威ある英国王立協会の会合で報告され，同じ年に35歳のマンテルは地質学会の特別会員に選ばれて，彼の研究を認めることにきわめて慎重だった地質学会会員たちと同等の科学的地位を得た．しかし，マンテルが彼のイグアノドンに肉づけするための本当に重要な新しいデータを得たのは，それから10年近くたってからのことだった．基本的な問題は，今や陸生の恐竜であることがわかったこの動物の化石が，イギリス南部の主として海成の地層にはめったに存在しないことだった．もしこの地域が，北米のダコタやマニトバ，あるいはモンゴルのブラウン・ヒルズと同じ地質をもっていたら，陸生の動植物の化石を多く含む陸成層がたくさん見られていただろうし，そうなれば話はすっかり違ったものになっていただろう．

1834年5月，ケントの採石場所有者ベンステッド氏がマンテルに手紙を送り，メイドストーンに近い採石場で人夫が新たに巨大な骨を掘り出したことを知らせ

1834年に発見された，いわゆる「マンテル・ピース」．乱雑に積み重なったイグアノドンの骨を含んでおり，マンテルはその標本剖出を手がけた．

てきた．マンテルは再び幸運に恵まれた．その切石には独特の木の葉の形をしたイグアノドンの歯がいくつかと，ひと重なりになった，それまで彼が見たことのない動物の骨が含まれていた．マンテルの最初の問題は，事業家であるベンステッドがこの発見物の潜在的な金銭的価値を知っていて，それをできるだけ高く売りつけようと考えていたことだった．何人かの裕福な友人たちが間に入り，彼らがその切石を買い取ってマンテルに贈ってくれたので，やっと彼はそれについて研究を進めることができるようになった．彼は時間と手間をかけて硬い岩を欠いて，化石を傷つけないよう注意しながら，そのまわりの母岩を取り除いた．多くの骨が折れていることを考えて，この作業には細心の注意を払った．はじめて彼は，1頭の動物の背骨，肋骨，骨盤の一部，足の骨，長さ15cmほどの円錐形のスパイクか角のような形をした骨などからなる骨格を手に入れた．

ここでもマンテルはこれらの骨の測定値を比例拡大してみると，その動物はますます大きなものとなっていった．肩甲骨は約75cmあって，イグアナの20倍にあたり，それから推し量るとイグアノドンは体長30mということになった．や

がて地質学会はマンテルの仕事を知り，1835年には彼に権威あるウォラストン金賞を贈った．この賞の受賞者はそれまで，ほかにウィリアム・スミスしかいなかった．

このころまでに，マンテルと彼の家族は上流の人々が住むブライトンにすっかり根を下ろしていた．開業医としての仕事も順調だったのだが，彼が地質学の研究に打ち込む時間がますます長くなっていったため，しだいに本来の仕事に影響が現れ始めた．伝えられるところによれば，マンテル医師は患者よりも化石に興味があり，本当かどうかはわからないが，生活が行き詰まって，最初は株式や債券を売り，ついには開業医の仕事も手放さなければならなくなった．大博物館のように化石を詰め込んだ家は大部分が貸家となり，家族は間借り暮らしをしなければならなかった．さらに1838年には，彼のコレクションは売りに出された．長時間にわたる交渉の末，コレクションは4087ポンドで大英博物館に買取られ，マンテルはロンドン南部のクラッパムに移って，新たに医師を開業したいと考えた．長い間苦しんだ妻は彼のもとを去り，年長の子どもたちも離れていった．医師の資格を得たばかりの息子ウォルターはニュージーランドに移住した．悲惨なことに，下の娘のハンナが死に，マンテルは深い絶望に陥った．また，地質学上の過去の時代に住んでいた巨大動物の研究の新しいライバルも登場した．リチャード・オーウェンという若者だった．陸生サウリア類研究の先駆者だったバックランドやマンテルも，金的を射とめることはできなかった．ともにオーウェンに敗れ去ったのだ．

オーウェンは専門の古生物学者であり，最初はロンドンのハンタリアン博物館，のちには大英博物館で働く博物館職員という，新しい種類の人間だった．彼は聡明で，強い野心をもち，キュヴィエの比較解剖学の方法も熟知しており，自分でも大人物になるべく生まれた人間と自負していたとしても不思議はない．オーウェンは自分の経歴を高めるあらゆる機会をとらえた．急速に拡大する大英帝国各地から，常に行動範囲を広げていく探検者たちによって次々と首都に送られてくる不思議な動物たちの標本は，大いに彼の役に立った．

水生で，体毛をもち，それでいて卵を産み，くちばしをもつ奇妙な動物がオーストラリアから送られてきた．オーウェンはこのプラティプス［カモノハシ］が何かの奇形や，爬虫類と哺乳類の中間的な動物などではなく，乳腺をもった原始的な哺乳類であることを明らかにすることができた．彼は1834年にセント・バ

恐竜は常に，命をかけた闘争をくり返す動物というイメージから離れられなかった．これは必死で戦うイグアノドンとメガロサウルス．1863年にルイ・フィギュエが描いた白亜紀前期の復元図．

ーソロミュー病院の比較解剖学教授に任命され，英国王立協会の特別会員や，王立医科大学のハンタリアン教授に選ばれた．首都の学会とのつき合いも良好に保った．ビーグル号の航海から戻ったときダーウィンは，約80種の哺乳類と400種の鳥類を動物学会に寄贈し，学会はそれを研究のためハンタリアン教授に委ねることを決めた．オーウェンはまた，その時点での「大英帝国における化石爬虫類の知識の現状」についての報告を，英国科学振興協会に提出するという仕事も与えられた．

ドイツの生物学者ヘルマン・フォン・マイヤーは1832年に，当時知られていた少数の絶滅サウリア類の分類について再検討を加えていた．バックランドのメガロサウルス（*Megalosaurus*）と，マンテルのイグアノドン（*Iguanodon*）およびヒレオサウルス（*Hylaeosaurus*）——これもはっきりと別種の動物としてマンテルが名前をつけた——はすべて，哺乳類に似た太い脚をもち，その点で現代のどの爬虫類とも似ていないサウリア類として分類された．1839年には，マンテルはクラッパムへの移転，娘の悲劇的な死，妻との離別ののち，医師の仕事を再建するのに忙しく，もはや'彼の'化石の研究を続けることはできなかった．化石は今や大英博物館のものとなり，オーウェンのほうがずっと研究しやすい状態にあった．オーウェンには時間もエネルギーも十分にあり，彼はそれを最大限に利用した．

1841年8月には，オーウェンはその年プリマスで開かれる英国科学振興協会の総会で報告を行う準備ができていた．聴衆の中にマンテルはいなかった．長く，詳細にわたる報告の中でオーウェンは，サウリア類を4つに分け，魚竜や首長竜のような海生爬虫類をコニベアにしたがってエンタリオサウリア類として第1のグループ，ワニ類を第2のグループ，空を飛ぶ爬虫類を第3のグループとし，第4にマイヤーにしたがってメガロサウルス，イグアノドン，ヒレオサウルスの絶滅した大型爬虫類の3属を，「今では完全に絶滅しているきわめて異様で，きわめて巨大な種」として，'トカゲに似た'ラセルティアンにまとめた．しばしば誤り伝えられるように，彼はこの1841年の総会ではこれらに「恐竜」という名前はつけていないが，その方向で作業は進めていた．

　興味深く，また最も重要な点は，オーウェンがキュヴィエと同じく，ひとつのタイプから別のタイプへの明らかな移行あるいは形態変化も，一部の博物学者が主張するような進歩の証拠も認められないと主張していることである．すべての証拠は，これらがそれぞれに自分の場所や，生活上の役割にもっともよく適した，別個の種としてつくられたものであることを示していた．オーウェンにとっては，カモノハシのようなきわめて原始的なタイプのものも含む哺乳類の前に，これらの巨大爬虫類のように進んだ動物たちが存在していたという点が，進歩論者に対する反論の重要な部分だった．また，イグアノドンとイグアナのように古代の動物と現代の動物との間に類似性を求めようとするマンテルのような人々の試みに対して，批判的な論評も加えた．

　オーウェンの発表はマンテルの研究に対する批判的な論評も含めて，『リタラリー・ガゼット』など，当時の雑誌数誌に詳しく報じられた．これらの批判がマンテルの巨大サウリア類に対する関心や所有感覚を再び刺激したようであり，それがまたオーウェンの競争心と勝利を目指す決意をさらに燃え立たせた．マンテルの反論も『ガゼット』に発表され，論争は続いた．しかしマンテルはさらに交通事故という新たな不運に見舞われ，これによって彼は決定的に競争から脱落することになった．馬が暴走して，彼は馬車から落ちて背骨と脊髄を痛めた．当時はよくある事故だった．

　オーウェンはいわゆるラセルティアンの四肢骨を研究して，それがトカゲの四肢とは異なることをますます確信した．トカゲは脚が胴体から横の方向に突き出していて，そのため体を左右にくねらせて歩く．マンテルのイグアノドンの復元

図はオーウェンの信じるところと異なり，体の両側に脚が突き出し，長いむちのような尾をもった，明らかにドラゴンに似た動物のイメージを引き継いだものだった．彼はスパイクをサイのようにイグアノドンの鼻の先につけていた．これに対してオーウェンは，はるかに大きく，重い絶滅した巨獣は，むしろ哺乳類と同じように，大きな体重を支えるため，脚をもっと体の下側にもってくる必要があると考えた．

　これらが低く這いつくばった動物だった（マンテルやバックランドが描いているように）という考え方は，もはや崩壊寸前のところだった．しかしオーウェンはそれだけでなく，バックランドやマンテルの粗雑な比例拡大法が，過大評価に陥りがちであることにも気づいていた．そこで彼はその代わりに，背骨の大きさにもとづく推定法を用いて計算し直し，その結果，イグアノドンの各部の長さは頭部が1 m，胴体が3.5 m，尾が4 m，全体で体長はわずか8.5 mとなった．これは現代の推定値と一致する．オーウェンは当然明示すべき功績への謝辞をつけることなく，マンテルの詳細な研究の多くを自分の報告に取り込み，そのためマンテルはしだいに話の外に追いやられていった．

　脊椎が骨盤についている部分が保存された新しいイグアノドンの化石が発見されて，オーウェンは背骨がメガロサウルスの場合と同じように融合していることを知った．オーウェンにとってこのことは，絶滅したこの動物たちは爬虫類と同じグループにまとめることができるが，他の爬虫類とは分けて分類すべきことを示す新たな証拠となった．出版のため用意した論文にこれらの結論を加え，「全体として爬虫類の間では珍しい……このような特徴の組合せは……サウリア類爬虫類という別個の類，すなわち亜目を設けるのに十分な根拠となると考えられ，これについて私はディノサウリア（$Dinosauria$）「恐竜」という名前を提唱したい」と記した．

　この非公開での補足的な仕事によってオーウェンは，マンテルやバックランドをひそかに出し抜くチャンスを得た．この$Dinosauria$というたったひとつの言葉——「恐ろしい大トカゲ」あるいは「恐ろしく大きなトカゲ」を意味する——をつくり出すことによって，オーウェンは私たちに，地質学的過去やその時代の生物に対するイメージをみごとに一変させる手がかりを与えた．しかし，この言葉を広めるみごとなわざが実際に成果をあげるには，さらに10年を要した．英国科学振興協会での彼の報告は，1842年4月に出版された（一部のコピーは1541

年8月という誤った日付がつけられ,これがのちに多くの科学史家を混乱させた).間もなくオーウェンはさまざまな報酬が得られるようになった.1842年11月の初めには,年に200ポンドの王室費年金を提供された.これは彼の経済的独立を保証するのに役立ち,哀れなマンテルとは異なり,日々の生活費を稼ぐために学校で教壇に立つといった世俗的な仕事に多くの時間を割く必要はなくなった.

マンテルはひどくなる脊椎の変形に悩ませられながらも,努力を続けた.新しい標本を得ては,新しいサウリア類(今や恐竜類と呼ばれるようになっていた)を学会に報告した.その中には巨大な竜脚類恐竜のうちで最初に報告されたケティオサウルス(*Cetiosaurus*)も含まれていた.実は,この名前はオーウェンがつけたものだったが,いくつかの骨の構造がクジラに似ていたため,これは水生の動物で,恐竜ではないとオーウェンは考えていた.マンテルはこれが実は恐竜であることを明らかにして,オーウェンをやりこめることができた.マンテルは最終的に1849年に王立協会の王室メダルという形で,彼のあらゆる功績に対する補償的な承認を得た.

フランツ・ウンゲルが1851年に描いた白亜紀前期の情景の復元図.メスをめぐって戦う2頭のオスのイグアノドンと植物が美しく描かれている.

●世界最初のテーマパーク

　恐竜というものを考え出してからまだ10年とたたないころ，オーウェンは科学宣伝の上で19世紀最大といえる大きな成果をあげた．彼は自分が発明した恐竜の概念と外形をつくり変え，マンテルの「低く這いつくばった」ヘビのような姿から，新しいヴィクトリア時代にふさわしい，はるかに重々しく，傲然としたものに変身させた．イグアノドンは哺乳類のサイに似た脚の構えをもつ奇妙なキメラのような姿につくり変えられ，4本の脚は体の近くに引き寄せられて，太い尾と大きな頭をもった巨大な体を支えていた．皮膚には典型的な爬虫類らしいうろこがあり，あまり活気のない無表情な目は，老齢のヴィクトリア女王と奇妙に似ていた．オーウェンは自分のイグアノドンの大きさをゾウの6倍くらいと計算していたが，その後それに'水増しの大型化'が行われた．

　トーマス・パクストンの世界に知られる水晶宮（クリスタル・パレス）が，1851年にケンジントンで開かれた大博覧会場から，ロンドン南部のシドナムに移されたことが，オーウェンにチャンスを与えた．王室とのつながりや，アルバート公からの情報によってオーウェンは，恐竜の実物大模型をつくって，自分の考えている恐竜の姿を実際に見せるチャンスをしっかりととらえた．その計画はきわめて壮大なもので，本物の岩層が見られる田園区画，化石のワニ類が見られる湖，恐竜を'安全に'隔離し，まわりにその時代にふさわしい植物を植え込んだ島などが計画された．そこにはイグアノドンのほかに2種類の恐竜——ヒレオサウルスとメガロサウルス——や，さらに古い時代の両生類である迷歯類，もっと新しい第三紀および第四紀の哺乳類など，膨大な範囲に及ぶ古代生物を代表するものたちが展示されることになっていた．しかし，この古代動物園はすべて

ロンドンにあったウォーターハウス・ホーキンスの水晶宮作業場と，恐竜やその他の絶滅脊椎動物の最初の実物大模型製作のようす．『イラストレーテッド・ロンドン・ニュース』に掲載されたもの．

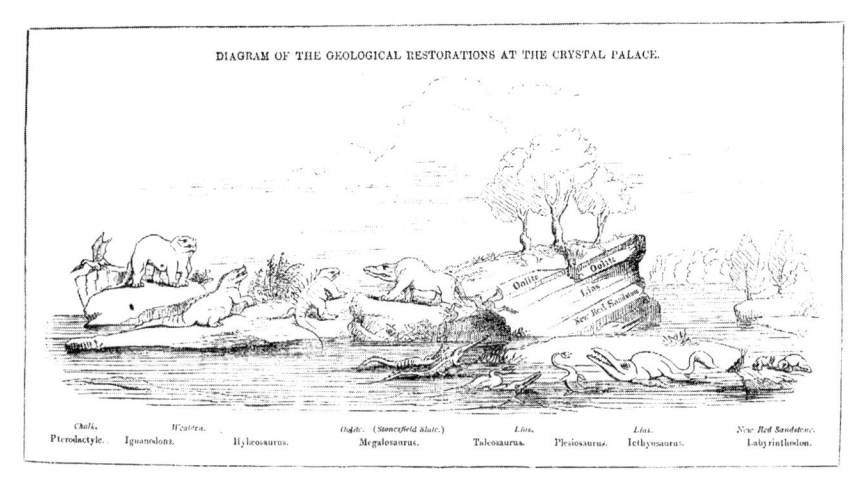

ウォーターハウス・ホーキンスが描いた水晶宮の実物大模型とその背景の野心的なプラン．これらは部分的に実現され，今もそこに残っている．水晶宮の地質学的復元模型．

が完成するには至らなかった．アメリカのマストドンの実物大復元模型も計画されていたが，水晶宮会社によって資金が削減されてしまった．

模型はオーウェンの監督の下に，彫刻家のウォーターハウス・ホーキンス (1810-89) が製作し，建造の過程を当時の大衆紙が詳細に追い，挿絵入りで伝えた．1853年の元旦には名士・貴賓を集めて，イグアノドンの模型鋳型の体内で，料理7品からなる記念晩餐会が開かれた．周囲はヒーローとなったバックランド，キュヴィエ，オーウェン，マンテルの名で飾りつけられた．このアイディアは，1801年にアメリカの画家で博物館所有者のチャールズ・ウィルソン・ピールが自分のフィラデルフィア博物館で開いた有名な化石晩餐会からヒントを得たものかもしれない．その客12人の晩餐会は，ピールが発掘したマストドンの半ば復元された骨格の内部で開かれた．愛国的な乾杯が行われ，ヤンキー・ドゥードゥルの合唱が起こった．

ホーキンスが描いた水晶宮の招待状は，空飛ぶ爬虫類の広げた翼に文字が書かれていた．晩餐会のようすも『イラストレーテッド・ロンドン・ニュース』に挿絵が示され，このプロジェクトをさらに宣伝するのに役立った．チャールズ・ライエルやそれと肩を並べるような人々が出席して，工夫を凝らした楽しい'化石

1854年，地質学界の名士を集めてイグアノドンの模型の内部で開かれた記念晩餐会．上に古生物学の大物たちの名札が掲げられている．

入り'のメニューが供され，この日のために次のような特別な歌も作曲された．

長い長い年月を地下で，
彼の骨は横たわっていたが，
今やその体は大きく，丸くなり，
再び生命が戻った．

彼の骨はアダムの骨と同じように粘土に包まれ，
鉄の肋骨はがっしりとして，
そこに今日，この獣は生き，
彼を起き出させようとする．

皮の下には臓物を，
生きている人間たちの魂も得た．
われらのサウリアを今，誰が笑うのか，
再び生命の戻った彼を．

［コーラス］
陽気な年取った獣は，

死んではいない．
　　彼には再び生命が戻った！

　コーラスは恐竜のことをいっているものと思われるが，オーウェンに対する皮肉もあるのかもしれない．彼は「イグアノドンを誤らせた」として公然とホーキンスを攻撃して，その夜の唯一の不協和音を発した．それは彼がその建設を監督してきたと思われていたことを考えると，いささか意味深長なものだった．オーウェンはおそらく自分の弱みを隠そうとしていたのだろう．そのころ，イグアノドンが2本の後足で立ち上がって歩いていたらしいことを示す足跡の化石が発見されたためだ．オーウェンはかなり不愉快な人物だったようで，一般に同時代の人々に嫌われていた．もちろんそれでも，彼の解剖学の才能は認めなければならない．
　シドナムの水晶宮は1854年6月10日にヴィクトリア女王によって再び披露されて，4万人の観客を集めた．この世界最初のテーマパークは半信半疑の一般民衆に公開され，19世紀の終わりまで平均して年に200万人の観客を集め続けた．当時の有名な風刺雑誌『パンチ』をはじめとする大衆出版物には，さらにそれ以上の数の挿絵が印刷された．そこには大洪水以前の爬虫類を見せることで幼い息子を良い子にしつけたいと考える，ヴィクトリア時代風のシルクハットをかぶった父親が描かれている．子どもは恐怖のあまり叫び声を上げ，父親は動じることなく歩き続ける．『パンチ』にはこう書かれている．「トム先生は，彼をしつけることには大反対」．巨大な模型は最近修復されたが，今もシドナムで見ることができる．ただし，パクストンのすばらしい水晶宮は残念ながら1936年に火事で焼失した．
　この事業の大成功のニュースはすぐに世界に広がり，セントラルパークで同じような興業を行うため，ホーキンスはニューヨークに招かれた．彼はそこにスタジオを設け，化石をもっと多数復元する，さらに野心的な計画に着手した．残念なことに，これは市の行政当局と衝突して実現せず，完成していた模型は破壊され，公園内に埋められたといわれる．のちにその探索が何回か行われたが，結局何も見つかっていない．
　しかし，恐竜研究はアメリカで大きく弾みがつき，それによって恐竜というものの概念が根底からすっかり変わることになった．これまで見てきたように，恐

竜についてやがて姿を現してくる新しいアメリカのイメージは，19世紀の初め，プリニー・ムーディがマサチューセッツにある自分の家の農場で足跡の化石を発見したときに始まった．その地方の博物学者エドワード・ヒッチコックは1836年にこれを論文として記載し，何らかの3本指の大型動物がつけた足跡という考えを明らかにした．当時，そのような足跡をつける動物は鳥類しか知られておらず，これは巨大な鳥の足跡だというのがヒッチコックの結論だった．彼が発見したのはまさに，ある種の恐竜が，オーウェンやその他すべての人々が推測したように4本脚ではなかったことを示す最初の証拠だった．今では誰もが知っているように，ヒッチコックは一部分では正しかった．ある種の恐竜は，確かに巨大な2本脚の鳥のような体をしていた．イグアノドンはそのような3本指，2本脚の怪獣の一種だったが，この両者がはっきり結びつけられるには，1878年にベルギーの鉱夫によって約40頭のイグアノドンの骨格が偶然発見されるのを待たなければならなかった．残念ながらマンテルは，彼の恐竜が実際にどのような姿をしていたかを見るまで生きていることができなかった．彼はそれより26年前，1852年に死んだ．

ヒッチコックの'巨大な鳥'は恐竜であることが明らかになったが，1860年代の初めには本物の化石の鳥が過去の時代の生物に関する知識に大きな衝撃を与え，ダーウィン/ワラスの進化論を支持する決定的な証拠となった．

● 羽のあるところ，鳥あり

1860年にドイツ南部バヴァリアのゾルンホーフェンのジュラ紀の石灰岩中に小さな羽の化石が発見されたことが，古生物学界で最も重要な発見の前触れとなった．(ごく最近まで)羽は鳥類に特有の特徴と考えられており，したがって羽のあるところには，その持ち主である鳥がさして遠くないところにいた可能性が高いと考えられ

オーウェンのアルケオプテリクスの解剖図は，爬虫類と鳥類という2つのグループをつなぐ化石の'リンク（環）'の，最初のみごとな実例を示した．

バヴァリアのゾルンホーフェン石版用石灰岩から発見された空飛ぶ
絶滅爬虫類の図．1831年，アウグスト・ゴルトフス画．

た．6カ月後の1861年にその'持ち主'が発見され，それは岩の中で平たく押しつぶされたカササギくらいの大きさの骨格だった．広げられた腕には非対称の風切り羽のはっきりとした圧痕がついていて，現代のものとよく似た翼の形をつくっていた．

　鳥類としては異様なことに，くちばしにはずらりと歯が並び，羽が生えていて，骨のある長い尾をもっていた．羽を除くと，そのほかの鳥らしい特徴は，鳥に似たブーメランのような形の叉骨が唯一のものだった．この鳥類と爬虫類の特徴が奇妙に混じり合った不思議なキメラまたは混血動物は，ダーウィン/ワラスの進化論を支持する最初の決定的な化石の証拠だった．アルケオプテリクス（*Archaeopteryx*）（「古代の翼」を意味し，「始祖鳥」）と名づけられたこの化石は，爬虫類と鳥類という動物の2つの大グループの間をつなぐ，'ミッシング・リンク（失われた環）'の最初のものとなった．

　バヴァリアのジュラ紀後期の石灰岩は，何世紀にもわたって上質の印刷用石版材として採掘されていた．石灰岩を割って石板とするとしばしば，きわめてさまざまな生物のきれいに保存された化石が現れ，採石作業員はこれを取っておいてはコレクターに売っていた．最初に見つかった1枚だけの羽は長さ5cmほど，色は黒褐色で（化石化する間にたんぱく質ケラチンが炭化したため），きわめて細部まで保存されていた．それは非対称の風切り羽で，現代の鳥類の進歩した羽と同じように，羽軸の根元近くには綿毛さえ残っている．

　1862年，完全な骨格はロンドンの大英博物館のリチャード・オーウェンに買

恐竜の発見——*147*

1860年にバヴァリアのジュラ紀後期の石版用石灰岩中から，保存状態のよい非対称の風切り羽が発見されたことは，その時代に鳥類が存在したにちがいないことを証明した．

い取られた．オーウェンのすばやい行動のおかげで，その後アルケオプテリクスの標本はほかに6体ほど発見されているにもかかわらず，今もこの標本は世界で最も価値ある化石のひとつとなっており，ロンドン自然史博物館の最も貴重な所蔵物である．当時の大解剖学者のひとりだったオーウェンは，ダーウィンの進化論に対する厳しい批判者でもあった．それでも1億7000万年前の化石に関する彼のみごとな記述は，これが「疑いの余地なく鳥類」であるものの，現代の鳥の胚にしか見られない特徴をもつことも示している．

しかし，アルケオプテリクスでは爬虫類と鳥類の特徴が混じり合って見られることに最初に気づいたのは，イギリスの生物学者で進化論者のトーマス・ヘンリー・ハクスリーだった．この化石は，化石記録では示しえないだろうとダーウィンが考えていたことを証拠立てるもの，すなわち脊椎動物の2大グループをつなぐ祖先に当たるものだった．それ自体，これはダーウィン進化論のみごとな実例であり，ハクスリーがダーウィン/ワラス進化論に改宗するに当たって最も重視したのがこれだった．

ハクスリーは，1850年代の後期に小型の2本脚恐竜コンプソグナトゥス (*Compsognathus*) の骨格がゾルンホーフェンで発見され，それがアルケオプテリクスにきわめてよく似ていたことを知っていた．ハクスリーにとっては，そこに本質的な問題はなかった．一見，解剖学的，生理学的に異なっている別々の動物グループを結びつける上でも，それはオーウェンの発生学的な証拠と同じように，彼の考え方を強化するものとなった．ハクスリーは，内気で，人目に立つことを好まないダーウィンと異なり，取りわけ説得力をもった論客だった．ダーウィンの革命的な考えが広く受け入れられるようにする上で，ハクスリーの公開講

演や評論が大きな力をもったことはほとんど疑いがない．

アルケオプテリクスは中くらい（カササギほど）の大きさの鳥で，くちばしの先端から長い尾の先までの体長約30〜50cm，体高は25cmほどだった．頭骨は軽くできていて，目と脳の視葉が大きく，生存していく上で最も重要な感覚として視覚に依存していたことを示していた．幅が細く，先のとがったくちばしのような上下の顎には，広くすき間をあけて並ぶ鋭い歯が見られた．頸は湾曲し，短い背部を経て，22個の椎骨からなる長く真っ直ぐな尾に続いていた．前肢にはいちじるしく長い3本の指があり，それぞれ先端には湾曲した長いかぎ爪が見られた．骨盤は小型の獣脚類爬虫類に似ているが，その正確な構造形態については若干の議論があった．

ヴィクトリア時代の賢人の典型，または'科学の殿堂'の長老として描かれた，みごとなダーウィンの肖像．ジュリエット・マーガレット・キャメロン画．

問題はある種の恐竜類と同じように，恥骨が垂直に並んでいるか，それとも現代の鳥類と同じように，後ろ方向に並んでいるかということだった．化石形成の際の圧迫によって，しばしばこのような問題が生じた．後肢は特に爬虫類に似ており，足の親指はきわめて短く，足の後部にあった．しかしこの状態は，多くの現代の鳥にも一般に見られる．ハクスリーも指摘しているように，鳥の胚の足は爬虫類の胚の足と区別することがむずかしい．

アルケオプテリクスの生活習慣や飛行能力も，かなりの議論の的となった．これは森林に住み，翼についた指や足のかぎ爪を使って木に登ることのできる鳥として描かれることが多かった．その羽は軽く，水をはじき，簡単にすり切れることのない，理想的な翼材料だった．このような条件を組み合わせると，捕食動物から逃れ，あるいは食物を求めて木に登る動物という，鳥類の原型としてまさに打ってつけのモデルができる．木から木へ滑空して飛び移ることには，いくつかの利点がある．エネルギーを節約することができるし，いつも地上に降りるという危険も避けられる．滑空をさらに羽ばたきによる飛行へと進化させて，行動範囲を広げることは一層容易だろう．

ジュラ紀の生物復元図．1831年，ゴルトフス画．植物，無脊椎動物，魚類から空飛ぶ爬虫類，トカゲに似た陸生（恐竜以前の）爬虫類などに至るさまざまな脊椎動物など，海生および陸生生物たちがたくさん描かれている．

　このようなアルケオプテリクスのモデルに考えられる欠点のひとつは，この鳥が住んでいた環境には大きな木がなかったということである．当時そのあたりに存在した陸地は，ゾルンホーフェンの石灰分に富む泥が蓄積した海岸の潟湖に浮かぶ低い島だけだったと思われる．おおむね暑く，かなり乾燥した気候だったこれらの島々は，樹木といえるほどの大きな植物が育たず，開けた土地のところどころに低木のやぶがまばらに生えるところだった．同じ堆積層から得られる植物の化石も，そのような再現風景を裏づける．そこには木質物は見られず，小さな低木性針葉樹であるブラキフィルム（$Brachyphyllum$）やパラエオキパリス（$Palaeocyparis$），ベネティテス類の植物など，高さ3mくらいにしかならないものの遺物しか残っていないからである．

　それでも，アルケオプテリクスが木に登り，空を飛ぶことができたのは疑いない．初列風切り羽は非対称で，そのことはただひとつのこと，すなわち飛行——たとえかなりぎこちない，不十分なものであったとしても——を意味する．現代の飛べない鳥は，非対称形の羽をもっていない．

● アルケオプテリクスの類縁関係

　アルケオプテリクスの爬虫類との関係を知ることと，それが爬虫類のどのグループと最も近い関係にあるかを明らかにすることとは別の話である．近年，類縁の可能性は，ワニ類から，'槽歯類'爬虫類，哺乳類，あるいは恐竜類まで幅広く考えられてきた．ワニ類との類縁の可能性は頭骨の構造に見られるある種の類似性から考えられたものだが，これらの特徴は他の主竜類爬虫類にも共通して見られ，正確に対比することがむずかしい．三畳紀の'槽歯類'爬虫類とのつながりの可能性は，全体的な類似性や，この初期の爬虫類の一部が鳥類に似た体つきをもっていたことによるが，この場合も密接なつながりを十分に証明できなかった．哺乳類とのつながりは興味深いもので，どちらのグループも温血で，四室からなる心臓，進歩した脳，たんぱく質ケラチンからできた断熱組織（鳥類の羽と哺乳類の体毛）をもつことなどが根拠となっていた．ほかにも多くの類似点をもつが，化石による裏づけ証拠はなく，一見共通と思われる特徴も，細かく突き詰めていくと怪しくなるものも少なくない．

　類縁の可能性が最も強いのは恐竜である．アルケオプテリクスの標本のひとつは，オランダ・ハールレムのテイラー博物館でアメリカの古生物学者ジョン・オストロームが発見した．これは最初に取得したとき，微かに残っていた羽の圧痕に気づかず，小型恐竜コンプソグナトゥスとしてカタログに記載されていたものだった．

　オストロームはアルケオプテリクスと進化した獣脚類恐竜——例えば2本脚のデイノニクス（*Deinonychus*）など——の骨格の間に認められる類似点を，数十点あげている．そして，鳥類は特殊化したコエルロサウルス類だという結論を下した．今から考えれば，アルケオプテリクスの標本が恐竜と見誤られることに不思議はない．羽を除けば，アルケオプテリクスは事実上恐竜なのだから……．

● ふわふわの恐竜？

　この鳥類と恐竜との関連性は，近年めざましい勢いで確認されてきた．ある意味で，恐竜は絶滅してなどおらず，まさに私たちとともに生きているということができる．今や恐竜は羽でおおわれ，私たちはそれを鳥と呼んでいるのだ．この数十年の間に，恐竜と鳥類の関係はさらに興味深いものとなってきた．羽はずっと鳥類に特有の特徴と考えられてきたが，中国の前期白亜紀層から一連の驚くべ

ジュラ紀後期の生物復元図．1865年，ルイ・フィギュエ画．正確に描かれた陸生植物や，空を飛ぶ長い尾をもったアルケオプテリクスの最も古い復元図が見られる．

き化石が発見されたことによって，それが正しくないことが明らかにされた．第一に，小さな2本脚の獣脚類恐竜（プロトアルケオプテリクス（*Protarchaeopteryx*，原始祖鳥）およびカウディプテリクス（*Caudipteryx*，尾羽竜））の胴体に微かに羽がついているのが見つかった．これらの動物は飛ぶことができず，鳥ではなく，まだ恐竜だった．

1996年に，中国でだいたい同じ時代の別の化石シノサウロプテリクス（*Sinosauropteryx*，中華竜鳥）（小型の獣脚類恐竜コンプソグナトゥスにも，鳥類であるアルケオプテリクスにもきわめてよく似ている）が発見された．小さな羽状の飾りが，頸から，背骨，脇腹にかけて伸びていた．この構造物はきわめて変わったものに見え，多くの専門家はこれを保存の間に生じた特殊な特徴と考えた．しかし今では，この動物は羽をもった恐竜のグループに加えるべきものであることが明らかになっている．

2000年の終わりに，中国で発見されたミクロラプトル（*Microraptor*）という，また新たな恐竜がニュースとなった．これは今までに発見された成熟した恐竜のうちで最も小さなもので，カラスくらいの大きさしかなかった．この標本は問題の多いおかしな経歴の持ち主で，偽物として生まれ，中国からアメリカに密輸されて，商業市場で売られたものだった．贋作としてのできはよく，おおぜい

の専門家の目を欺き，ついには1999年の『ナショナル・ジオグラフィック』誌に掲載されて，このときは恐竜と鳥類の中間に位置する新たな「ミッシング・リンク（失われた環）」であるアルケオラプトルとして紹介された．

　その名前が示すように，どちらかといえば鳥に似た体と恐竜のような尾に羽根をもち，アルケオプテリクスよりもさらに両者の中間に近いと考えられた．当然，このいんちき行為の背後には大変な金がからんでいた．今日，類のないような化石は巨額の金を動かすことができる．自分たちのしているのがどのような仕事なのか，何が専門家の心をとりこにして，その鑑識眼を鈍らせ，巨額の金を払う気にさせるかを正確に知っている連中がいたのである．幸いなことに，疑いの目をもった専門家も十分にいて，贋作はまもなく暴露されたが，それまでに名声の高い『ナショナル・ジオグラフィック』はすっかり面目をつぶすことになった．X線コンピューター断層撮影（CT）によって，その石板は割れた破片を多数つないで，一枚の石板に貼りつけたものであることが明らかにされた．

　よしとすべき点は，贋作が本物の化石片をいくつか——たぶん5個くらい——つないでつくったものだったことで，中にはそれ自体きわめて興味深いものもあった．ひとつは原始的な鳥類の骨，もうひとつは新種の恐竜の骨であることがわかった．後者は改めて組み立てられ，ミクロラプトルという新しい名前で科学界で脚光を浴びた．この小さな恐竜も羽をもち，大羽が体をおおっていた．さらに重要なのは，それが現代の鳥のように真の羽軸のある羽をもっていたらしいことを示す証拠が得られたことである．アルケオプテリクスと同様，その足には湾曲したかぎ爪があり，それを使って木にとまることができた可能性は高い．また体がきわめて軽く（胴体の長さが47mmしかない），木登りが上手だったことも十分考えられる．このように体が小さくなることは，飛行能力進化のための必須条件であろうし，飛行は最初，「地上から羽ばたきによって飛び上がる」のではなく，「樹上から滑空して飛び降りる」ことから始まったという考え方も裏づける．体長2mのヴェロキラプトル（*Velociraptor*）のような恐竜も，やはり鳥に似たものではあったが，飛行を始めるための'ホップ，ステップ，ジャンプ'の中間型となるには大きすぎ，重すぎるだろう．ミクロラプトルの骨格がドロマエオサウルス類のものか，それともトロオドン類のものかについては，専門家の意見は分かれる．

　肉食恐竜からコエルロサウルス類恐竜（綿羽状の羽をもったものを含む），マ

ニラプトル類恐竜(横方向に曲がる手首,長い腕と手,羽軸のある羽,羽板,羽枝をもつ)を経て,真の鳥類(少なくとも脚と同じ以上の長さの腕と,長い風切り羽をもつ)への進化があったことは,しだいにはっきりしつつある.現在,進化したマニラプトル類(ドロマエオサウルス類とトロオドン類)恐竜をパラヴェス(Paraves)類と呼ばれるグループに入れている専門家もいるが,この分類についてはまだ異論もきわめて多い.

　これら初期の羽が飛行のためのものではなかったとしたら,それは適応上どのような機能をもっていたのかという疑問が残る.シノサウロプテリクスでは羽がまばらにしか生えていないことから,保温という機能は除外されると思われ,カムフラージュ,ディスプレイ,あるいは種の認知などの可能性が考えられる.プロトアルケオプテリクスとカウディプテリクスの羽は,風切り羽の特徴をいくつかもっているが,飛行のために使われていた可能性はないという点で,さらに謎は大きい.プロトアルケオプテリクスには,体と尾を綿羽がおおい,尾の先端には羽板や羽枝のある対称形の羽が扇状の構造をつくっていた形跡が見られる.これに比べてカウディプテリクスは腕がもっと短く,手の最も長い第二指に初列風切り羽がついている.これらの羽も羽板や羽枝があり,もっと小さな綿羽をともなっていたようだ.しかしアルケオプテリクスの羽は,もはや前例もなしに完全に発達した風切り羽が突然に出現したものではなく,今では以前ほど大きな謎ではなくなっている.中国の羽をもった恐竜たちは,層位学的に見るとアルケオプテリクスよりも時代の新しいものだが,進化の点から見ると,アルケオプテリクスの先駆者と考えることができる.

　アルケオプテリクスの出現から1000万年の間に,鳥の体はスズメほどの大きさにまで縮んだ.これは飛行の習慣によって生じた体の変化——例えば木にとまることを可能にした他の指と完全に向き合わせることのできる足の母指——をもつ,鳥類ではないコエルロサウルス類の最も小さなものよりもずっと小さい.中国の白亜紀初期の地層でもやはり思いがけない成果が得られ,最も初期のくちばしをもった鳥であるカラスほどの大きさのコンフシウスオルニス(*Confuciusornis*)(孔子鳥)の化石が文字どおり何千体も掘り出された.先端が少し上に反った角質のくちばしの形は,この鳥が植物を食べていたことを示す.これは原始的なアルケオプテリクスに似た特徴が奇妙なモザイクを示しているが,角質のくちばしが発達して歯がなくなっていたり,後方の脊椎が融合して尾端骨をつく

●地学

オックスフォード 地球科学辞典

坂　幸恭監訳
A5判　720頁　定価15750円（本体15000円）（16043-7）

定評あるオックスフォードの辞典シリーズの一冊"Earth Science (New Edition)"の翻訳。項目は五十音配列とし読者の便宜を図った。広範な「地球科学」の学問分野——地質学、天文学、惑星科学、気候学、気象学、応用地質学、地球化学、地形学、地球物理学、水文学、鉱物学、岩石学、古生物学、古生態学、土壌学、堆積学、構造地質学、テクトニクス、火山学などから約6000の術語を選定し、信頼のおける定義・意味を記述した。新版では特に惑星探査、石油探査における術語が追加された

地震の事典（第2版）

宇津徳治・嶋　悦三・吉井敏尅・山科健一郎編
A5判　676頁　定価24150円（本体23000円）（16039-9）

東京大学地震研究所を中心として、地震に関するあらゆる知識を系統的に記述。神戸以降の最新のデータを含めた全面改訂。付録として16世紀以降の世界の主な地震と5世紀以降の日本の被害地震についてマグニチュード、震源、被害等も列記。〔内容〕地震の概観／地震観測と観測資料の処理／地震波と地球内部構造／変動する地球と地震分布／地震活動の性質／地震の発生機構／地震に伴う自然現象／地震による地盤振動と地震災害／地震の予知／外国の地震リスト／日本の地震リスト

火山の事典

下鶴大輔・荒牧重雄・井田喜明編
A5判　608頁　定価23100円（本体22000円）（16023-2）

桜島、伊豆大島、雲仙をみるまでもなく日本は世界有数の火山国である。それゆえに地質学、地球物理学、地球化学など多方面からの火山学の研究が進歩しており、災害とともに社会的な関心が高まっている。主要な知識を正確かつ簡明に解説。〔内容〕火山の概観／マグマ／火山活動の性質／火山の噴火現象／噴出物とその堆積物／火山帯の構造と発達史／火山岩／他の惑星の火山／地熱と温泉／噴火と気候／火山観測／火山災害／火山噴火予知／世界の火山リスト／日本の火山リスト

地震のはなし

茂木清夫著
A5判　160頁　定価3045円（本体2900円）（10181-3）

地震予知連会長としての豊富な体験から最新の地震までを明快に解説。〔内容〕三宅島の噴火と巨大群発地震／西日本の大地震の続発（兵庫、鳥取、芸予）／地震予知の可能性／東海地震問題／首都圏の地震／世界の地震（トルコ、台湾、インド）

火山のはなし —災害軽減に向けて—

下鶴大輔著
A5判　176頁　定価3045円（本体2900円）（10175-9）

数式はいっさい使わずに火山の生い立ちから火山災害・危機管理まで、噴火予知連での豊富な研究と多くのデータをもとにカラー写真も掲載して2000年の有珠山噴火まで解説した火山の脅威と魅力を解きほぐす"火山との対話"を意図した好著

自然環境の生い立ち（第3版）—第四紀と現在—

田渕　洋編著
A5判　216頁　定価3150円（本体3000円）（16041-0）

地形、気候、水文、植生などもっぱら地球表面の現象を取り扱い、図や写真を多く用いることにより、第四紀から現在に至る自然環境の生い立ちを理解することに眼目を置いて解説。第3版。〔内容〕第四紀の自然像／第四紀の日本／第四紀と人類

第四紀学

町田　洋編著
B5判　336頁　定価7875円（本体7500円）（16036-4）

現在の地球環境は地球史の現代（第四紀）の変遷史研究を通じて解明されるとの考えで編まれた大学の学部・大学院レベルの教科書。〔内容〕基礎的概念／第四紀地学の枠組み／地殻の変動／気候変化／地表環境の変遷／生物の変遷／人類史／問題と展望

●地質学

岩石学辞典
鈴木淑夫著
B5判 912頁 定価39900円（本体38000円）（16246-4）

岩石の名称・組織・成分・構造・作用など，堆積岩，変成岩，火成岩の関連語彙を集大成した本邦初の辞典。歴史的名称や参考文献を充実させ，資料にあたる際の便宜も図った。〔内容〕一般名称（科学・学説の名称/地殻・岩石圏/コロイド他）堆積岩（組織・構造/成分の形式/鉱物/セメント，マトリクス他）/変成岩（変成作用の種類/後退変成作用/面構造/ミグマタイト他）火成岩（岩石の成分/空隙/石基/ガラス/粒状組織他）/参考文献/付録（粘性率測定値/組織図/相図他）

地質学ハンドブック
加藤碵一・脇田浩二編集編
A5判 712頁 定価24150円（本体23000円）（16240-5）

地質調査総合センターの総力を結集した実用的なハンドブック。研究手法を解説する基礎編，具体的な調査法を紹介する応用編，資料編の三部構成。〔内容〕〈基礎編：手法〉地質学/地球化学（分析・実験）/地球物理学（リモセン・重力・磁力探査）/三葉虫／軟体動物／筆石／脊椎動物／陸上植〈応用編：調査法〉地質体のマッピング/活断層（認定・トレンチ）/地下資源（鉱物・エネルギー）/地熱資源/地質災害（地震・火山・土砂）/環境地質（調査・地下水）/土木地質（ダム・トンネル・道路）/海洋・湖沼/惑星（隕石・画像解析）/他

化石革命
小畠郁生監訳 加藤珪訳
A5判 232頁 定価3780円（本体3600円）（16250-2）

化石の発見・研究が自然観や生命観に与えた「革命」的な影響を8つのテーマに沿って記述。〔目次〕初ів発見/絶滅した怪物/アダム以前の人間/地質学の成立/鳥から恐竜へ/地球と生命の誕生/バージェス頁岩と哺乳類/DNAの復元

ひとめでわかる 化石のみかた
小畠郁生監訳 舟木嘉浩・舟木秋子訳
B5判 164頁 定価4410円（本体4200円）（16251-0）

古生物学の研究上で重要な分類群をとりあげ，その特徴を解説した教科書。〔目次〕化石の分類と進化/海綿/サンゴ/コケムシ/腕足動物/棘皮動物/三葉虫/軟体動物/筆石/脊椎動物/陸上植物/微化石/生痕化石/先カンブリア代/顕世代

バージェス頁岩 化石図譜
D.E.G.ブリッグス他著 大野照文監訳
A5判 248頁 定価5040円（本体4800円）（16245-6）

カンブリア紀の生物大爆発を示す多種多様な化石のうち主要な約85の写真に復元図をつけて簡潔に解説した好評の"The Fossils of the Burgess Shale"の翻訳。わかりやすい入門書として，また化石の写真集としても楽しめる。研究史付

基礎地球科学
西村祐二郎編著 鈴木盛久・今岡照喜・高木秀雄・金折裕司・磯崎行雄著
A5判 244頁 定価3360円（本体3200円）（16042-9）

地球科学の基礎を平易に解説しながら地球環境問題を深く理解できるよう配慮。一般教育だけでなく理・教育・土木・建築系の入門書にも最適。〔内容〕地球の概観/地球の構造/地殻の物質/地殻の変動と進化/地球の歴史/地球と人類の共生

続プレートテクトニクスの基礎
瀬野徹三著
A5判 176頁 定価3990円（本体3800円）（16038-0）

『プレートテクトニクスの基礎』に続き，プレート内変形（応力場，活断層のタイプ），プレート運動の原動力を扱う。〔内容〕プレートに働く力/海洋プレート/スラブ/大陸・弧/プレートテクトニクスとマントル対流/プレート運動の原動力

地球システムのデータ解析
萩原幸男・糸田千鶴著
A5判 168頁 定価3360円（本体3200円）（16040-2）

身近な現象のデータを用い，処理法から解析まで平易に解説。〔内容〕まずデータを整えよう/入力から出力を知る/サイクルシステムを解く/相関関係を調べる/周期分析をする/フィルタあれこれ/2次元データを処理する/時空間の変化を追う

●天文学

オックスフォード天文学辞典
岡村定矩監訳
A5判 504頁 定価10080円（本体9600円）（15017-2）

アマチュア天文愛好家の間で使われている一般的な用語・名称から，研究者の世界で使われている専門的用語に至るまで，天文学の用語を細大漏らさずに収録したうえに，関連のある物理学の概念や地球物理学関係の用語も収録して，簡潔かつ平易に解説した辞典。最新のデータに基づき，テクノロジーや望遠鏡・観測所の記載も豊富。巻末付録として，惑星の衛星，星座，星団，星雲，銀河等の一覧表を付す。項目数約4000。学生から研究者まで，便利に使えるレファランスブック

天文の事典
磯部・佐藤・岡村・辻・吉澤・渡邊編
B5判 696頁 定価29925円（本体28500円）（15015-6）

天文学の最新の知見をまとめ，地球から宇宙全般にわたる宇宙像が得られるよう，包括的・体系的に理解できるように解説したもの。〔内容〕宇宙の誕生（ビッグバン宇宙論，宇宙初期の物質進化他），宇宙と銀河（星とガスの運動，クェーサー他），銀河をつくるもの（星の誕生と惑星系の起源他），太陽と太陽系（恒星としての太陽，太陽惑星間環境他），天文学の観測手段（光学観測，電波観測他），天文学の発展（恒星世界の広がり，天体物理学の誕生他），人類と宇宙，など

天文学への招待
岡村定矩編
A5判 224頁 定価3045円（本体2900円）（15016-4）

太陽系から系外銀河までを，様々な観測と研究の成果を踏まえて気鋭の研究者がトータルに解説した最新の教科書。〔内容〕天文学とは何か／太陽系／太陽／恒星／星の形成／銀河系／銀河団／宇宙論／新しい観測法（重力波など）／暦と時間

雪と氷の事典
日本雪氷学会編
A5判 784頁 定価26250円（本体25000円）（16117-4）

日本人の日常生活になじみ深い「雪」「氷」を科学・技術・生活・文化の多方面から解明し，あらゆる知見を集大成した本邦初の事典。身近な疑問に答え，ためになるコラムも多数掲載。〔内容〕雪氷圏／降雪／積雪／融雪／吹雪／雪崩／氷／氷河／極地氷床／海水／凍上・凍土／雪氷と地球環境変動／宇宙雪氷／雪氷災害と対策／雪氷と生活／雪氷リモートセンシング／雪氷観測／付録（雪氷研究年表／関連機関リスト／関連データ）／コラム（雪はなぜ白いか？／シャボン玉も凍る？他）

キーワード気象の事典
新田　尚・木村龍治・住　明正・安成哲三・伊藤朋之編
A5判 532頁 定価17850円（本体17000円）（16115-8）

気象学でのキーワード約70を厳選し，関連する事項とともに原則4ページで解説する中項目主義の事典。太陽系内での惑星という地球という観点から，気候・気象を決定する大気の理論を核に，観測・予報，気象情報までの，最新のデータと研究成果を提示。〔内容〕地球環境と環境問題／大気の理論（放射過程・力学・波動・対流・総観気象学・大循環・不安定現象・モデリング）／気象の観測と予報（リモートセンシング・惑星探査）／気候と気候変動／気象情報の利用／他

古生物の科学

古生物学の視野を広げ,レベルアップを成し遂げる

1. 古生物の総説・分類
速水 格・森 啓編
B5判 264頁 定価12600円(本体12000円) (16641-9)

科学的理論・技術の発展に伴い変貌し、多様化した古生物学を平易に解説。〔内容〕古生物学の研究・略史／分類学の原理・方法／モネラ界／原生生物界／海綿動物門／古杯動物門／刺胞動物門／腕足動物門／軟体動物門／節足動物門／他

2. 古生物の形態と解析
棚部一成・森 啓編
B5判 232頁 定価12600円(本体12000円) (16642-7)

化石の形態の計測とその解析から、生物の進化や形態形成等を読み解く方法を紹介。〔内容〕相同性とは何か／形態進化の発生的側面／形態測定学／成長の規則と形の形成／構成形態学／理論形態学／バイオメカニクス／時間を担う形態

3. 古生物の生活史
池谷仙之・棚部一成編
B5判 292頁 定価13650円(本体13000円) (16643-5)

古生物の多種多様な生活史を、最新の研究例から具体的に解説。〔内容〕生殖(性比・性差)／繁殖と発生／成長(絶対成長・相対成長・個体発生・生活環)／機能形態／生活様式(二枚貝・底生生物・恐竜・脊椎動物)／個体群の構造と動態／生物地理他

4. 古生物の進化
小澤智生・瀬戸口烈司・速水 格編
B5判 272頁 定価12600円(本体12000円) (16644-3)

生命の進化を古生物学の立場から追求する最新のアプローチを紹介する。〔内容〕進化の規模と様式／種分化／種間関係／異時性／分子進化／生体高分子／貝殻内部構造とその系統・進化／絶滅／進化の時間から「いま・ここ」の数理的構造へ／他

5. 地球環境と生命史
鎮西清高・植村和彦編
B5判 264頁 定価12600円(本体12000円) (16645-1)

地球史・生命史解明における様々な内容をその方法と最新の研究と共に紹介。〔内容〕〈古生物学と地球環境〉化石の生成／古環境の復元／層序／放散虫と古海洋学／海洋生物地理学／同位体〈生命の歴史〉起源／動物／植物／生物事変／群集／他

生命と地球の進化アトラスⅠ —地球の起源からシルル紀—
R.T.J.ムーディ・A.Yu.ジュラヴリョフ著 小畠郁生監訳
A4変判 148頁 定価8925円(本体8500円) (16242-1)

第Ⅰ巻ではプレートテクトニクスや化石などの基本概念を解説し、地球と生命の誕生から、カンブリア紀の爆発的進化を経て、シルル紀までを扱う。〔内容〕地球の起源／生命の起源／始生代／原生代／カンブリア紀／オルドビス紀／シルル紀

生命と地球の進化アトラスⅡ —デボン紀から白亜紀—
D.ディクソン著 小畠郁生監訳
A4変判 148頁 定価8925円(本体8500円) (16243-X)

第Ⅱ巻では、魚類、両生類、昆虫、哺乳類的爬虫類、爬虫類、アンモナイト、恐竜、被子植物、鳥類の進化などのテーマをまじえながら白亜紀までを概観する。〔内容〕デボン紀／石炭紀前期／石炭紀後期／ペルム紀／三畳紀／ジュラ紀／白亜紀

生命と地球の進化アトラスⅢ —第三紀から現代—
I.ジェンキンス著 小畠郁生監訳
A4変判 148頁 定価8925円(本体8500円) (16244-8)

第Ⅲ巻では、哺乳類、食肉類、有蹄類、霊長類、人類の進化、および地球温暖化、現代における種の絶滅などの地球環境問題をとりあげ、新生代を振り返りつつ、生命と地球の未来を展望する。〔内容〕古第三紀／新第三紀／更新世／完新世

ISBN は 4-254- を省略

(定価・本体価格は2005年2月20日現在)

朝倉書店
〒162-8707 東京都新宿区新小川町6-29
電話 直通(03) 3260-7631 FAX(03) 3260-0180
http://www.asakura.co.jp eigyo@asakura.co.jp

り，それに尾の長い羽がついているといった，はるかに近代的な特徴のほうが多い．

　コンフシウスオルニスは深い森に囲まれた淡水湖の近くに大群をつくって暮らしていたと考えられる．オスの長い尾羽や足の構造は，これが地上にいることは少なく，木の上にとまっていることが多かったことを示す．分析の結果，この属には少なくとも2つの種があったことも明らかにされている．アルケオプテリクスの場合も同様だったと考えられる．さらに，その他の新しい発見の意味するところによれば，これら初期の鳥類の多様化は，かつて考えられていたよりもはるか以前に起こっていた可能性もある．白亜紀前期にはほかにも多数の鳥がいて，その化石がまだ見つかっていないだけということかもしれない．

● 羽の形成
　羽の起源は長い間論議の的となってきたが，中国の羽をもった恐竜の発見は再び論議の火をかき立てた．鳥類は羽を飛行のために使うだけでなく，保温にも用いている．温血動物である鳥類は，できるだけエネルギーを無駄にしないようにする必要がある．羽はまた物理的，化学的にきわめて丈夫なものであり，しかも軽く，交換がきく．体を保護し，防水にも役立ち，性的なディスプレイやカムフラージュというきわめて重要な働きももつ．では，このような働きのうち，どれが一番最初の目的だったのだろうか？

　現代の羽はいちじるしく精密な構造をもち，大きく分けて3つの形がある．保温のための，ふわふわした小さな綿羽，哺乳類の毛のような小さな毛状羽，それに体や翼をおおっている大きな大羽である．基本的に，羽は中空の羽柄が基礎となり，そこから羽もしくは羽板ができる．羽柄の先が伸びて中身のつまった長い羽軸（中心軸）となり，その両側に多数の羽枝が枝状に出る．さらに羽枝は枝分かれして，無数の小羽枝を出して重なり合い，絡み合う．小羽枝には鉤や切欠き部があって，これらは羽が互いに支え合うのに役立つ．鳥が羽づくろいするときには，この複雑な配列をチェックし，さまざまな部分の配列の乱れや，損傷を整え直している．

　もちろん，このように込み入った構造が最初から十分にできあがった形で生まれてくるはずはない．これは爬虫類のうろこから多くの段階を経て発達してきたものと考えられる．まず最初におそらく，三畳紀の地を這う爬虫類ロンギスクア

マ (*Longisquama*) に見られるようにうろこが長くなった．次におそらくは強化のための適応として，中心軸が発達し，さらに羽枝と小羽枝が分化した．アルケオプテリクスの羽はすでに，進化の最も進んだ段階にある．これに対して，やはり中国で最近発見されたプロトプテリクス (*Protopteryx*) では近位端に羽枝のないタイプの羽が見られ，このようなものはこれまで報告されたことがなかった．

　1995年以降，中国遼寧省の前期白亜紀層からみごとな新しい化石が発見されたことによって，初期の鳥類の進化や鳥類と恐竜との関係に関する理解は革命的に進んだ．数十種に上る多様な新しい鳥は，初期の鳥類の進化が起こったのがアルケオプテリクスよりもある程度早い時代であったことは間違いないという考え方を補強するものである．1999年にシノルニトサウルス (*Sinornithosaurus*, 中国鳥竜) やミクロラプトルのような羽をもつドロマエオサウルス類恐竜が発見されたことは，鳥類がまさに羽をもつ恐竜の1グループにすぎないという考えを裏づけている．

第6章
岩石や化石の年代を測る
—— 地球と生命の誕生

● 放射年代測定

　地質学的な過去を研究する際にぶつかる大きな問題のひとつは，岩層やそこに含まれる化石の時間的年代測定の問題だった．岩層の地質図作成，堆積層累重関係の決定，相互対比は，せいぜい相対年代の決定にしか役立たなかった．ダーウィンの時代には，地球の歴史が何億年も前にまでさかのぼるにちがいないという考え方が一般的になってもいたが，それをはっきりと裏づける証拠はなく，ウィリアム・トムソン・ケルヴィン卿（1824-1907）のような大きな影響力をもった物理学者も，そのような長い時間の尺度には疑いをもっていた．岩石の年代を測定するための信頼性のある方法が現れるのは，20世紀の初めになってからのことだった．

　1907年にアメリカの放射化学者バートラム・ボルトウッド（1870-1927）は放射性ウランを含む岩石の体系的分析を行って，そこには一般にヘリウムと鉛が存在し，鉛はウランの崩壊連鎖の安定な最終産物であることを知った．彼はさらに，コネチカット州グラストンバリーで得た鉱物中に存在するウランと鉛の同位元素の比率を測定することのできる方法を開発した．ボルトウッドはその岩石を約4億1000万年前のもの（410 Ma）と計算した．のちにこの年代は265 Maと改められたが，アーネスト・ラザフォード（1871-1937）の先駆的研究の上に成し遂げられたボルトウッドの技術的発展は，地球内部の鉱物の構成物質の年代を測定する，ある程度の精度をもった最初の手段となった．

　ボルトウッドはエール大学を出たのち，ドイツで学んだ．アメリカへ帰った彼は，友人のラザフォードが道を開いた放射化学の分析技術の改良研究を行った．ラザフォードはウラン鉱石を使って実験を行い，1902年にその鉱石が7億年前にできたものだという計算結果を導いた．それが正しければ，地球の年齢はいちじるしく長いものと考えられることになる．しかしその後数年のうちに，ラザフォ

ードの方法には欠陥があることがわかってきた．それはヘリウム・ガスの測定値を根拠にしたものだったが，ヘリウムは岩石中から逃げ出していきやすいからだ．

1910年になると，イギリスの地質学者アーサー・ホームズ（1890-1965）が同様の方法を用いて，数種の放射性鉱物を含むノルウェーの岩石の年齢を3億7000万年とはじき出した．この岩石はもともとデヴォン系の地層にあったことが知られており，彼はその地層や時代について最初の年代を示したのである．今から考えると，これは初期の放射年代測定のうちで最も正しいものであり，ホームズにもっと研究を続ける資金があったら，放射年代測定は実際よりもはるかに急速に進歩していただろう．ホームズはまた，ボルトウッドが発表したデータのいくつかを計算し直し，それを整理して最初の地質学的年代尺度を定めた．その後，研究生活の残りの期間，彼は絶えずこの年代表を改良していった．

イギリスの放射年代測定の先駆者アーサー・ホームズ．地球の歴史を調べるための最初の放射年代測定尺度を確立するのに貢献した．

ホームズは1946年までに，グリーンランドのインヴィグトゥートで採取した鉛鉱石を含む古い岩石について同位元素測定を行って，30億1500万年前という測定値を得た．地球の最低年齢推定値として，真に信頼できる最初のものだった．ホームズはさらに，鉛ができる元になったウランが生まれたのは，44億6000万年前ころだったにちがいないと推定した．しかし，その誕生は地球が生まれたときではなく，地球が生まれる前のガス雲の中だったと彼は考えた．

マンハッタン計画に参加し，原子爆弾開発に当たったアメリカの科学者ハリソン・ブラウンとクレア・パターソンは1950年代に，隕石を用いて太陽系の年齢を計算することに関心をもつようになった．1953年にパターソン（1922-95）は，今から5万年ほど前にアリゾナの隕石クレーターをつくった，ディアブロ渓谷隕石の鉛同位元素の定量に成功した．これから45億1000万年前という年代をはじき出し，それを陸地の花崗岩および玄武岩中の鉛について得た45億6000万年前という年代とを対比した．この2つの年代が似通ったものであることは，これが地球が最初に生まれた時期であることも示しているというのが彼の結論だった．

アメリカの科学者クレア・パターソン．1953年に岩石中から得た放射性同位元素を使って，約45億年という地球の年齢をはじめて正確に算出した．

　1956年までにパターソンはさらに別のいくつかの隕石や，一般化された地球の岩石のサンプルといえる深海底堆積物について測定を行った．ここでも平均値は45億5000万年前となった．ホームズの数字ときわめて近いものだった．

　1947年までにホームズが地質学的年代表をつくったことによって，それぞれに特定の地質時代のすでに知られている地層系列とかなり正確に結びつけることのできる多数の岩石について放射年代を測定し，それにもとづいたグラフを発表することが可能になった．それでもカンブリア紀と現代との間——カンブリア紀半ばの一時点まで4億5000万年もさかのぼる間——に，信頼できるレベルで年代が測定されている時点は5つしかなかった．しかし，これらの時点間をカーブでつなぐことによって，はじめて各地質時代の長さを大まかに推定することができることとなった．

　最大の困難は，放射年代測定によって年代を測定できる鉱物が多くの場合，最初は火成岩中で融けた状態から生成されるということである．したがって，信頼できるレベルで年代を測定できるのは火成岩だけであり，それでも得られた年代はすべてなにがしかの誤差範囲をともなう．層序学者（地球の堆積岩層の堆積の歴史を研究する人）や古生物学者（そのような岩石が含む化石について研究する人）にとっては，火成岩の形成と堆積層の堆積とをどのように関連づけるかが問題となる．

層序学的に見て最も役に立つ火成岩は，化石を含む堆積層の間に挟まっている火山岩——溶岩や火山灰の堆積物——である．問題は火山岩中に最もふつうに見られる同位元素が，半減期の長いウラン（U）や鉛（Pb）ではなく，それよりも半減期の短いカリウム（K）やアルゴン（Ar）の同位元素であることだ．そんなわけで火山岩のK-Arなどの年代測定は第三紀層，特に東アフリカ大地溝帯の第三紀層やその人類関連化石の年代測定には，きわめて有用であることが実証されている．人類と関連する化石に年単位の年代が示されている場合は，それはたぶん化石発見地に近い火山岩層から得られたものである可能性が高い［訳注：例えばエチオピアのゴナ遺跡では，火山灰試料をもとに1990年代中頃にバークレー地質年代学センターがアルゴン・アルゴンシングルクリスタル・レザーフュージョン法で251万7000年前とした．数万年より若い時代ではふつう同年代の木材C14法が使われる］．

　放射年代測定法がなかったら，私たちは過去の地質学的，生物学的変化がどのような速度で進んだかについて，何ひとつものをいうことができなかっただろう．1940年代後半以前には，岩石や地質時代の年代の多くは，知識にもとづく推測の域を出るものではなかった．岩石や化石の年代をどう考えるかは，地球の年代についてあまり正確とはいえない推定が数多く行われた17世紀以来，ずっと大きな問題となってきた．ヨーロッパでは，これらの計算は旧約聖書が信頼の置ける歴史的文書であるという仮定にもとづいて行われざるをえなかった．天地創造の年代についての最も有名な学問的試みは，アイルランドのアーマーのプロテスタント大主教ジェームズ・アッシャー（1581-1656）によって行われた．

●紀元前4004年ぐらい

　アッシャーの試みは，数多く行われたこのような計算のひとつにすぎない．彼は名声の高い学者であり，ダブリン・トリニティ・カレッジの神学教授で，副学長だった．計算の根拠としては旧約聖書の内容だけでなく，ルネサンスの学者ジョゼフ・ジュストゥス・スカリジェルが考案したユリウス暦，天文学的計算，聖書外の資料などの同時代の知識も用いた．スカリジェルのユリウス周期は仮説的な日である紀元前4713年1月1日に始まったとされ，知られている歴史的出来事はすべてこの日以降に起こったものと彼は考えた．アッシャーの『世界の創始からの旧約年代記』（1650）によると，世界はユリウス暦710年——キリスト生誕

の4004年前——10月23日，日曜の前夜に始まったとされている．

しかし，紀元5世紀に聖書学者は，太陽の創造以前に光が創造されたと書かれていること（創世記第1章3節，16節），月は光を発しているのではなく，光を反射しているという事実など，旧約聖書の内容には問題があることにすでに気づいていた．創世記の内容には互いに異なる構成要素が含まれていることも，ずっと以前から知られていた．さらに18世紀にギリシャ・ローマ世界や中東への学問的関心が高まるのにともなって，有史前世界の再評価や，旧約聖書年代記への疑問が生じた．それでも大多数の信ずるものたちにとって，天地創造にたった6日しかかからなかったという考えは，西欧文化の中にしっかりと定着したものでもあった．しかし，18世紀の終わりまでには，地球の年齢を計算しようとするもっと科学的な試みが多数行われた．

フランスの自然哲学者で実験家のビュフォン伯爵（1707-88）は，地球の冷却やそれに要した時間——つまりいい換えれば地球の年齢——に関する自分の考えを支持する証拠を，多くの分野から集めてみせた．はるか北方のシベリアのようなところにゾウの骨や牙が存在することは，ビュフォンにとって，古い時代の地球がアフリカのように暑かったにちがいないことを示すものだった．1778年にビュフォンは，地球の歴史を創世記に記された天地創造の日々と合わせて，7つの時代に分けた．天地創造の物語の中で，人間はその最後の段階に現れており，このことはビュフォンに，きわめて長い歴史前または人間以前の時代があったことを示唆するものだった．

ビュフォンはまた，アイザック・ニュートンのアイディアにもとづく実験も試みている．大きさのさまざまな多数の鉄球を白熱するまで熱し，それが冷えるまでにどのくらい時間がかかるかを調べた．その結果，冷却時間は球の直径に比例するだろうというニュートンの推測が正しいことを知った．しかし地球と同じ大きさの鉄球の冷却時間については，ビュフォンはニュートンと意見が異なり，それには9万6670年と132日かかるだろうと主張した．これはニュートンの計算値の2倍に近い．

ビュフォンはこの結果に完全に満足したわけではなかった．地球は冷却速度の異なるさまざまな物質でできており，また太陽が地球を熱する働きをしていて，それが冷却時間を長くするであろうことにも彼は気づいていた．1779年までにビュフォンは地球の年齢について，7万4832年という最終的な計算値に到達し

18世紀のフランス貴族で実験家のジョルジュ＝ルイ・ルクレール・ビュフォン伯爵．地球が灼熱した状態から，その表面に生物が住める状態になるまでに要したであろう時間を計算して，地球の年齢を約6万年と推定した．

た．生物が住めるくらい地球が冷えて，極北のシベリアまで水蒸気の立ちこめるジャングルが広がるまでに約6万年を要し，人間が住めるようになるにはさらに1万年かかったと彼は考えた．ビュフォンはこう書いている．「かくして私たちは聖なる書によることなく，人間が最後につくられたこと，地球が彼の帝国に値するものとなったときにはじめて，その王権を手にするためにやってきたものであることを納得するのである」．

ニュートンとビュフォンの研究にもかかわらず，アッシャーの紀元前4004年説はいぜんとして広く受け入れられ，歴史的事実として聖書に印刷されてさえいた．地球の年齢6000年説が，一部のキリスト教原理主義者の間で確立された '事実' として優に19世紀に入ってからも生き残っていたのも驚くには当たらない．1925年，アメリカの創造主義者と進化論主義者の間で争われた悪名高いオハイオ州デイトンのスコープス裁判事件でも，これが引き合いに出されている．18世紀後半には，スコットランドの自然哲学者ジェームズ・ハットン（1726-97）が堆積の層理および速度に関する研究から，アッシャーの6000年説は，観察された速度の地質作用が起こるのにとても十分な時間とはいえないことを示した．ハットンは地層を調べてみて，「始まりの痕跡も，終わりの見通しもまったく認めることができなかった」と述べた．19世紀の後半にライエルとダーウィンは浸食と堆積の速度を用いて，地球は生まれてから何億年もたっていると推定した．

このような地質学的努力に対して物理学者のケルヴィン卿は激しい批判を加えた．知られている岩石の融点から，ケルヴィンは熱拡散の過程を地球進化のモデルとして考えてみた．彼の計算によると，最初の融けた状態から厚い地殻ができるまでには，およそ2000万年かかると考えられた．ケルヴィンの影響力は大きく，彼の数字は，いぜんとしてそれらがいちじるしく過小だと考える一部の地質学者を除いて，ほとんどの科学者にすぐに受け入れられた．放射能の役割は知られていなかったので，ケルヴィンの数字は確かにいちじるしく過小だった．放射

能およびそれが地球の内部温度を維持する上で果たす役割が発見されたことが,最終的にケルヴィンの影響による拘束を打ち破ったとは,しばしばいわれるところである.この考え方は,地球の年齢と太陽の年齢とを結びつける上でのケルヴィンの教条的な考え方を考慮に入れていない.太陽のエネルギーや組成の均質性についての考え方は,放射能の発見によって覆されたのではない.そのパラドックスが完全に解消されたのは,1930年代に熱核融合が知られてからのことだった.

多くの称賛を受けたスコットランドの物理学者ウィリアム・トムソン・ケルヴィン卿.強力な科学的証拠ももたないまま,地球が何億年も前に生まれたと主張しているとして,彼は地質学者を攻撃した.

今では,初期の地球が太陽を取り巻く環の一部として形成され始めたのは45億7000万年前であることがわかっている.惑星の衝突がたびたび起こった地球の初期の成長は長い時間を要し,地球に金属の核と原始大気ができ,現在の質量に達したのはおよそ45億1000万年〜44億5000万年前のことだった.現在知られている地球最古の岩石物質はオーストラリアで採取された44億年前のジルコン結晶で,オーストラリア/アメリカ・チームが2001年1月にウラン・鉛(U-Pb)法を用いて年代を測定した.ジルコンは特に強靱で,耐久性のある鉱物であり,変化に対する回復力をもち,一般に大陸地殻の岩石中で形成される.ジルコンの構成は,地球の初期の成長が1億年にわたって続き,43億年前,すなわちそれ以前に考えられていたよりもはるかに早く,地球の表面が大陸地殻と水に覆われていたにちがいないことを示唆するものだった.しかし,地球の地質学的記録の多くはせいぜい40億年前くらいまでのものであり,その時期には初期の激しい隕石落下の時期は終わり,それよりも古い物質はほとんどすべて破壊されたり,別の物質に作り替えられたりしていた.

● 生命はいつごろ生まれたか?

今日,地球の46億年の歴史は,大きく顕生代(「明らかな生命の時代」)と先カンブリア時代すなわち隠生代(「隠れた生命の時代」)の2つの時代に分けられる.カンブリア紀とともに始まる顕生代の5億4500万年間には,保存可能な硬い部

分をもった多数の生物が化石によって記録されている．40億年以上にわたる先カンブリア時代は，しっかりと人を納得させうる生物の痕跡はないものと思われていたが，1953年になってアメリカの地質学者スタンリー・タイラーが古いカナダの岩石中から21億年前の先カンブリア時代の微小化石を発見した．

　チャールズ・ダーウィンが100年前に推測したとおり，その発見は先カンブリア時代の失われていた生物の記録が存在することを証明した．ダーウィンは「動物界のいくつかの主要な門を代表する化石が，知られている最下層（カンブリア紀）の化石含有岩中に突然出現する」のがなぜかという問題に頭を悩ませた．特に考えあぐねたのは，「進化の理論が真理であるとすれば，最下層のカンブリア層が堆積するまでに長い時間が経過し……その茫漠たる時間の間に世界は生物で溢れていたにちがいない」からだった．どうして先カンブリア時代の化石が発見されないのかについて，彼は満足できる説明を加えることができなかった．「現時点では，この問題は説明不能の状態にとどまらざるをえず，ここで取り上げた考え方（ダーウィンの進化論）に反対する確かな論拠となりうる」ように彼には思われた．今日では一般に，生命は少なくとも38億年前，おそらくは40億年前にはすでに地球上に生まれていたと考えられている．

　生命がいつ地球上に生まれたか，最初期の生命がどのような形のものだったかという問題は，生命の進化に関する私たちの理解に大きな重要性をもつと思われるが，答えを得ることはきわめて困難である．多くの問題が，古生物学者が明快な答えを出すことを妨げてはいるが，少なくとも私たちは目標に向かって大きく前進しつつある．今や化石による生命の証拠は，深く始生代（先カンブリア時代の初期）にまでさかのぼる．100年足らず前には，化石による証拠はカンブリア紀最初期の地層までしか得られておらず，今ではそれはせいぜい5億4500万年前のものであることがわかっている．

　この探索のために，近年さまざまな方法が用いられてきた．古生物学者たちは，化石の保存の問題や，化石の記録が——特に40億年もの長期間にわたる先カンブリア時代などでは——切れ切れのものであるという制約はあるにしても，初期の生命についての化石による証拠は探してみる価値が十分あると考えており，約38億年前の岩石中にもさまざまな手がかりを見つけてきたと主張する．

●太古の生命の化石

　生物学者はたいてい化石による記録のもつ可能性を深く考えようとしない．化石はせいぜい石化した，一般に断片となった遺骸を与えるにすぎず，それについて生物学的特性を明らかにできることは少ないからである．彼らは最初の生物がどのようなものであったかを知るには，現在生きている最も原始的なタイプのものを調べるほうがよいと考える．近年，最も極度の熱，低温，圧力，酸性，アルカリ性などの環境で生きている，一般に極限環境生物（extremophile）と呼ばれる原始的な生物が，どんどん発見されている．これらの生物——主として微生物——は，生命の限界に関する私たちの理解を広げてきた．今では，生物が暗黒，低温，高圧の大洋最深部の海水から，極地の氷，高温，酸性の温泉，アルカリ湖，極度に高温の砂漠などでの生活にまで，耐えられることがわかっている．このような極端な条件は，地球発達の初期の段階に見られたものに近いと考えられる．当時の生物の生きる環境は，今日の多くのタイプの生物——特に比較的複雑な生物——が耐えることのできる環境とはいちじるしく異なっていた．

　同じように生化学者は，原始的生物のための基本的な生化学的必要条件の研究から，このようなタイプの生命がどのようにして生まれたかを考えてきた．彼らはまた，生命の基本的な建築ブロックであるアミノ酸と呼ばれる巨大な有機分子の合成実験にも成功している．

　19世紀前期に層位学的な岩石記録のもつ意味が地質学的に少しずつ明らかにされていくのにともなって，地層がどのように区分できるか，化石は岩石中にどのように分布しているかについての考え方は革命的に変化した．それでもわずか150年前には科学者も，カンブリア爆発の前にあった生命の長い'導火線'のことを知らなかったと思うと驚かずにはいられない．遷移岩が化石を含むことが明らかになり，前述のように1835年ころまでに，マーチソンおよびセジウィックはそれをシルル系とカンブリア系に区分していた．

●太古の生命，アイルランドへ——オルダミア

　1844年にダブリンの南ブレーヘッドにある厚さ4.5kmのカンブリア紀の岩層中に奇妙な生痕化石が発見され，1848年にエドワード・フォーブス（1815-54）がそれについて記載したことによって，原始的な形の生物についての論議が始まった．フォーブスは古い海底の泥岩に残る，分岐し，放射状の小さな痕跡にオル

ダミア（Oldhamia）という名前をつけた．これを最初に発見したダブリン・トリニティ・カレッジの地質学教授トーマス・オルダムの名前にちなんだものだ．フォーブスは表面的な類似から，オルダミアは苔虫動物の化石ではないかと述べたが，骨格の遺物や，その他このような苔虫動物との類縁性を示すものは何も見られなかった．ブレーヘッドでは，これらの生痕化石に付随して殻状の化石はまったく見つからなかったため，この地層の相対的な位置ははっきりせず，特別な議論の前進は見られなかった．

　オルダミアはその後，マサチューセッツ州ボストン周辺やニューヨーク州で既知のカンブリア紀化石とともに，またノルウェーのオスロ地域でカンブリア紀の重要な三葉虫パラドキシデス（Paradoxides）とともに発見されている．その後ブレーヘッドの岩石中から，その他の生痕化石アレニコリテス（Arenicolites）やスコリトス（Skolithos）が発見され，これらはオルダミアも含めて，すべて軟らかい体をもった何らかの小さな蠕虫状の生物の掘った穴や摂食痕と考えられている．

●さらにカナダへ──エオゾオン

　十数年のちの1858年，カナダ・モントリオール西方のオタワ川沿いに露出していた石灰岩中に，生物のものと見える痕跡が見つかって，新しい世界が開かれた．それらはこの古いローレンシア岩層（今では約11億年前のものであることがわかっている）から見つかった化石と見られる最初のものだった．層をもった構造は生物性のもののように見え，断面には平べったくなった長円形の小胞が見られて，その一部は分岐した繊維状構造物によって互いにつながっていた．これは1865年に，ジョン・ウィリアム・ドーソン（1820-99）によって巨大な原生動物の一種と解釈された．チャールズ・ライエルの弟子で，同じスコットランド人だったドーソンはカナダに移住し，北米で最も有名な古生物学者のひとりとなった．彼はこの化石をエオゾオン・カナデンセ（Eozoon canadense）（「カナダの夜明けの動物」という意味）と名づけ，これは知られている中で最も古く，最も原始的な生物ではないかと述べた．

　1870年，進化生物学者トーマス・ヘンリー・ハクスリーはエオゾオンこそ，先カンブリア時代の岩石中にはほとんど記録されていないが，原始的な形の生命の長期にわたる連なりがあったにちがいないという彼（やダーウィン）の主張を

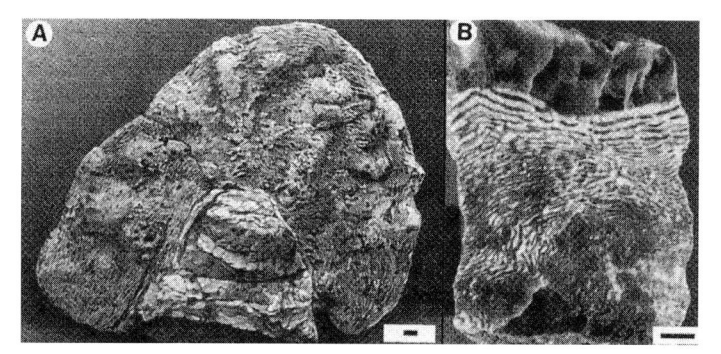

エオゾオン・カナデンセ（「カナダの夜明けの動物」）．1875年，ドーソン画．最古の化石と考えられた（右下の黒棒は長さ1cm）．

裏づける証拠だと認めた．当時知られていた最古の魚類であるシルル紀層の化石の魚でさえ，すでに十分に進化した形をもち，進化の原点からはかなり進んだものだった．ヒュー・ミラーはすでに数十年前に，この事実を重視し，進化説の論拠を検証，反論していた．しかしハクスリーはそのような議論にめげることなく，「その起源が，脊椎動物の最初の記録が現れる時代よりもどれほどさかのぼらなければならないかを考えると，驚くばかりである」と洞察をもって述べている．

　ドーソンはミラーと同様，厳格で，かなり原理的なカルヴィニストであり，進化という考え方に反対だった．彼の意見は，それとはまったく逆であり，「地質学的事実の中に，エオゾオンと，その後に続く（カンブリア紀岩層の）軟体動物，放射相称動物，あるいは甲殻類とを結びつけるものは何ひとつない．……これらは別個の創造物として存在している．私たちの不完全な地質学的記録には切れ目がある．したがって，真の事実といえるものを私たちはもたない．'夜明けの動物'を彼らに利する証拠と考える進化論者たちは，想像と仮定に頼らざるをえなかった」と考えた．

　ドーソンの鑑定にすべての人が同意したわけではなかった．彼のいう'原生動物'は現在生きているものよりもはるかに大きいことが指摘された．原生動物学の権威であるウィリアム・カーペンター（1813-85）は支持したものの，論議は続いた．別個の独立した種の人類としてネアンデルタール人にはじめて名前をつけた，アイルランドを本拠とする古生物学者ウィリアム・キングは，世間をアッ

先カンブリア時代の原生動物と考えられたエオゾオンの詳細な復元図．ドーソン画．その後，これは無機的なものであることが明らかになった．

アメリカの古生物学者チャールズ・ドゥーリトル・ウォルコット．真の先カンブリア時代の化石とバージェス頁岩を発見し，アメリカで最長老の科学者のひとりとなった．

といわせるチャンスを絶えず眈々と狙っていたらしい．1866年にキングは，発表されたエオゾオン・カナデンセの図には納得できるほどの有機物のしるしが見られず，これは純粋に鉱物学的構造物と考えられると主張した．

ドーソンは何年にもわたって自分の立場を頑強に守ったが，彼の死の数年前の1894年，ヴェスヴィオ山から噴出された石灰岩塊中にエオゾオンに似た構造が発見された．キングは正しかった．この構造物は無機的なもので，石灰岩をつくっている鉱物の変成によってできたものだった．一方北米では，太古の生命の探求は新しい場所で続けられていた．チャールズ・ドゥーリトル・ウォルコット（1850-1927）は，フィールド地質学者，重要な化石の発見者および記載者，科学的行政官など，他に例を見ないほど多くの才能を合わせもつことによって，やがてアメリカで最も重要な古生物学者となる．彼は古生物学界では，カンブリア紀のバージェス頁岩とその豊かな化石を発見，発掘したことで最もよく知られる．

ウォルコットは，癲癇もちで知られたニューヨーク州の主任地質学者ジェームズ・ホール（1811-98）の助手として職業生活のスタートを切った．ウォルコットはホールに，ニューヨーク州サラトガ近郊にあるカンブリア紀石灰岩の奇妙な

小丘のような形をしたいくつかの構造物を調査するよう命じられた．ホールはこれが生物学的な起源をもつのではないかと考えていた．この最初の仕事は，ウォルコットが米国地質調査所の職員としてグランドキャニオンの底部に露出している先カンブリア時代層で初期生物の探査を行うため派遣されたときに役立った．ホールがサラトガの化石の小丘にクリプトゾオン（「隠れた生命」を意味する）と名づけた1883年に，ウォルコットはグランドキャニオンで同じような外観をもつ構造物を発見したことを報告した．1891年に書いているところによると，彼は「先カンブリア時代の海の生物が大きく，多様であったことにほとんど疑いがなく，それが発見されるのは探索と条件しだいだ」と確信するようになった．

きわめて厚い先カンブリア時代の海底堆積層が発見され，地球の運動によって変成したり，いちじるしい変形を受けたりしていない地層も見つかっているにもかかわらず，驚くべきことに，先カンブリア時代の生物の化石の証拠が一般に受け入れられるまでには50年以上かかった．1950年代にカナダ・オンタリオ州のガンフリント・チャート中に保存状態のよい微小化石が発見されてはじめて，先カンブリア時代層の古生物学的研究のルネサンスが訪れた．

●温かい池で原始生命を探す生物学者たち

19世紀後半，地質学者はきれいに保存された先カンブリア時代層を次々に見つけてはいたが，真に良質の化石はまだ発見できていなかったのに対して，生物学者は特に水中に住む原始的な微生物の間に，驚くほど多様な生物を発見しつつあった．間もなく彼らは，生物の体が複雑になっていくのにともなって，多数の進化の段階があったにちがいないことに気づいた．このような進化の段階は，化石として保存される可能性があったのだろうか？

1871年，ダーウィンは友人であり，師でもあった植物学者のジョゼフ・フーカーへの手紙で，次のように書いている．「最初の生物誕生のための条件はすべて現在も存在しており，いつの時代にも存在しえたと，しばしばいわれます．しかし，仮に（これは何と大きな「仮に」でしょうか）あらゆる種類のアンモニアや燐塩，光，熱，電気などが存在する，ある温かい池の中で，たんぱく質化合物が化学的に形成され，もっと複雑な変化を受けうる状態となることは想像できるとしても，今日であればそのような物質はたちまち生物に食われ，あるいは吸収されてしまうでしょう．生物が生まれる前だったら，そのようなことは起こらな

いのです」.

　1920年代に優れた若いロシアの生化学者だったアレクサンドル・イワノヴィッチ・オパーリン（1894-1980）は，油を小滴として水中に分散させることができ，それが少なくとも表面的には，簡単な生細胞に似ていることに着目した．生命は最初，互いに結合しやすく，きわめて豊富に存在する4種の基本的な元素——炭素，水素，酸素，窒素——からなる分子でつくられ，その分子がしだいに複雑になっていったのではないかとオパーリンは主張した．メタン（CH_4），二酸化炭素（CO_2），アンモニア（NH_3）のような小さく強固な分子が，遊離の酸素の存在しない水中でくっつき合い，原始スープの中でより大きく，複雑な分子を形成していった．長い時間の間にこのような有機成分が結びついて酵素ができ，やがては遺伝子が生まれた．しかしオパーリンは，遺伝子が実際にどのようなものなのかについてはほとんど何の考えももたず，何がこのような複雑さの増大を刺激したのかもわからなかった．ロシア以外の科学界がオパーリンの考え方に注意を向けたのは，1938年にこの説に関する彼の最初の大著が英語に翻訳されてからだった．

　1950年代になると，生命の前提として必要なものは何かについて生化学者の理解がはるかに進んだ．有機分子の基本元素——炭素，水素，酸素，窒素——

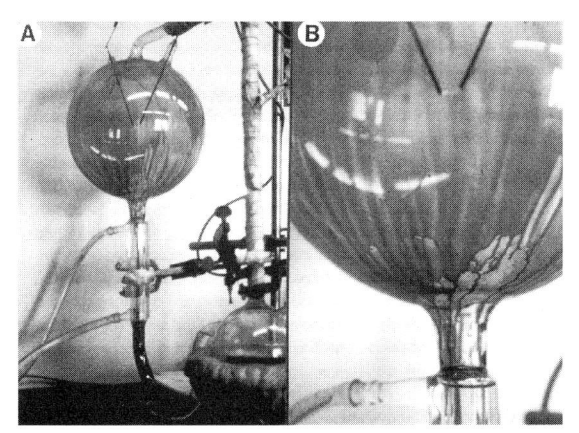

スタンリー・ミラーが研究室内で，メタン，二酸化炭素，アンモニアといったふつうに存在する気体から複雑な有機化合物を合成できることを示した画期的な実験は，このような実験装置を用いて行われた．

が，氷点より高く，沸点より低い適当な温度の水中に存在していなければならなかった．何よりも重要なのは，エネルギーが存在することで，それはおそらく電光によって供給されたのだろう．アメリカの化学者スタンリー・ミラー（1930-）は，これらの'材料'をすべて混ぜ合わせて，一連の実験を行った．

その結果得られたのは興味深いさまざまな有機分子で，そこにはたんぱく質の基本的な建築ブロックとなるアミノ酸が25種含まれていた．こうして，生命はアミノ酸の'原始スープ'として始まったのだろうという考え方が，かなりの勢いを得ることになった．何らかの道筋により，この合成反応はさらにたんぱく質や簡単な生細胞へとつながっていった．しかし，ここには必要不可欠な'失われた要素'がひとつあった．この進行を達成させた'歯車'作用のメカニズムがはっきりしないことだった．それでもこの実験的な方法は，地球上の生命の初期進化の前提条件は複雑な有機分子の合成だったという大多数の意見を裏づけるのに役立った．

● 真の先カンブリア時代の生物

1946年3月，初期の生命の不思議な世界をのぞく新しい窓が開かれた．オーストラリアの地質学者レジナルド・スプリグが，サウス・オーストラリア州アデレ

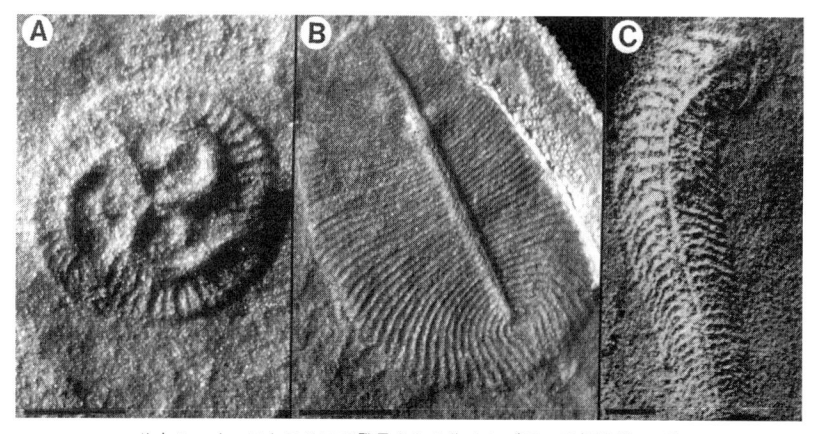

サウス・オーストラリアで発見された先カンブリア時代後期，5億6000万年前のエディアカラの軟らかい体をもった動物群の化石（トリブラキディウム：*Tribrachidium*，ディキンソニア：*Dickinsonia*，スプリギナ：*Spriggina*）．

ードに近いフリンダース山脈のエディアカラ丘陵にある鉛/亜鉛の廃坑の近くで，カンブリア紀最初期の——と彼は考えた——砂岩からカップ皿くらいの大きさのクラゲのような形をした奇妙な痕跡を見つけた．発表した論文の中でスプリグはそれらをエディアカラ・フリンデルシ（*Ediacara flindersi*）と呼び，それらが硬い部分をもたないことに着目して，これは最も古い動物の証拠となるものではないかと述べた．その重要性が十分に理解されるまでには，さらに10年以上を要した．今ではエディアカラ砂岩は先カンブリア時代後期のものであることがわかっている．

　一方1950年代半ばにイギリスの男子生徒ロジャー・メーソンはレスターシャー州チャーンウッド森林で，砂岩の層理面に同じように不思議な形のシダに似た圧痕を見つけた．エディアカラの地層との比較から，この堆積層は先カンブリア時代後期のものであることがわかったが，そこに含まれる化石もエディアカラの'クラゲ'と同じように変わった形で保存されており，生物の形に表面が盛り上がった形の圧痕による一種の生痕化石だった．しかし，骨格物質の形跡は認められず，それらはクラゲやその他の鉢虫類のような体の軟らかい生物だったにちがいないと考えられた．

　チャーンウッドの化石についての詳細は1958年，レスター大学の古生物学者トレヴァー・フォードによって発表された．これよりも数も多く，保存状態もよいエディアカラ化石の研究は，国際的なレベルでは十分に進んでいなかったが，1960年代になってやっとチェコからオーストラリアに移住したマーチン・グレスナー（1906-89）が『サイエンティフィック・アメリカン』に論文を書いた．

　重要な発見は，それがすでに名声をもち，重要な科学雑誌に発表する手だてをもった人によってなされなければ，発見したということだけでその重要性を評価される保証はない．何かに発表されたとしても，それがあまり知られていない雑誌であり，発表した科学者がその発見を世に出してくれるような科学者仲間に属した人でなければ，必ずしも発表するだけで世に知られることにはならない．

● 再びカナダの勝利

　オンタリオ州のガンフリント・アイアンストーンに見られるシリカに富むチャート層に，真に古い先カンブリア時代の微小化石が保存されていることがはじめて明らかにされたのは，透過電子顕微鏡の出現によってだった．ウィスコンシン

大学の著名なアメリカ人経済地質学者スタンリー・A・タイラー（1906-63）は，1953年に鉄分に富むガンフリント累層の研究を始めた．目的はその地層の地質図を作製し，それがどのようにして形成されたかを解明することにあった．

伝えられるところによると，8月末のある日曜日，彼はスペリオル湖のフリント島の近くに釣りにいった．岸に沿って変わった岩層が露出しているのを見つけて，彼は地質学的好奇心を抑えきれなくなった．そこで島に上陸してみると，氷河作用によって土壌や植生が剝がされてむき出しになったガンフリント層の層理面が見られた．しかしここではチャートが赤い色の鉄分に富んだものではなく，黒玉色で，それとともに大きなクリプトゾーンのような小丘がいくつもあった．彼は標本を多数採取したのち，釣りに戻った．その岩石標本の中に何が含まれているか，彼はまだほとんど何も気づいていなかったし，研究室に戻るまでは知りようもなかった．

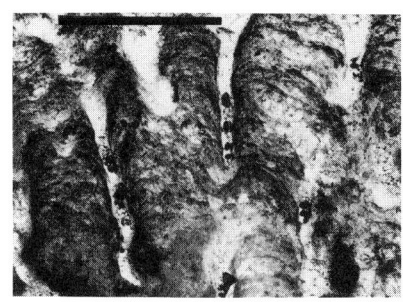

（上）カナダ・スペリオル湖岸のガンフリント・チャート中に見られる，丸い微小化石を含む小丘状のストロマトライト構造物．スタンリー・タイラーが1953年にはじめて発見した．（下）ガンフリント・チャートの縦の切片．有機物に富む薄層が，ストロマトライトと呼ばれる枝分かれした小丘状構造物をつくっているのを示す（上の黒い棒は長さ1cm）．

このようなきめの細かい隠微晶質チャートの構造を研究するため，タイラーは高倍率顕微鏡で調べることができるよう，きわめて薄い岩石切片をつくらなければならなかった．驚いたことに，このチャートの黒い色は明らかに，顕微鏡的な粒子，無数の微小繊維，中空の球などのごく薄い層によって生じていた．タイラーは，このガンフリントの岩が先カンブリア時代半ばにできたもので，'きわめて' 古い岩石であることを知っていた．当時はまだこの岩についての放射年代測定は行われておらず，その後これは21億年前のものであることが明らかにされている．鉱物学者であるタイラーは，これらの粒子が鉱物ではないことにかなりの確信をもっていたが，生物学や古生物学の知識がほとんどなかったため，それ

岩石や化石の年代を測る——173

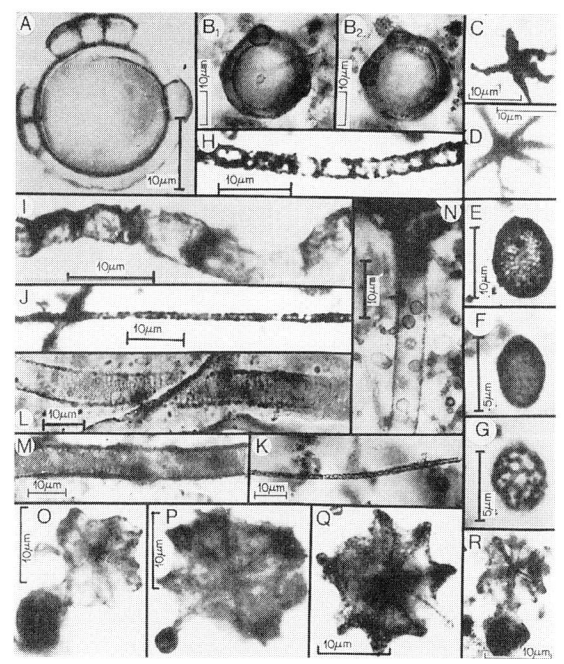

カナダのガンフリント・チャートに含まれていた微小化石の拡大図。1954年、ハーバード大学の古生物学者エルソ・バーグホーンおよびスタンリー・タイラー画.

らがどのような種類の化石なのかについてははっきりわからなかった．それに，たとえそれが本当に生物起源のものだとしても，岩石と同じ年代のものなのだろうか？ 何かもっと新しいものが混じり込んでいるのではないだろうか？

　幸運なことにタイラーは，菌類の研究を専門とするハーバード大学の古生物学者で，フィンランド系のエルソ・S・バーグホーン（1915-84）を紹介された．バーグホーンはすぐに，タイラーが何かきわめて新しく，たいへんなものを見つけたのかもしれないことに気づいた．数カ月のうちに2人は短い論文を書き上げ，これは1954年に雑誌『サイエンス』に発表された．彼らは5種類の微小化石——藻類2種，菌類2種，鞭毛虫類1種——を認めたが，それらがすべてクリプトゾオン・タイプの小丘と関連するものだとは述べていない．それがどのようなものであるかについてはまださまざまな議論があったからだ．その後の時の試練に耐えたのは，その'藻類'のうちのひとつ——シアノバクテリアと類縁のタイ

プ——だけだったが，それは画期的な発見であり，先カンブリア時代の最も古い時代に生命を発見する可能性があることを古生物学者に警告するものとなった．

これと同じころ，英語圏の科学界（誇大妄想的な冷戦の呪縛にしっかりとらえられていた）ではほとんどは知られていなかったが，あるロシアの科学者が単独で先カンブリア時代の生物化石の発見に向かって新しい道を切り開いていた．レニングラード先カンブリア地質年代学研究所のボリス・ティモフェーエフ（1916-82）が，ウラル山地の先カンブリア層から顕微鏡的な生物を発見したのである．

ティモフェーエフは微小化石を取り出すのに，標準的な化学的技法を用いるもっと系統立ったやり方で，岩石の探査を行っていた．それにはもっと大量の岩石を調べることが必要で，適当な酸を使って多量の試料を処理した．フッ化水素酸（泥岩や砂岩中の石英やその他の鉱物を溶かすことのできる唯一の酸）などをはじめ，危険な酸も用いられた．堆積物の無機質鉱物を溶かし去ると，有機物は黒い泥状の残渣として残り，これはしばしばさらに思い切った化学的処理を必要とする．有機物が何も残らないことも多く，ロシアの科学者たちはすぐに，どのような種類の堆積物を調べてみればよいかがわかってきた．それは黒っぽい色の頁岩とシルト岩だった．

1950年代から70年代にかけて，ティモフェーエフとその仲間は数多くの論文を発表し，胞子に似た微小化石の発見を報告したが，これはロシアの雑誌に発表され，西欧では読まれていなかったため，彼らの重要な研究も国際的にはほとんど認知されなかった．

ガンフリントの話は，1965年にタイラーとバーグホーンによる詳細な記述が『サイエンス』に掲載されて，実際にニュースとなった．タイラーはすでに死んでおり，バーグホーンとその弟子であるJ・ウィリアム・ショフは，未完成の原稿の断片を拾い集めなければならなかった．そのときも，論文の発表が促されることになったのは主として，ライバルのプレストン・クラウド（1912-91）によって功績が横取りされるおそれが出てきたためだった．クラウドは湖岸の現場を探し出し，独自に同じ化石物質を研究していた．バーグホーンはクラウドの論文が審査中であることを心配して，何とか自分と故タイラーの論文の掲載にこぎ着けようと懸命に努めた．何よりも彼は，この問題に関しては自分（バーグホーン）に優先権があることをクラウドに認めさせなければならなかった．

クラウドの論文はタイラー＝バーグホーンの論文の数週間後に発表されて，彼

らはともに世界中の新聞の大ニュースとなり，まだこのように古い微小化石の確実性に疑いをもっていた批判者たちの'集中砲火'を浴びた．幸いなことにバーグホーンはすでに，オーストラリア中央部のアリススプリングスの近くで新しい発見があったことを知らされていた．ここでもあるチャート層で，8億5000万年前の先カンブリア・ビタースプリングス累層中に，薄層をもったクリプトゾオン状構造物が見られた．この発見は微小化石の宝庫を開くことになった．そこには多数の新しいタイプの球状や繊維状の細胞，細胞の集合などが見られ，それらはガンフリントの化石よりも保存状態がよく，現生のシアノバクテリアときわめてよく似ていた．先カンブリア微古生物学は動き出し，もはや後を振り返ることはなかった．

　きわめて古い地層に軟らかい体をもつ微生物が見つかったという驚くべき発見は，化石の記録はいかに長期間，過去に対する新しい窓を開く能力をもち続けるかを私たちに教えている．このような新しい窓のうちで最も注目すべきもののひとつは，先カンブリア時代後期に生きていたある種の海生多細胞無脊椎動物の発生学的発達について，私たちに驚くべき視野を与えてくれた．これらの顕微鏡的な発生する細胞集団は，それが受精して何時間かのうちに，鉱物燐酸塩によって奇跡的に化石化したのである．

●燐灰石中の胚——5億7000万年前のもの

　化石の記録はふつう，生物の硬い部分のみを保存する．殻，歯，骨，木質部など，風や水にもまれ，堆積物に埋まって，地殻内部で受けるさまざまな作用に耐えたのち，岩層中の石化した遺物として再び姿を現すことのできる，頑強な材質でできたものである．軟らかい生体組織はふつう，地質学的な'粉砕機'を通り抜けた後まで残ることはない．したがって軟らかい体をもつ生物は多くの場合，その数に見合っただけの記録を化石として残してはおらず，特に体の小さいものでは，まったく見つかることさえないものも多い．このことは，多細胞生物が分裂する細胞のきわめて小さなボールから成り立っている，まだ初期の胚の段階の生物の化石は存在しないということを意味する．少なくとも，十数年前まではそうだった．

　1980年代に中国の科学者が，奇跡的に保存されたいくつかの化石を発見した．中国南部の岩層に埋まっていた5億7000万年ほど前の顕微鏡的な胚の球体（直径

750μm以下）である．科学界を驚かせたのは，これらの鉱物化した微小な球体が，原始的な動物や植物の胚の化石として論文に記述された（1998年）ことだった．それだけでなくこれらは，はるかに遠い先カンブリア時代——約5億4500万年前のカンブリア紀の初めに主要な化石の記録が現れ始めるよりもずっと以前——の動物の門に分岐が起こっていたことを裏づける証拠を提示してもいる．この中国の化石の胚は，20世紀最後の数十年で最も驚くべき古生物学的発見のひとつだった．それは化石のきわめて乏しい生命史のある時期への‛窓'を開くとともに，ある種の化石化作用が軟組織を保存する上できわめて大きな可能性をもつことを示している．

　これらが真の胚であり，受精後の細胞分裂のごく初期の段階で化石になったものであることにはまったく疑いがない．この化石の電子顕微鏡画像では，最初の2細胞期から，桑の実状の球体，立方体の細胞塊までの細胞集団が見られる．それらはすべて燐酸鉱物の形できれいに保存されている．その形は現存する生物の細胞分裂のさまざまな段階とまったく同じである．その親によって海中に放出されていた卵が，数時間のうちに受精し，死に，きれいに保存されて，5億7000万年間生き残ったものと思われる．

　ふつう，軟らかい細胞物質は化石化によって保存されないが，例外的な条件の下では，筋肉や皮膚のような丈夫な組織は長時間腐敗に耐え，その間に脱水され，あるいは細菌の放出する鉱物におおわれて複製ができ，保存されるのかもしれない．しかしほとんどの細胞物質は水分が多く（98％以上が水），それを包んでいる細胞膜はきわめて繊細で，ふつうは死後数時間のうちに破れ，破壊されてしまう．発見された化石の胚では，細菌だらけだが，無酸素で燐酸塩に富む海水と泥に埋まり，化石化の過程がきわめて急速に進んだにちがいない．

　海底の堆積層と海水の界面と，堆積層最上部の数センチは，しばしば細菌による活発な攻撃を受ける．特に海底水流の動きが少なく，堆積物の粒子が細かく，酸素の欠乏しているところでは，これがいちじるしい．このような環境では嫌気性細菌が繁殖し，いちじるしく数が増えて，堆積層の局所的な化学的状態を変化させる．このような化学的変化のため，細胞膜が分解される前に，細胞に黄鉄鉱（硫化鉄）などをはじめとする種々の鉱物や，トウシャントー（Doushanto，陡山沱）の環境では，燐酸塩鉱物（燐酸カルシウム）が沈着したということもありうる．

残念ながら，胚における初期の細胞分裂のパターンは，個々の動物グループに特徴的なものではない．液体に満たされた小さな球体が物理的に制約され，密に詰め込まれた状態にあれば，それが取りうる形状の選択肢は比較的限られることになる．細胞は石鹸の泡に似たような行動を取り，ハチの巣状の形を取り，まさに桑の実のような集団をつくる．しかし，これらの胚化石の中には典型的な藻類や海綿動物と同定できる形態のものもあり，その後者は海綿骨片の存在によって確認される．もっと重要なのは，扁形動物，線形動物，節足動物特有の胚である．これらは海綿動物や藻類よりも進歩した構造をもつ多細胞生物（後生動物）であり，このグループの無脊椎動物は特に興味深い．同定が正しければ，これは後生動物が5億7000万年前よりもずっと以前に進化してきたもので，先カンブリア時代の化石の記録に十分に残されていないだけであることを裏づける証拠となる．

● 分 子 時 計

陡山沱胚化石の発見と同定は，いわゆる'分子時計'が示す後生動物進化の時期についての推定を裏づけるものとなっている．この分子時計は，推定される遺伝子変化の標準的な速度を物差しとして時間を計る．現存する生物群の間の遺伝子的'距離'を測る（遺伝子配列を比較する）ことによって，特定の遺伝子変化速度の推定値に対する最初の分岐の時期を計算することができる．近年行われたこのような試みによって，後生動物の分岐の時期ははるか12億年前という結果が出されている．しかしこの方法の別の変法ではもう少し穏当な，一般に受け入れられる6億7000万年前という数字が示され，中国の胚化石は，この控え目な推定値を裏づけているように思われる．軟組織の保存や化石化に燐酸塩が果たす独特の役割は，今では古生物学者にはるかによく理解され，評価されており，彼らは同じように保存された，特別な過去に対する窓が得られることを期待して，新たな堆積燐酸塩層の探索を積極的に進めつつあり，すでに重要な燐酸塩保存層がいくつか発見されている．例えばスウェーデンのカンブリア紀後期のオルステン層では，種々の絶滅した小型海生節足動物がほとんど完全に立体的に保存され，ブラジルの白亜紀前期のサンタナ累層では，魚類のえらや筋肉が燐酸化されて保存されている．このようなタイプの保存化石が今後もつであろう可能性は，先カンブリア層でも，それよりも新しい顕生層でも，きわめて大きい．

西オーストラリアのシャーク湾で発達中の現代のストロマトライト（左）と，南アフリカに見られる23億年前の同様の小丘状構造物（右）．［訳注：35億年前のストロマトライトとされたものは中央海嶺付近の熱水性堆積物であるとの指摘がある．それによるとシアノバクテリアによる最古のストロマトライトは27億年前となる］

35億年前の地球の復元図．初期大洋の沿岸の浅い水中にストロマトライトが発達しつつある．スミソニアン研究所（ワシントン，D.C.）のK・M・タウ画．

　化石化作用がときに軟組織を保存させるという驚くべき力をもつことは，人間の歴史に対してさらに直接的な意味をもつ．これは，私たちが人間の'系統樹'の深い根——多くの人が感じているよりもはるかに深く地質時代に伸びている——について理解することを可能にしてきた．私は分類学的な意味で「人間の系統」といっているのではない．私たちの属するヒト科（Hominidae）はヒト属（Homo）のみを含み，200万年強前までさかのぼるにすぎない［訳注：ヒト科に

岩石や化石の年代を測る——*179*

はチンパンジー亜科も含める意見もあり，ここではヒト亜科を指すことになる］．ここで私は「系統」という言葉を考えうる最も広い意味——背骨をもったあらゆる動物（脊椎動物）という意味——で用いているのであり，これは分類学的に見て哺乳類，鳥類，爬虫類，両生類，魚類，それらの絶滅した化石類縁動物のすべてを含む．

第7章
系図を深くさかのぼる
―― バージェス頁岩と哺乳類

● 5億3000万年前の生物に背骨を与える

　19世紀のほとんどの期間，脊椎動物の'系統樹'の根が伸びているのはシルル紀あたりまでと考えられていた．それは魚に似た脊椎動物がはじめて化石の記録の中に現れてきた時代である．よろいを着て，顎のないこの奇妙な魚がはじめて広く見られるようになるのがシルル紀の岩石であるのは，今も真実である．その化石は，バルト海やスコットランドの海成層で最もよく知られている．しかしこの二，三十年，南米ボリヴィアのオルドヴィス紀中期堆積層（470 Ma）や，オーストラリアや北米のオルドヴィス紀後期の岩層中から，それよりもずっと古く，もっとまれな化石が発見されてきた．カンブリア紀後期層から，不確かながらいくつかの断片も見られている．

　さらに重要なのは，最近起こった他の2つの出来事によって，脊椎動物の'系統図'に関する私たちの理解が根底からひっくり返ったことだ．ひとつは絶滅したコノドントがこの物語の重要な'登場人物'であるのがわかったこと，もうひとつは化石脊索動物がはるかさかのぼってカンブリア紀前期層に発見されたことである．

　背骨をもつ動物（脊椎動物）としての私たちの起源に関する生物学的な理解は，主として現存する生物にもとづく．今でも，さまざまな原始的な脊椎動物やその先駆生物である脊索動物が生きている．発生学的な研究から，脊椎動物の背骨が，ナメクジウオのような脊索動物の背中に見られる脊索と呼ばれる棒状の器官――頭から尾の先まで走っている長くて，硬いが，弾力性をもつ――に起源をもつことがわかる．脊索は左右にしなって，体の両側の筋肉ブロックを波状に収縮させ，体をくねらせる動きをつくり出すことができる．魚類やその後のすべての脊椎動物――私たちを含む――で，脊索は背骨（脊柱）へと発達した．脊椎動物の軟骨または骨質の背骨は，多くの節片（椎骨）が関節によってつながっていて，

生命の歴史の流れを示す最も古い図のひとつ（1849）．ジョン・エムズリー画．シルル紀に始まる生命を示す．

体を強化し，体がかなりの大きさまで成長する（恐竜やクジラなどでは30m近くに達するものもある）ことを可能にし，支柱のような四肢や大きな陸生草食動物の重い内臓を支え，生命線である背側の神経を守り，それでもなお体にしなやかさをもたせることを可能にしている．

　現生の原始的な脊索動物であるナメクジウオ（$Branchiostoma$）は奇妙な海生の小さな濾過摂食動物（体長約5cm）で，尾の先から砂地に潜り込み，'頭'だけを海底から突き出している．体の前端部には，それだと見分けられるような特徴がほとんどない．他の部分と別になった頭はなく，目やその他のよく発達した感覚器官もないが，脊椎動物の目の先駆物とも考えられる光受容細胞がある．神経索の前部がわずかに膨大しているだけで，それはほとんど'脳'とは考えられ

ない．フィルターポンプで口から海水を吸い込み，斜めの溝のついた一連の格子状構造に沿って並ぶ繊毛の動きがその海水の流れを維持する．口のまわりにある触手の束が，'ごみ'を取り除いて，海水と食物粒子と溶存酸素を濾し分ける．次にそれは咽頭を通り，繊毛の並ぶ格子で食物と酸素が濾し取られたのち，後部へ移り，ひとつの孔から体外へ排出される．肛門に続く単純な内臓があり，体のその先は筋肉質の尾が続く．開放血管からなる単純な循環系があり，心臓はなく，無色の血液をもつ．

　全体としてナメクジウオはかなり単純な動物で，他のどの脊椎動物ももちろん，最も原始的な魚類からも遠く離れた動物と見られていた．しかしナメクジウオに関する最近の生物学的研究によって詳しいことが次々に明らかにされ，これが以前に考えられていたよりも，基本的な脊椎動物の条件にずっと近いところに位置するものであることが示されつつある．脊索動物と脊椎動物とを区別する決定的な特徴は，胚における神経冠細胞の発達に見られる．脊椎動物では，これらの細胞の一部が分離して，目や，頭蓋の支持構造（頭骨），頭部の筋肉などのような構造物をつくる．ナメクジウオは真の神経冠はもたないが，ほぼ同様の遺伝子を表すほぼ同様の位置に細胞がある．

　したがってナメクジウオは，最初期の脊索動物がどのようなものだったかを示すきわめて興味深いモデルとなる．しかし，はじめてナメクジウオが生物学的によく知られるようになったとき，この脊索動物は通常の化石化の過程で保存されうるような硬い骨格部分をもたないため，その化石の記録からナメクジウオの祖先について何かを明らかにすることはほとんど期待できないように思われた．ところがあらゆる予期に反し，進化論を支持する上で化石が役立つことはないだろうというダーウィンの暗い予想に反して，いくつかのまれな状況によって化石が保存されていて，悲観論者たちを驚かせた．

● ピカイア（*Pikaia*）が'虫'の缶づめをあける

　1960年代の後半，カナディアン・ロッキーの高いところにある2つの小さな発掘現場で，今世紀の初期と同じく，もっぱら化石探しと研究目的のための作業が再開された．化石はカンブリア紀中期の海底の泥の堆積層であるバージェス頁岩から得られた．ここを最初に掘ったのはチャールズ・ドゥーリトル・ウォルコットで，彼の発見物は化石生物に関するこれまでの私たちの物語にも登場してい

る．バージェス頁岩化石の特筆すべき重要性は，動物の軟部組織が保存され，これら古代生物や，硬い部分をもたない多数のまったく新しい化石生物の解剖学的細部を明らかにしたことにあり，そのような生物の中には，驚くほど多様な'蠕虫類'や節足動物が含まれていた．

● **5億2000万年前の生命への窓を開いたウォルコット**

1909年，カナディアン・ロッキー山腹の高所でウォルコットが'偶然のように'化石を発見したことが，はるかな過去に向かった，世界で最も有名な窓のひとつを開くことになった．バージェス頁岩と呼ばれ，今では約5億2000万年前のものと知られているこの化石含有層は，何万点にものぼる驚くべき化石を産出した．その中には体の軟部が石化し，鉱物によって保存されている化石も少なくない．これらカンブリア紀前期の化石は，全身が軟らかい蠕虫類，海綿動物，脊索動物から，膨大な種類の節足動物まで含み，節足動物は肢やその他の付属器官や，ときには内臓まで保存されていた．これらは全体として，節足動物がまず最初に最大勢力となり，私たちの最も遠い脊椎動物の祖先はまだ数センチほどの大きさのヤツメウナギのような動物にすぎなかったカンブリア紀前期の海の生物の世界をはっきりと描き出して見せる．山腹のこの場所は現在，ブリティッシュ・コロンビア州にあるヨーホー国立公園内の世界自然遺産として保護されている．

● **バージェス頁岩の発見**

1844年，カナダ西部，ロッキー山脈中の壮大な景観をもつキッキング・ホース渓谷で鉄道建設に当たっていた測量技師が，スティーヴン山の急斜面ではじめて三葉虫の化石を見つけた．しかしバージェス頁岩とその特別な化石群が発見されたのは，1909年8月31日，妻と息子を連れたウォルコットがフィールド山とワプタ山を結ぶ高い尾根を横断して，たまたまそこを通りがかったときのことだった．

ウォルコットは硬い頁岩の岩屑の塊の中に多数の化石を見つけ，すぐにそれが重要なものかもしれないことに気づいた．ふつうの硬い部分だけでなく，繊細な付属器のような軟部組織も化石として保存されていた．その後の8年間，ウォルコットはその斜面で系統立った発掘を行って，バージェス頁岩の主産地から約7万点の標本を採集し，それをワシントンのスミソニアン研究所に送った．その後

カナディアン・ロッキーでカンブリア紀中期のバージェス頁岩の採掘を指揮するウォルコット．ここから，節足動物を主とする7万点以上の化石が採取された．

　何年もかけて，彼はバージェス頁岩から得た100種以上の新種を記載したが，それも分類学の氷山の一角にすぎなかった．管理者としての仕事のため，彼は自分の発見したもののもつ意味を十分に研究する機会がほとんど得られなかった．
　ウォルコットは「善良な男」，「知られざる重要な男」など，さまざまな書かれ方をしている．彼の人生は，典型的なアメリカのサクセス・ストーリーである．正規の教育はほとんど受けていない（高等学校すら終えていない）が，米国地質調査所の所長にまで昇進した（1894）のち，スミソニアン研究所長（1907-27），米国科学アカデミー——世界で最も力をもつ科学組織のひとつ——会長（1917-23）をも務めた．これほどの立身は，資格が尊重される今日ではまず不可能だろう．
　大多数の人々にとって——彼の名前をよく知っている人にとってさえ——ウォルコットは「1909年にたまたまバージェス頁岩にぶつかった人」という脚注程度の存在にすぎないだろう．発表された彼のカンブリア紀の層序学，特に節足動物や三葉虫に関する研究結果をよく知っている人は，専門の古生物学者だけしかいない．実際には，ウォルコットの研究論文集は5巻にあまり，バージェス化石の範囲を優に越える．ウォルコットは自分が焦点を狭い範囲に絞った古生物研究

系図を深くさかのぼる——185

学者であるよりも，誠実で献身的な公務員であるほうが，より科学界の役に立ちうることを理解していた．したがって，ウォルコットは優先順位を公務のために向け，自分の好きな三葉虫やその他の化石はさしおいても，もっと大きなアメリカの地質学や科学全般を目標とした仕事を優先しなければならなかった．彼の個人的な日記には，「カンブリア紀の腕足動物のために費やされた半端な時間」についての切なげな記述がくり返し見られる．しかし，北アメリカが地質学的にまだほとんど未踏査の土地であった時代に生きたウォルコットは幸運だった．

● カンブリア紀の海の世界

バージェス頁岩生物の驚くべき多様性は1960年代後半に，主としてイギリスの古生物学者ハリー・ウィッティントンとケンブリッジ大学の彼の弟子たちの研究によって，さらに十分に明らかにされた．もっと最近には，カナダ地質調査所がいくつかの採掘場を再調査し，新しい発掘現場を設けて，新たな化石の宝庫を開いた．これらは，一部のバージェス生物が既知のどの化石グループに属するものかを判断することが困難であるところから生じた多くの未解決の古生物学的な問題に，決着をつけるのに役立った．

これらの詳細な研究が示すところによると，バージェスの海の世界はどう数えても桁外れに多様な節足動物が支配し，個体数，種数，生体量のいずれにおいてもバージェス頁岩全体の約50％を占めていた．生体量で，海綿動物，棘皮動物，鰓曳動物はそれぞれ約10％を占め，したがって三葉虫類と合わせてこれらの動物グループは，生体量全体の約80％にあたると計算されている．これほど目立たない動物の仲間に，おかしな泳ぎ方をする動物ピカイア（*Pikaia*）がおり，これは私たち自身も含めたすべての脊椎動物の遠い祖先ではないかと考えられる．

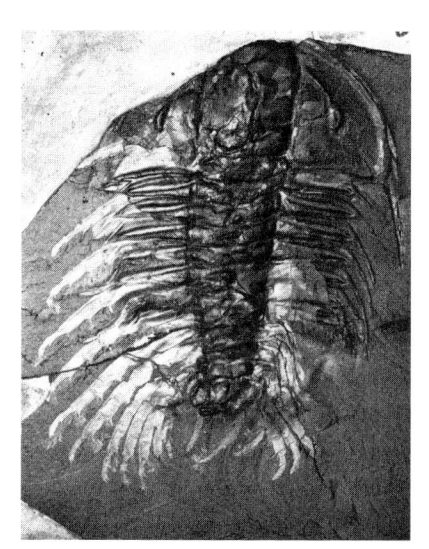

バージェス頁岩から得られた三葉虫の一種オレノイデス（*Olenoides*）．きわめてきめの細かい海成泥岩中に，その肢などの軟部組織も保存されている．

よく発達した目をもつ最初の動物グループである20種ほどの化石節足動物は，多くの異なる生活様式をもっていた．三葉虫オレノイデス (*Olenoides*) は海底を這って歩き，有機物のかけらを食べていた．バージェス動物の中で最も恐るべき存在だった奇妙な形のアノマロカリス (*Anomalocaris*) は自由に泳ぎ回る捕食動物で，その時代の最大の動物であり，体長約60 cmに達した．これは100年以上にわたって遺骸の断片しか知られておらず，それらの断片は3種のまったく異なる動物のものだと考えられていた．円盤状の口はクラゲ，長い前肢はエビのような節足動物の尾，胴体の一部は海綿動物のものと考えられた．1985年になって，イギリスの古生物学者ハリー・ウィッティントンおよびデレク・ブリッグスがやっと正しい答えを見つけ，これらの断片を単一の動物——'風変わりなエビ'アノマロカリス——として組み立てた．

　多数の海綿動物が海底に固着し，二枚の貝殻をもった腕足動物，柄をもった棘皮動物ウミユリ類やエディアカラの生き残りであるウミエラ類のタウマプティロン (*Thaumaptilon*) などが，それを体が流されないようにするための足場としていた．堆積物の中には，歯をもった鰓曳動物で，貪欲な捕食動物オットイア (*Ottoia*) など，さまざまな蠕虫類が隠れていた．軟体動物に似たウィワクシア (*Wiwaxia*) は，泥の表面を引っかき回して歩いていた．その体を守る鱗状のよろいは，カンブリア紀の初期のうろこをもった動物がどのようなものだったかを

不思議なバージェス頁岩動物ウィワクシア (*Wiwaxia*)．湾曲した板状物でおおわれており，これは歯やかぎ爪をもった捕食動物から身を守るためのものと思われる．

繊細な剛毛も保存されているバージェス頁岩の海生多毛類蠕虫の一種カナディア（*Canadia*）．この剛毛は，元は虹色のきらめきをもっていたのかもしれない．

示している．みごとな毛をもった多毛類の蠕虫——例えばカナディア（*Canadia*）やブルゲソカエタ（*Burgessochaeta*）——は，小さな毛状の剛毛が何千本も生えていた．

　バージェス動物のこれらの剛毛や，細かいうね状の隆起のあるうろこや板状物の多くは，自分の存在を示すディスプレイ光のための回折格子として働いていたと考えられている．海面から透過してくる青みがかった薄暗い光の中で，格子や毛は動物が動くのにつれて銀色や灰色にきらめき，彼らが互い同士を認識することを可能にしていたのだろう．彼らが，新しく進化してきた捕食動物に対しても同じようにはっきりと目立っただろうという点は問題だが，その剛毛や板状物の'よろい'は彼らを守るのにも役立っただろう．

　全体として，バージェス生物の間の'分業'は，現代の海の生態系で見られるところとさして違いはない．動物進化のこれほど初期に，このようにいちじるしい多様性と生態学的複雑さのレベルの高さが認められたことは，科学者にカンブリア紀の初期に生命の爆発的放散があったという古い主張を疑わせた．現在では，きわめて長い脊椎動物以前の発達の時代があり，もっと具体的にいえば先カンブリア時代——おそらくは8億5000万年前ぐらい——までさかのぼる無脊椎動物の発達があったにちがいないと考えられている．

●保　　存

　バージェス頁岩はロッキー山脈の地層の中に埋まっていたため，この泥岩はかなりの圧力とある程度の熱を受けてきた．化石はいちじるしく平たくなっているのに，軟部組織が保存されているのは驚くべきことといってよく，これを元の3

次元の形に復元することはきわめて困難である．

　これほど多数の生物が，これほど良い状態で保存された最大の理由は，ある大天変地異による．もともとこれらの生物は，深さ70mほどのなだらかに傾斜する海底の泥の中やその周辺で暮らしていた．あるとき地震が起こって突然泥が液状化し，海底泥流となって斜面をなだれ落ち，泥の上や中に住んでいたものもすべていっしょに流された．泥流が止まったとき，生物は粘っこい泥の中に埋まった．彼らの不運は，科学にとって幸運となった．5億2000万年前のバージェス頁岩の住民たちの押しつぶされた体を，細心の注意をもって研究，分析することによって，カンブリア紀中期の生物を見るための専用の窓が開かれたのである．

　バージェス頁岩と同じような動物相は，今ではグリーンランドから中国まで，世界のその他の場所のカンブリア紀の岩石中でも発見されている．しかし，これらの堆積層から出てくる化石は，今も古生物学者を魅惑し，悩ませ続けている．新しい発見地の中でも特に豊かなのは中国澄江（チェンジャン）の下部カンブリア紀層で，これはバージェス頁岩よりもわずかに古く，わずかな変成や変形も受けていないという利点もある．その結果，バージェス動物のうちでも特に問題だった，まれで，しばしば断片的なもののいくつかが，解剖学的および生物学的に解明されつつある．もはやバージェス頁岩は，現生動物の分類学の分野では他に類例のない，進化の上でただ1回限り現れたものたちの宝庫ということはできない．

　ウォルコットが何年もかけて見つけた数千点の化石のひとつに，小さな（長さ4cm）何か細長いものがあり，彼はこれをピカイア・グラシレンス（*Pikaia gracilens*）と名づけた．ブリティッシュ・コロンビアの発掘現場の近くにあるピカイア山で採取した「細くて優雅な」化石という意味だった．ウォルコットは平べったいリボンのような形をしていて，はっきりと体節をもつこの動物を，多毛類の蠕虫として記載したが，その後50年間，それにはほとんど注意は払われなかった．

　1960年代に，ハーバード大学で教授をしていたイギリスの古生物学者ハリー・ウィッティントンは，バージェス頁岩の発掘現場で再び採掘を行うようカナダ地質調査所から招かれた．発掘は1966年から67年にかけて行われ，膨大な量の新しい化石が得られた．ウィッティントンはその前にイギリスに帰って，ケンブリッジ大学で歴史と権威のあるウッドワーディアン教授のポストに就いてい

た．その後の数十年間，彼はバージェス化石を荷物にして次々に弟子のもとに送り，この'蠕虫'はサイモン・コンウェイ・モリスのもとに届けられた．このころには，ピカイアはウォルコットが考えた以上に重要なものであるらしいことが明らかになっていた．

　詳細はまだすべて発表されているわけではないが，コンウェイ・モリスはこの小さなナメクジウオのような形と大きさの動物が，現生のナメクジウオと共通の重要な特徴をいくつかもつことを明らかにしている．現生のナメクジウオも範囲のはっきりした頭部をもたないが，長い脊索，背側神経索，それに体の両側の1対の筋肉ブロックははっきりと見られ，これらの境界的な位置にある脊索動物はすべて，背骨をもつ動物の進化がどのようなものだったかを示している．しかし，脊索の延長部分が体の最前部では欠如しているように見えることや，'頭'の部分に長い触角をもった1対の突出部があることなど，重要な相違点もいくつかある．それでもサイモン・コンウェイ・モリスなどの古生物学者は，ピカイアがナメクジウオに似た原始的な脊索動物ということで納得している．

　このようにピカイアは，脊索動物——おそらくは脊椎動物も——の祖先の時代が約5億2000万年前のカンブリア紀にまでさかのぼることを確認するものと考えられた．しかし，最も古い私たちの祖先のひとつとしてピカイアが支配的な位置にあったのは，比較的短い期間だった．1990年代には，中国の下部カンブリア層から，もう少し古い，新しいみごとな化石が多数，はなばなしく登場してきた．バージェス化石と同様，澄江の化石も軟組織が保存されているが，中国のほうが保存状態が少しよく，バージェス化石よりも剖出しやすい．

●中国の祖先

　驚くべき多数の節足動物やあらゆる種類の蠕虫類の間から，奇妙な，小さいナメクジウオに似た化石がいくつか現れた．最初にユンナンゴゾオン（Yunnangozoon）が1995年に記載され，すぐに3種の化石がその後に続いた．そのうちのひとつハイコウエラ（Haikouella）は，300点以上の標本が得られた．ハイコウエラはユンナンゴゾオンやピカイアと異なり，簡単だが，明瞭な心臓や，背側および腹側の動脈，鰓葉，背部神経索の前部膨大部（原始的な脳？）をもったより明瞭な頭部，目らしきもの，咽頭歯らしきものなどをもっているように見える．これらの特徴がすべて確かめられれば，この動物はピカイアに見られるナメクジ

ウオに似た状態よりもかなり進歩しており,しかも興味深いことに,こっちのほうが古いのである.

同じころ,サイモン・コンウェイ・モリスと共同研究を行っていた別の中国チームが,澄江から出たさらに2つの新しい脊索動物を発見,記載した.これらはハイコウエラに見られた特徴に加えて,元は軟骨でできていたと思われる頭骨状の構造物が保存されているように見えるほか,鰓裂,鰭支持構造,周囲との境界のはっきりした眼球被膜,鰓の後方の大きな心臓なども見られる.このような特徴を合わせもつことからみて,これらの動物ミロクンミンギア (*Myllokunmingia*) (「昆明で得られた魚」) およびハイコウイクティス (*Haikouichthys*) (「ハイコウで得られた魚」) は原始的な脊椎動物に入るべきものではないかと考えられる.この新しい証拠はすべて,脊椎動物が最初は活発に泳ぐ動物として生まれたもので,それはよく発達した感覚器官 (目や,おそらくは化学受容器も) をもち,発達しつつある前脳によって協調され,その脳は石化されていない '脳容器/頭骨' によって支持,保護されていたことを暗示しているように思われる.カンブリア紀後期から三畳紀末のコノドントは,石化した組織をもつ最初の脊椎動物であったと考えられ,その組織は骨格ではなく,捕食の習性と関連する歯だったろう.

さらに研究者たちは,ミロクンミンギアは現生の顎のないメクラウナギに,ハイコウイクティスは現生の顎のないヤツメウナギに近いと主張する.もしこれが正しければ,この2つの脊椎動物グループはすでにカンブリア紀前期までに分離していたのであり,さらにそれよりも以前——おそらくは先カンブリア時代後期——に共通の祖先がいなければならないことを示す.このような早期に祖先が存在したことは,現生のナメクジウオ,メクラウナギ,ヤツメウナギの間の遺伝的距離を測ることによって得られた分子時計上の証拠によって裏づけられており,この脊椎動物の共通の祖先が存在した時代は7億5000万年前ごろと推定されている.

コノドントが進化に関してもつ意味はかなり大きい.これらの動物は,石化した脊椎動物の骨格が,捕食性採食により成功するための適応として進化してきた可能性を示している.もしそうであるとすれば,脊椎動物の武装競争でコノドントが優位に立ったのは,従来の考え方をまったく逆にひっくり返すことになる.以前は,絶滅した円口類に似た脊椎動物の石化した皮膚のよろいは,捕食動物に

対する防御として進化したと考えられていた．

　人間の'系統樹'のもう一方の端には，最も広い意味で，私たち自身のような，毛の生えた温血の動物——哺乳動物（哺乳綱）と呼ばれる——がいる．驚くべきことに，おそらく私たち自身の哺乳類の祖先のことよりも，化石の恐竜のほうがよく知られていると思われるが，私たち哺乳類の初期の進化について詳しく述べれば，その理由ははっきりするだろう．私たち哺乳類の祖先は，恐竜によって偶像的な地位から追放される前の，神話に出てくるドラゴンのような怪物とはまるでかけ離れた存在だった．彼らはむしろ，スコットランドの詩人ロバート・バーンズ（1759-96）がうたった「おどおどした小動物たち」に近かった．しかし，たとえ彼らが貧弱なトガリネズミくらいの動物であったとしても，私たちは間違いなくその初期の進化の歴史になにがしかの既得の権利をもっている．

● **最初の哺乳類を見つける**

　初期の哺乳類の化石が最初に発見されたのは，かなり古い19世紀中ごろ，ドイツの三畳紀層からだった．1847年にシュトゥットガルトの近くで発見された2個の小さな歯は，哺乳類の臼歯の特徴である独特の複雑な尖頭と窪みが見られ，ミクロレステス（*Microlestes*）（「小さな捕食動物」を意味する）と名づけられた．ジュラ紀にすでに哺乳類の化石が存在することは，19世紀の初めにオックスフォードシャーのストーンズフィールド魚卵状石灰岩——最初の恐竜の化石が発見されたのと同じ岩層——からモグラ大の3種の哺乳類の下顎骨が発見されたことによって証明されていた．

　生物学的には重要な出来事だったが，これら哺乳類の化石の発見と，それに対する世間の関心は，それよりもはるかにエキゾチックな絶滅爬虫類に対する強い関心によってほとんど色あせてしまった．哺乳類の化石が小さいことも，その魅力のなさの一因となった．さらにその後発見された初期の哺乳類によって，最初の哺乳類がすべてトガリネズミからハリネズミくらいの大きさの小型の動物だったことが証明された．それ自体，詩人ロバート・バーンズが「ちっぽけな，びくびく，おどおどした，つややかな小動物，お前の小さな胸は恐怖でひっくり返る」とうたったのとそっくりといってよいような動物であり，まわりにいた動物たちのことを考えれば，「大急ぎでとんで逃げられる」ことが必要だったろう．彼らの世界はあらゆる大きさの恐竜たちばかりでなく，巨大なさまざまな爬虫類

でいっぱいだった.

すでに見てきたように, キュヴィエは1818年にオックスフォードのアシュモレアン博物館を訪れたとき, これらの動物について調べていた. これらは有袋類哺乳類に属するものと彼は考えたが, 臼歯を10本もっている点で, 現生の有袋類や既知のすべての哺乳類と異なると述べた. 標本のひとつは1825年にフランスの古生物学者コンスタン・プレヴォによって化石有袋類ティラコテリウム (*Thylacotherium*) として図が描かれ, 記載された. リチャード・オーウェンは, この下顎骨は臼歯の数からして, 絶滅した属に属するものにちがいないと指摘した. 彼はまた, これは新たに発見されたフクロアリクイと近いものだったかもしれないと主張した. このフクロアリクイはリスのような姿をしていて, シロアリを食う有袋類で, 学名をミルメコビウス (*Myrmecobius*) といい, オーストラリア南西部のスワン川の近くで, アリ塚に囲まれた木のうろではじめて発見された. 当時は生物学的大発見の時代で, 世界中で新しい動物や植物が発見されて, 西欧世界の大都市の新しい博物館に運ばれ, コレクションを充実させていった.

さらに保存状態のよい, 別の化石の下顎骨がストーンズフィールドで発見されたとき, リチャード・オーウェンはティラコテリウムが有袋類ではなく, 有胎盤類の食虫動物であることを明らかにすることができた. 彼は1846年, その名をアンフィテリウム (*Amphitherium*) と改めたが, これは有袋類と同じような特徴をいくつか保っていた. ストーンズフィールドから発見されたもうひとつの標本ファスコロテリウム (*Phascolotherium*) は, 彼には本物の有袋類であるように思われた.

チャールズ・ライエルは1853年に,「これら最も古い哺乳類タイプを記念する遺物がウーライト統 [訳注: 西欧のジュラ系中〜上部. 主に魚卵状石灰岩から成る. 今はこの語は使わない] の一部のように下の層から出現した」ことに強烈な印象を受け,「(これらは) もっぱらネガティブな証拠にもとづいて一般化を急

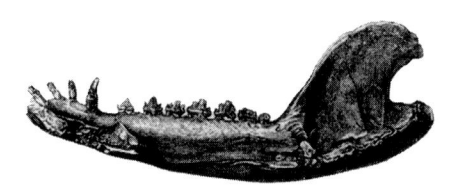

1820年代に発見された最初の初期哺乳類の化石は, この有袋類に似たジュラ紀の三錐歯類の下顎骨だった. 英国オックスフォードシャー州ストーンズフィールドで発見され, バックランドによってファスコロテリウム (*Phascolotherium*) と名づけられた.

ぐことに対する警告として役立つだろう」と述べた．最後に彼は「これは漸進的発達論，すなわち年代的に考える動物創造における先行順は，構造の完全さまたは複雑さの順と正確に一致するという考え方にとって，致命的なものと思われる」と結論している．これがダーウィン/ワラスの進化論以前であり，ライエルがいかなる漸進的発達の考え方に対しても反論を加えていたときのことであるのを思い出していただきたい．彼は動植物の多くのグループで化石の記録は，最終的には遷移層のどこかの共通の出発点（創世の業）にまでさかのぼることが明らかにされると考えていたのであり，この遷移層はのちにアダム・セジウィックによってカンブリア紀層と名づけられることになる．

● 化石哺乳類の同定

　私たち自身が属する脊椎動物哺乳類は，爬虫類やその他の脊椎動物と私たちとを分ける重要な特徴をいくつかもっている．哺乳類は温血であり，毛でおおわれ，［卵ではなく］子どもを産み，それを母親の乳腺から分泌される乳で育てる．しかし，卵を産む単孔類が発見されて，まったく例外のない厳密なグループとして哺乳類を区別することはそれほど簡単ではないことを示した．そのため，哺乳類と非哺乳類との境界をどのように定義すべきか，また有胎盤類哺乳類（多くの哺乳類のように，子宮内での妊娠期間の長いもの），有袋類哺乳類，単孔類，およびその他の絶滅した化石哺乳類（例えば，多丘歯類）に関して，その境界をどこに置くべきかについては，今も論議は続いている．したがって，最古の哺乳類はいつの時代にいたかという単純明快な疑問も，「哺乳類とは何を意味するか？」を問うことなしに，答えることはできない．

　化石記録による裏づけを求めるいかなる訴えも，哺乳類化石が問題を含んだものであるために，単純な話とはならない．古生物学者にとって問題は，カギとなる特徴――それは軟組織と関連する――が，主として骨と歯からなる化石の記録には一般に保存されていないことである．幸い，爬虫類と異なる，哺乳類であることにともなう骨格上の特徴がいくつかある．哺乳類には高度に特殊化した歯，歯骨と称する単一の骨でできた下顎骨，3個の小さな中耳骨などが見られる．これに対して爬虫類は，比較的単純で，どれも同じような歯をもつことによって見分けることができる．また爬虫類は2個以上の骨でできた下顎骨や，単一の骨でできた中耳骨をもつ．哺乳類が爬虫類から進化してきたとき，下顎の骨が変形し

て，中耳骨をつくった．

　現生の哺乳類は単孔類も含めてすべて，ある種の爬虫類と共通の単弓類型の頭骨形態（頭骨下部，目の後方に一対の孔がある）をもつ．現生の単弓類型哺乳類の生物学的特質を詳しく評価してみると，単孔類および獣類哺乳類（子どもを産むもの—有袋類および有胎盤類）は共通の祖先から分岐してきたことがわかる．したがって，哺乳綱はこれらのグループに限定するのが最も賢明であると思われる．化石の記録には絶滅した，哺乳類に似た動物——その生殖生物学は直接知られていない——が多数現れており，これらは哺乳類形動物と考えるのがよい．このような動物の中で最も注目されるもののひとつに，中国雲南省のジュラ紀前期の禄豊(ルーフェン)の堆積物から最近発見された1億9500万年前のハドロコディウム（*Hadrocodium*）がある．

●きわめて小さな哺乳類

　頭骨の長さわずか12 mm，推定体重2 gのハドロコディウムはきわめて小さなものだったかもしれないが，指先ほどの体とはまるで不釣り合いに大きな重要性をもつ．現生種，絶滅種を含めて最小の哺乳類のひとつであるハドロコディウムは，羅哲西(ルオゼーシー)をリーダーとする米中共同チームによって，真の哺乳類の共通の祖先より前に進化してきた絶滅哺乳類形動物のグループに属するものと記載されている．きわめて小さいが，その頭骨は他に例を見ないほど立体的によく保存されており，成体の多数の特徴を示している．例えば，犬歯の後方に存在する大きな歯隙（すき間）や，臼歯の摩耗などが見られ，これはこの動物が子どもの時期を越えて発達したことを示す．

　私たちの見るところ，これは進化のわき道の出来事かもしれないが，哺乳類の本質的な特徴がはじめて現れたのはいつだったかについての考えを改めさせるだけの意味をもつ．驚くべきことに，この小さなハドロコディウムの頭骨には，もっと小さな耳骨もちゃんと保存されている．さらに驚くべきことに，これはすでに3個の中耳骨をもつ段階まで進化しており，これによってこの重大な特徴出現の時期は一気に4500万年も昔にさかのぼることになった．その結果，これは単一の下顎骨（歯骨）とその他の特徴——口腔と鼻道を分離する，進歩した形の二次口蓋や，大きくなった脳腔など——をもつ．

　これらの特徴は全体として，初期の哺乳類のさまざまなグループ内に，進化上

のかなりの変異性があったことを示す．現生哺乳類の特徴的形質は段階的，増加的に現れ，絶滅した哺乳類形動物の進化の中で，約1億年にわたって付加的なパターンをつくり出している．羅哲西やその共同研究者たちによれば，「進化は急速な単一の出来事として起こったものではない」という．

これほど早期にこれら哺乳類形動物の間にこのような変異が見られることは，初期の哺乳類の進化が優に三畳紀にまでさかのぼるという考え方を補強するものだ．中生代は「爬虫類の時代」ということができるかもしれないが，多くの点で大爬虫類の時代は始まるとすぐに先の限られた状態にあった．同じように，それに続く新生代の「哺乳類の時代」も先の限られた状態にあり，何らかの小動物のグループ——齧歯類か，ひょっとすれば鳥類か——が舞台の袖で，進化の舞台への出番を待っているのかもしれない．

ハドロコディウムの体の大きさは，その頭骨の大きさから推定され，それには現生の食虫哺乳類64種——そのうち体重の最も小さいものは2.5g——について十分に確立されているスケーリング係数（scaling relationship）が用いられる．比較すると，ハドロコディウムは最も小さなコウモリと体重が同じくらいで，これは知られている中生代の哺乳類——3〜517g——のうちで最も小さい．化石記録によれば，この体重の幅はジュラ紀前期の禄豊哺乳類ですでに認められ，すでにかなりの生態学的多様性が達成されていたことがわかる．

● 夜明けの母

2002年には，中国からさらに驚くべき化石がもたらされた．エオマイア・スカンソリア（*Eomaia scansoria*）（「夜明けの母」）というまさにぴったりの名前をつけられたこの化石は，ハツカネズミくらいの大きさの哺乳類のほぼ完全に保存された骨格である．驚くべきことに，死後1億2500万年たってもなお，これは哺乳類に特有の軟部組織のひとつである化石化した毛でおおわれている．その毛はすでに密生する下毛の層が分化していて，それをまばらで長い保護毛がおおい，効果的な保温材として働いていたように見える．この白亜紀前期の湖岸の泥は圧縮されて岩となったものであるため，骨格が平べったくなっていることはやむをえないが，ミリメートル単位の足の骨や，かぎ爪，軟骨，歯などを含めて，ほとんどの骨が保存されている．

何よりも重要なのは，北京およびカーネギー自然史博物館の季 強（ジーキャン）やその共同

研究者による詳細な研究によって，エオマイアが知られている真獣類（有胎盤類哺乳類）のうちで図抜けて古い最古のものであるのが明らかになったことだ．その点でこれは，カモノハシやカンガルーのような原始的な卵を産む哺乳類や有袋類とは異なる．エオマイアは骨盤の出口がきわめて狭いため，おそらく未熟な赤ん坊を産んだものと思われる．そのような赤ん坊は母親による栄養補給や，有袋類に似た袋の中での保護を必要としただろう．このような解釈が正しいとすれば，エオマイアは知られている最も原始的な真獣類のひとつである．

　四肢骨の研究では，これは手足の指の骨が長く，強く湾曲して横に伸び，平たいかぎ爪をもっていることが示されている．これらの特徴はすべて，地上より高いところで食物を取り，巣をつくり，木などに登る登攀のために特殊化した現生のヤマネに似ている．エオマイアの推定体重は20〜25gで，これもヤマネの最も小さい種に近い．登攀の能力は，真獣類に見られる初期の進化上の成功のひとつだったとする考え方もある．しかし，哺乳類の化石記録は主として歯と下顎の断片だけであるため，化石の記録中に次の真獣類の骨格化石が現れるのは，5000万年後まで待たなければならない．そのときには，すでに彼らはさらに多様化して，走ったり，跳んだりするために特殊化した形のものも現れていた．問題は，最も初期の有袋類もやはり登攀動物であったことが化石記録によって示されていることであり，これはこの両グループの共通の祖先がやはり登攀動物だったことを示唆する．当時支配的な地位にいた爬虫類との競争を考えると，これらの小さな原始的哺乳類にとって最良の選択は，木の上や土の中に逃げ，夜間にのみ活動することだったのだろう．

　中国東北部遼寧省の義縣累層で発見された哺乳類化石はエオマイアが唯一のものだったわけではなく，最も人の目を引いたのがこれだったのだ．1990年代以降，ほかにも3種の類縁の哺乳類が発見されている．ジェホローデンス (*Jeholodens*)，レペノマヌス (*Repenomanus*)，およびザンゲオテリウム (*Zhangheotherium*) は，現代まで生き残ることのなかった別の系統の原始的哺乳類に属する［訳注：2005年に発表された論文では，レペノマヌス・ロブストス（体長約60cm）の胃の付近に，植物食恐竜プシッタコサウルス（体長約20cm）の骨が散在する化石が発見された．レペノマヌスは肉食動物の特徴である大きく尖った前歯や大きな下顎をもつ．恐竜を捕食した哺乳類としては最初の例である．なお，同属にはギガンティクス（頭から胴まで約68cm，尾は約36cm）種も

系図を深くさかのぼる——*197*

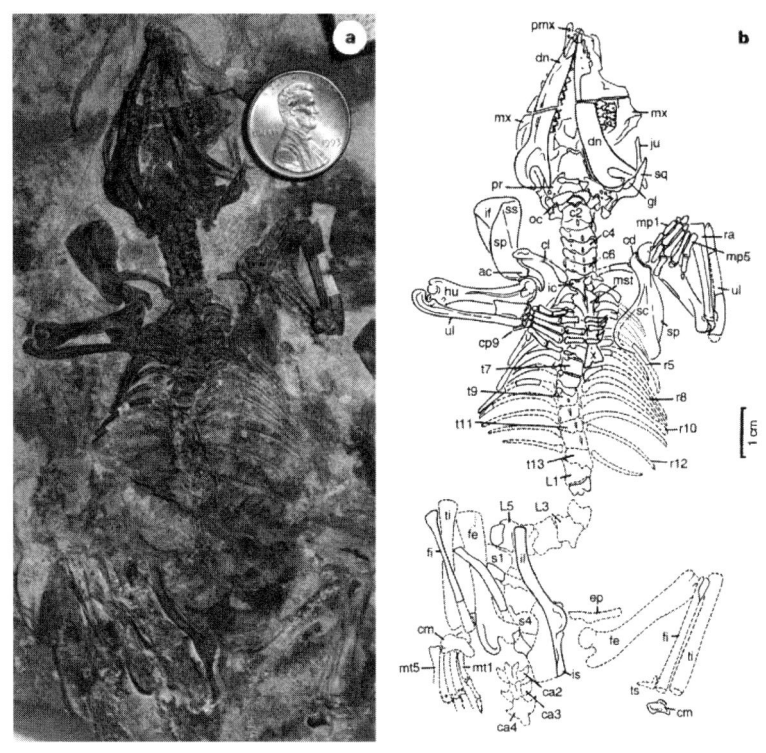

ザンゲオテリウム (*Zhangeotherium*). すばらしくよく保存された,新種の原始的なネズミ大の相称歯類哺乳類. 約1億2500万年前のもので,中国東北部の白亜紀前期層から得られた.

いる]. このような初期の多様性は,やはり進化がしばしば叢生する木のようなもので,1本の共通の幹から先進的なグループがいくつも出てくることを示している. これらはすべて肉や虫を食べる食性を示唆する歯をもっているので,体の大きさの違いと,異なる生態学的ニッチを利用していたと思われる点を除けば,これらの動物たちを区別するような特徴はあまりなかったのかもしれない.

　最も大きかったのは頭骨が11cmあったレペノマヌスで,エオマイアを丸飲みできるくらいの大きさがあっただろう. この大きさだと,これは地中に住んでいたにちがいない. 一番小さなジェホローデンスも同じで,これは手足の指が短く,かぎ爪の幅が広く,植物の幹をつかむのには適していなかったと思われる. 最後のザンゲオテリウムは指は短く真直ぐだが,かぎ爪は長くて湾曲し,エオマ

イアよりもわずかに大きく，同じく登攀動物だった可能性が大きい．彼らの周囲にいた爬虫類の捕食動物の多様性を考えると，これらの哺乳類はとにかく生き延びることによく適応していたにちがいない．

　義縣累層は世界の化石の大宝庫のひとつであり，これまでに羽根をもつ恐竜であるシノサウロプテリクス（中華竜鳥），プロトアルケオプテリクス（原始祖鳥），およびカウディプテリクス（尾羽竜），原始的な鳥類コンフシウスオルニス（孔子鳥）およびリャオニンゴルニス（遼寧鳥），最古の花の咲く植物のひとつであるアルケフルクトゥス，その他多くの化石植物，昆虫類，二枚貝，巻貝，魚類，サンショウウオ類，カメ類，トカゲ類，カエル1種，翼竜のエオシプテルス（*Eosipterus*）など，驚くべき化石が多数得られている．

第8章

大昔のDNAを復元する
——壊れやすい分子の化石化

　化石研究に衝撃的影響を与えた最新の革命は，太古の生体分子，特に太古のDNAの発見と採取である．酵母からひな鳥，マウス，今や人間まで，ますます多くの生物のゲノム分析が進むのにともない，DNAはある種の進化上の問題を解明するのに役立ち，一方ではそこからさらに多くの疑問も生じている．より広い範囲の動物や植物のゲノム分析が行われるのにともなって，生物の進化についてさらに新しい展望が開けていく．重要な進化上の分岐の時期について示される分子時計による推定は，化石記録がどの程度完全なものなのか，それが過去に対する私たちの認識にどのような偏りを生じさせているかを検証するのに役立つ．

　フランシス・クリックとジェームズ・ワトソンがDNAの構造と，細胞複製のメカニズムを発見した1953年以降，DNAのあらゆる面についての研究がブームとなった．私たちはすべて——まさにどの生物もすべて——体内のあらゆる細胞内に，独自のタイプのDNA分子をもっている．生命の遺伝暗号が世代から次の世代へと伝えられていく方法が発見されたことは，きわめて多くの分野に影響を及ぼした．DNAが裁判で利用されることは，今やほとんど誰でも知っている．ほんの小さな血のシミを「遺伝子の指」として，それで殺人犯を指し示すこともできるのだ．『ジュラシック・パーク』の物語と，化石のDNAを採取して恐竜を生き返らせるというアイディアも同じくらいよく知られている．しかし，実際の採取は問題があって，これまでのところそれほど華々しく進んではいない．

　DNAを採取し，分析するのは，複雑で，高度に技術的で，きわめて時間のかかる仕事であり，ただ1個のDNA分子から作業を始めることができるほど微妙なものだ．分析装置が極度に清潔でなければ，装置のどこかについていた古いDNAのかけら——ただ1個の細菌か，技術者の頭のふけでも——が，大量に増殖されてしまうだろう．

　古いDNAがはじめて採取されたのは，1984年，博物館に保存されていたクア

ッガの乾いた皮膚からだった．これは南アフリカにいたシマウマに似た動物で，狩りつくされて100年以上前に絶滅した．最後のクアッガは1887年にアムステルダムの動物園で死んだ．1980年代半ば，もっと古代の化石生体分子を採取する試みが行われ，凍りついた4万年前のマンモスの赤ん坊のアルブミンが，現生のゾウのアルブミンとせいぜい1％くらいしか違わないことが明らかになった．この小さな違いは，マンモスと現生のゾウが，すべて約500万年前に共通の祖先をもっていたことを意味した．その結果が事実上分子古生物学のレースをスタートさせることになったが，当初，これはいらだたしいほど困難な作業だった．

それでも少数の熱心な人々が，より質のよい，より古い材料を求めて探求を続けた．化石のDNAは，時間とともに生物が世代を経ていくうちに遺伝子がどのように変わっていくかを明らかにすることによって，進化がどのように働くかを詳しく明らかにすることができる．しかしそのためには，生物が事実上生きたまま埋められた'石化'がどのようなタイプのものだったかを知ることが必要である．理想的には，それらの生物はカプセル中に密封されて，そのカプセルが生物を脱水し，腐敗を起こしたり，混乱のもととなる自分のDNAを残したりする微生物を排除する無菌的な環境——自然の環境としてはかなりむりな注文だ——をつくり出してくれなければならない．

極地の永久凍土での自然凍結は，太古の組織や生体分子をすばらしくよい状態で保存しうるが，この種の化石はわずか数万年前までのものしか存在しない．太古のDNAのハンターの中には，もっと別の目的——科学的名声，それに付随する社会的認知，もっと大きな研究助成金など——のために，'いちじるしく'古いDNAを最初に採取した人間となることのほうに関心があるように思われる人もあり，かくして競争は始まった．競り合う研究チームは，琥珀のもつ独特の性質に望みをかけた．琥珀の中に小動物——特に昆虫——が含まれていることは何世紀も前から知られており，琥珀の内部は完璧な保存環境であるように見えた．琥珀は冷凍保存を除けば，私たちが得ることのできる理想に近い化石化を約束するもののように思われた．

バルト海産の3800万年前（始新世）の琥珀．ときに琥珀に閉じ込められた昆虫の化石が見られることで，古くから広く知られていた．

●琥珀の約束するもの

　琥珀は歴史以前の昔から人々に求められ，特別な価値をもつものとされてきた．琥珀の魔除けは，3万5000年も前のものも見つかっている．1701年にプロイセン国王フリードリヒ1世は，ロシアのピョートル大帝への贈り物として，全面琥珀づくりの部屋をつくらせた．歴史的に見て，これがおそらく琥珀の価値がピークに達したときだったろう．それ以後，同じ重さの黄金に匹敵するとされた装飾材としての琥珀の価値は低下したが，それはわずかなものにすぎない．最近約1世紀の間，琥珀は流行したり，すたれたりをくり返し，ヴィクトリア時代には一種のルネサンスを迎えて，琥珀玉は多くの貴婦人たちの胸を飾った．20世紀後半にはデンマーク，ドイツ，イギリスなどで，もっとどっしりした琥珀の装身具が再びもてはやされたりもした．しかしそれと同じ時期に，琥珀は化石DNAの保存庫という，まったく異なる将来性を期待されるようになった．

　琥珀に対する科学的な関心も，同じように何世紀もの間に高まったり，弱まったりをくり返した．中に閉じ込められている小さな有機体——ふつうは昆虫類だが，シダからカエルや羽毛にまで至る——は，いつの時代にも琥珀の魅力の一部とされてきた．1世紀に大プリニウスは，「琥珀はマツのような樹木の排出物であり，北方ででき，しばしば小昆虫を含む」と記している．彼の同国人マルクス・ヴァレリウス・マルティアリスの記述はもう少し詩的だった．「ミツバチが閉じ込められ，琥珀に輝きが保存されて，ハチは自らの蜜の櫃に収められているように見える」．琥珀の動物や植物のコレクションが本当に始まったのは，19世紀になってからのことだった．

　最大の宝庫はバルト海産のもので，収集したのは宿屋の経営者ヴィルヘルム・シュタンティーンと商人モリッツ・ベッカーだった．彼らは浚渫と採掘の技術を用いて，ロシア領バルト海岸カリーニングラードに近いサムランド半島で，第三紀（始新世，3800万年前）の固まっていない海成緑色砂や粘土から琥珀片を採取した．そのほとんどは化石遺物を含んでおらず，売却された．しかし同時に約12万点にのぼる膨大な動植物化石のコレクションが得られ，ケーニヒスベルク大学地質学研究所博物館に収められた．第二次世界大戦中に安全のため疎開されたものの，残念なことに，このすばらしいコレクションの大半は失われた．破壊されたか，盗まれたかしたものと思われる．

　始新世のバルト地方の森に住んでいた昆虫について，ただひとつのコレクショ

ンによって'完全な全体像'を得ることは残念ながらもはや不可能となったが，今でもそれをある程度のぞき見ることはできる．世界各地の公共博物館にバルト海琥珀の大コレクションがあるが，残念ながらそれらを全部合わせても，もはや取り返しのつかないただひとつのコレクションに及ばない．ロンドン自然史博物館には，'わずか'2万5000点あまりの標本しかない．

琥珀についてはさまざまな誤解が広く見られる．例えば，これはバルト地方の針葉樹の樹脂が化石になったものだとか，これが多量に見られるのは，それら昔の樹木が何らかの異常な状態にあったためだとかいうものである．この地域から驚くほど多量の琥珀が採取されてきたことは事実だ．シュタンティーンとベッカーの事業だけでも，1875年から1914年にかけて，年に25万～50万トンの琥珀が採取され，全部合わせると1000万トンを優に越えたと思われる．

しかし現代の研究は，琥珀がどのようにしてできたかに関する神話が誤りであることを暴露した．バルト海琥珀ができるもととなった樹木は，現在ニュージーランドで見られるアガティスに似たナンヨウスギ類の木である可能性が最も高い．ナンヨウスギ類の木は保存されやすい樹脂を大量に分泌し，何百万年とはいわず，十万年単位の十分な地質学的時間を与えられれば，このくらいの量は十分に蓄積できるだろう．

第三紀に琥珀がつくられた地域は，ドミニカ共和国から中国やルーマニアまで数多くあり，バルト地域はそのうちのひとつにすぎない．さらに，琥珀樹脂をつくる樹木の存在は，1億年以上前の白亜紀から，ひょっとすれば石炭紀（3億年以上前）にまでさかのぼることが明らかにされている．このような古い琥珀では，まだ現代の技術や分類学的ノウハウを用いた詳細な研究が行われていないものも少なくない．

これらの琥珀やそこに含まれる化石についての詳しい研究によって，過去の琥珀の森の生物に関する特有の洞察が得られつつある．コキノコムシ類（Mycetophagidae）やヒラタアシバエ類（Platypezidae）など，多

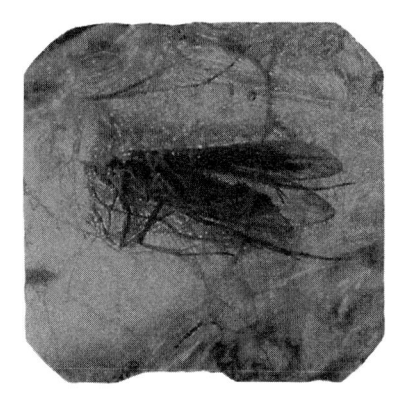

琥珀中に閉じ込められた化石についての科学的研究から，始新世の北ヨーロッパは現在よりもはるかに温暖で，亜熱帯の森におおわれていたことが明らかにされている．

くの昆虫について，現代以前の存在例が見られるのは主として琥珀の中である．スウィフトはこう書いている．「そこで博物学者はノミを観察する／そのノミを刺すさらに小さなノミがいて／またそのノミにたかるもっと小さなノミがいて／かくして話は無限に続く」．私たちはそれらをすべて，宿主のクモについた寄生バチの幼虫から，クモの巣にかかったハエまで，琥珀の中に見ることができる．

　アメリカの昆虫学者ジョージ・ポイナーはカリフォルニア（バークレー）の研究チームを率い，1982年にドミニカの琥珀中に閉じ込められたハエの体の超微細構造について詳述し，琥珀から化石DNAを抽出することの可能性をはじめて現実的に検討した．ポイナーの研究はマイケル・クライトンの豊かな想像力を刺激し，あの1990年のSFスリラー『ジュラシック・パーク』を生んだ．当時これは'よくできた'アイディアだと感じられた．ジュラ紀のカが恐竜を刺して血液を吸い，そのカがたまたま芳香を放つ樹脂の上にとまって，それに肢を取られてしまう．琥珀はカの体をすっかり飲み込み，カのDNAと恐竜の血球中のDNAがともにそこに閉じ込められた．分子生物学者は完全な形で保存されたカが含まれている琥珀を見つけ，恐竜のDNAを取り出して，それを増やしてやりさえすればよい……というわけだ．しかし，このアイディアには専門的に見て障害がいくつかあった．何よりもジュラ紀にはカがいなかったし，またジュラ紀の琥珀はごく少なく，琥珀のほとんどは，すでに恐竜が絶滅してしまった後の第三紀のものなのだ．

　しかし，琥珀中に閉じ込められた第三紀の化石のシロアリ，マストテルメス・エレクトロドミニクス（*Mastotermes electrodominicus*）からきわめて興味深く，精密なDNAを得たと1992年に主張したのは，ニューヨークのアメリカ自然史博物館のロブ・デサルをリーダーとするアメリカ東海岸チームとその共同研究者たちだった．続いてこれとは別のカリフォルニア州立科学技術大学のラウル・カノをリーダーとする太平洋岸チームは，ハリナシミツバチ類のプロプレベイア・ドミニカーナ（*Proplebeia dominicana*）からDNAの断片を抽出し，増殖したと主張した．いずれの昆虫も漸新世～中新世（第三紀）の琥珀中に見つかったごく異例の動物相に属するもので，この琥珀は現在ドミニカ共和国でかなり大量に採掘されている．この動物相は決して昆虫に限られるものではなく，カエル，キノコ，哺乳類の毛などの珍しいものも含まれ，したがって将来，琥珀中に探すべきこれら有機性包有物は，きわめて広範囲にわたるものと思われる．

1993年，ポイナーのチームはさらに飛躍的に過去にさかのぼり，1億3000万年前（白亜紀前期）のゾウムシのDNAを得たと発表した．これは恐竜を蘇らせるところまではいかないとしても，'生命の信号'の少なくとも一部を抽出する可能性を，恐竜の時代にまでさかのぼらせるものだった．もともとは科学が生んだフィクション，すなわち『ジュラシック・パーク』の物語に，科学が追いつくことになるかと思われた．すぐに続いて，恐竜そのもの——主として骨——から直接，化石DNAを得たことも報告された．しかしスヴァーンテ・ペーボなどをはじめとする化石DNAの専門家の中には，これらの結果の質や確実性に強い疑いをもつものもいた．特に，他の研究室で別個に行われた分析では，いずれの結果も再現できなかったことがその理由だった．

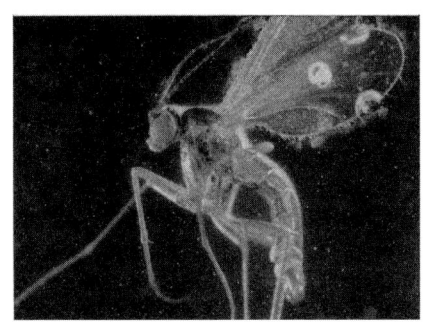

完全に保存されていると見える琥珀中の昆虫から，DNAを採取できるのではないかというアイディアが生まれたが，実際にはその内部組織は腐敗がきわめていちじるしい．

　1990年代後期にロンドン自然史博物館に，同博物館の膨大なコレクションに含まれる，琥珀に埋まった標本からDNAを抽出，分析することだけを目的とした新しい研究室が設けられた．DNAの'汚染'防止に細心の注意を払い，何らかの肯定的な結果を再現するための試みがくり返し行われたが，残念ながら成果は得られなかった．その研究チームは，琥珀から化石DNAを得たというそれ以前の主張はすべて，研究室環境から別の何かが汚染したものという結論を下さざるをえなかった．

　この深刻な否定にもかかわらず，もっと注意深い研究者たちが，はるかに新しい材料を用いて成果をあげようとする試みを続けた．彼らは死後どのような条件にあるときDNAが破壊されたり，保存されたりするかを調べ，このきわめて繊細な分子の断片が保存されている可能性の高い産出地を探そうと努めた．

●探査は今も続く

　細胞物質をつくる複雑な有機分子は，急速冷凍や脱水によって保存されない限り，死後急速に分解され，そのような冷凍や脱水は自然界ではまれにしか起こり

えない．DNAが保存される可能性が最も高くなるためには，骨の場合は洞穴内のような冷たく暗い場所で化石になること，軟部組織の場合は永久凍土や氷，あるいは高所での凍結乾燥が必要であることがすぐにわかった．太古のDNAを取り出すというきわめて微妙な仕事をしている科学者の中で特に図抜けた存在といえるのが，ミュンヘン大学のスヴァーンテ・ペーボとその同僚たちである．

　ペーボはカリフォルニア大学バークレー校の故アラン・C・ウィルソンの弟子で，ウィルソンの研究チームはクアッガのDNAを取り出し，それがシマウマとごく近い，亜種レベルの血縁関係にあったことを明らかにした．彼らはまた1987年に，現代人の起源について「アフリカのイブ説」［訳注：現代のすべての人間は，母系遺伝であるミトコンドリアDNAの近縁関係を調べるとただ1種類の型にたどりつく．この型をもつ人類の祖先と推定されるアフリカの女性をミトコンドリア・イブと呼んでいる］を提唱した．彼らが世界中から得たDNAサンプルは，すべていちじるしい類似性が認められ，現代人がすべて約20万年前のただひとつのアフリカ人集団に由来することを示していた．のちにこれは統計的に有意といえないという批判を受けたが，さらに広範なサンプル採取を行って，彼らの基本的な主張は証明されている．

　ペーボのミュンヘン・チームは現在，古代のDNAを用いて最近の人間の進化に関する知識を深めるための研究を行っている．最近彼らは，オーストリア＝イタリア・アルプスで見つかった5200年前の'アイスマン'エッツィ［訳注：現在はイタリアに所有権が移り，ヒベルナトゥスと命名されている］のミトコンドリアDNAが，現在その地域に住んでいる人々と驚くほど近いことを発見しており，このことは遺伝子のいちじるしい安定性を示すものだ．彼らはまた，5万5000～3万年前の3人のネアンデルタール人のDNAサンプルを分析し，それら相互間のほうが，現代ヨーロッパ人との間よりも類似性が大きいことを明らかにした．これはネアンデルタール人の共通の遺伝子プールと，現代人の遺伝子プールとの違いは，ネアンデルタール人が独自の真の生物種として分けられるものであることを裏づけるくらいに大きいことを示している．しかも，ネアンデルタール人が現代ヨーロッパ人の遺伝子プールの形成に多少でも関与している可能性は低い．

　最後に，ヒト・ゲノムと98.8％まで共通とされるチンパンジーのゲノム解析の実施が最近決定された［訳注：現在ではヒトとチンパンジーの遺伝情報の違いはもっと大きいことがわかっている．詳しくはp. 61訳注参照］ことが，人間の

進化に関する研究を大きく推進することは間違いない．そのチンパンジーと人間の間の1％の違いを調べることは，何が私たちとチンパンジーとを分け，私たちを人間としたのかを明らかにしてくれるだろう．すでに，言語をつくり出すことに関係のある顔面筋肉を支配する遺伝子が，チンパンジーには欠けていることが強く示唆されている．さらに，この遺伝子の出現がごく新しい（最近の20万年以内の）ものであって，ホモ・サピエンスに限られるらしいことが推定されている．これが正しければ，そのことは，私たちホモ・サピエンスがネアンデルタール人を含めて他のすべての絶滅人類に比べていちじるしい成功を収めた理由を説明するのに役立つだろう．

化石の記録は，過去の生命の驚くべき姿を保存している場合がある．ここでは，顕微鏡的な細胞集団をなす先カンブリア時代後期（5億7000万年前）の海生生物の胚が，燐酸鉱物の化石として保存されている．

　急速な言語の進化は，脳の各部の大幅な‘配線のし直し’を必要とし，意識の発達を推進しただろう．私たちの‘創造的なひらめき’が，私たちに自分のまわりの世界に興味をもたせ，それははるかに遠い地質学的過去に起こった出来事さえ知りたいと思わせた．私がこの本の初めに示そうとしたように，私たちが知る限り，化石にちょっとでも注意を向けた動物など，人間以外にはいない．そのような興味をはじめて示したのがおそらくネアンデルタール人だったという事実は，人間らしさへの‘ガラスの床’（glass floor）という分類学的地位が，まだ議論の余地のあるものであることを示唆している．私たちは世界における私たち人間の位置を理解することで長い道を歩んできた．神の国につながる階段で，天使のすぐ次の段にいると考えていた私たち人間が，今や統計的に見て，生命は地球だけのものであるどころか，太陽系にさえ限られない可能性が高いという現実に直面している．しかしそれは，生命や，地球における生命の歴史が，いささかでも驚異と不思議さを減じ，ごくありきたりのものとなることを意味するものではない．

謝　　辞

　地球科学の歴史に対する私の関心はもともと，何年も前，マーティン・ルドウィック教授がこの学問の発達にとっての挿図というものの重要性に感銘を受けたと聞いたことによって刺激を受けた．それ以来，私は他の科学史家——例えばヒュー・トレンス教授など——の話を聞き，彼らの著作を読んで，多くの洞察と情報を得てきたが，それらはあまりにも膨大なものであって，ここで扱った多くの話題について，それがもともとどこで見聞きしたものか，とてもすべてを正確には記憶していない．不正確な点があればそれはすべて私の責任であり，その点については専門家諸氏のお許しを願うしかない．

　また，本書の質を高めるため努力していただいたハーパー・コリンズ社のケイティ・パイパー，ルイザ・ボンディおよびヘレン・ブロクルハースト，ブラッキングストーン・ブックス社のシュー・ヴィッカースおよびレ・ドミニーの諸氏にも感謝を捧げたい．

土地が永久に凍りついたシベリア北極地方から，何万年も前のマンモスの牙を採取するロシアの科学者たち．

監訳者あとがき

　本書はDouglas Palmer著"Fossil Revolution—The Finds That Changed Our View of the Past"(Collins, 2003)の翻訳である．著者ダグラス・パーマーはフリーライターであり，ケンブリッジ大学の講師である．また，先史時代の生物，化石についての多くの図譜，百科事典に寄稿し，自然科学を教えている．ダブリンのトリニティカレッジの地球科学講師，ウェールズ国立博物館の展示コーディネーターを2年間務めていた．

　かつてアメリカのエドウィン・コルバート博士が名著『人と恐竜』を1968年に著し，邦訳は「恐竜の発見—よみがえる前世紀動物」というタイトルで1969年に出版された（1993年に『恐竜の発見』としてハヤカワ文庫に収められている）．それ以後しばらくの間，古生物学者らの伝記的要素を含む著述は見かけられなかった．
　ところが，2000年代に入ると，次々と古生物学者ないし地質学者，化石ハンターの伝記や伝記的記述を含む図書が日本で刊行されるようになった．そこには古生物学や地質学ではうかがい知ることのできない人間像が描かれていて興味深い．とくに学史の初期段階での人間の思考・行動経過をたどることは，近代科学の誕生過程を考察する上で無視できないだろう．
　学史の初期に登場する主な人物像を分類すると，次のような4つの典型例で代表されると思う．
　1　ウィリアム・バックランド（1784-1856：最初に恐竜を記載）のように聖職者・教授で，旧約聖書の記事と地質事象の対照に尽力した人たち．
　2　ウィリアム・スミス（1769-1839：世界で最初に地質図を作成）やギデオン・マンテル（1790-1852：最初に恐竜を発見）の例にみるように，測量技師あるいは開業医・セミプロ地質学者で，幼少時に抱いた化石への好奇心を大きく育て上げた努力家たち．
　3　リチャード・オーウェン（1804-92：恐竜目を提案）のように，解剖学者な

がら世渡りと陰謀に長け，イギリス王家の信頼まで得て栄華を誇った人.

4　メアリー・アニング（1799-1847：最初に長頸竜を発見・発掘）のように，幼少時代から貧困の故に化石を発掘し，生活の糧としてきた人々.

以上のうち，ウィリアム・スミスは活躍時には不遇で，成果を盗用されたり無視されたり，債務者監獄にまで入れられ苦渋の生活を強いられたが，晩年には学界で認められ，田舎で幸せな老境を楽しんだという．スミス以外は，いずれも晩年は恵まれずに世を去った．ともかく，このような人たちの仕事を礎に，相互作用の重なりの上に地質学ないしは古生物学が誕生してきた.

ところで，伝記の中に生き生きと描かれた人間像は，実は科学史の文脈の中に位置づけて考えてみることによって，よく理解できるであろう．その意味で本書の出版は時宜を得た得難い良書であると思う．邦訳を企図した目的の一つはここにある．古生物学ないし地質学の成立過程の流れの中で，また社会思潮の流れの上で，研究者や化石ハンターを考えてみる一助とでもなれば幸いである.

16〜17世紀には，自然物を対象とする自然史研究の基盤に，しばしばキリスト教神学でいう神の創造への敬虔な信仰があって，神の創造の手を自然の中に見きわめるということが，科学革命をうながした要因であるといわれる．化石の研究も例外ではない．というよりむしろ，キリスト教的色彩は非常に強く，その価値観の上で古生物学にも欧米知識人の高い評価が与えられていたようである．たとえば地層累重の法則というのがあって，これを確立したのはデンマークのステノ（1638-87）であるが，彼の著書には「聖書に書いてあり，自然でも実証されている」というような表現が非常に多い．つまり，神の御言葉の書（聖書）と神の御業の書（自然）の当然の調和という考えであった．自然の中に秩序や体系を探求する自然史科学が確立する過程は，17〜18世紀にみられ，その背後にはキリスト教的世界観があって，少なくともダーウィンの『種の起源』の発表（1859）にいたるまで，このような自然神学の影響抜きでは考えられない.

初期の古生物学史の中でもう一つ重要なことがある．ラマルク（1744-1829）やキュヴィエ（1769-1832），ドルビニ（1802-1857）などすぐれた研究者を輩出したパリ自然史博物館の設立（1793）とその存続である．19世紀にこの博物館が健在であったことを無視することはできない.

18世紀後半にイギリスでは産業革命が始まり，19世紀にかけて，ここでは近代科学の発展に対応する意味を含んで自然神学がさらに有力化し，それは地質学や生物学にも影響を及ぼし，新しい科学的知見は神学の支持のためにも利用されていたという見解もある．それは別としても，測量技師ウィリアム・スミスは，実に産業革命の申し子であった．化石の存在は人間自身に関する認識を変革し，学術を促進し，産業革命とともに利用価値が明確化していったという意味で，まさに化石革命という言葉にふさわしい社会的意義をもっている．

　　2005年2月

小　畠　郁　生

参 考 図 書

Cadbury, Deborah : The Dinosaur Hunters (Fourth Estate, 2000) [デボラ・キャドバリー/北代晋一訳:恐竜の世界をもとめて―化石を取り巻く学者たちのロマンと野望 (無名舎, 2001)]
Currie, Philip J. and Padian, Kevin ed.: Encyclopedia of Dinosaurs (Academic Press, 1997)
Dean, Dennis R.: Gideon Mantell and the Discovery of Dinosaurs (Cambridge University Press, 1999) [デニス・ディーン/月川和雄訳:恐竜を発見した男―ギデオン・マンテル伝 (河出書房新社, 2000)]
Gillispie, Charles C.: Genesis and Geology (Harper & Row, 1959)
Greene, John C.: The Death of Adam (Mentor, 1961)
Knell, Simon J.: The Culture of English Geology, 1815-1851 (Ashgate, 2000)
Lister, Adrian and Bahn, Paul : Mammoths (Boxtree, 1995) [エイドリアン・リスター, ポール・バーン/大出 健訳:マンモス (大日本絵画, 1995)]
Mayor, Adrienne : The First Fossil Hunters: Paleontology in Greek and Roman Times (Princeton University Press, 2000)
McGowan, Christopher : The Dragon Seekers (Perseus Publishing, 2001) [クリストファー・マガウワン/高柳洋吉訳:恐竜を追った人びと―ダーウィンへの道を開いた化石研究者たち (古今書院, 2004)]
Novacek, Michael J.: Dinosaurs of the Flaming Cliffs (Anchor/Doubleday, 1996) [マイケル・ノヴァチェク/瀬戸口烈司, 瀬戸口美恵子訳:ゴビ砂漠の恐竜たち (青土社, 1997)]
Palmer, D.: The Atlas of the Prehistoric World (Marshall Publishing, revised edition 2000) [ダグラス・パーマー/五十嵐友子訳:生物30億年の進化史 (ニュートンプレス, 2000)]
Palmer, D.: 'Resurrecting the Mammoth', in Grayson, A. ed.: Equinox: The Earth (Channel 4 Books, 2000)
Palmer, Douglas: Neanderthal (Channel 4 Books, 2000)
Rudwick, Martin J. S.: The Meaning of Fossils (Macdonald American Elsevier, 1972) [マーチン・ルドウィック/大森昌衛, 高安克己訳:化石の意味 (海鳴社, 1981)]
Rudwick, Martin J. S.: Scenes from Deep Time: Early Pictorial Representation of the

Prehistoric World (University of Chicago Press, 1992)

Schopf, J.W.: Cradle of Life (Princeton University Press, 1999)

Secord, James A.: Victorian Sensation—The Extraordinary Publication, Reception and Secret Authorship of Vestiges of the Natural History of Creation (The University of Chicago Press, 2000)

Steinbock, R. T. : 'Ichnology of the Connecticut Valley: a vignette of American science in the early nineteenth century' , in Gillette, D.D. and Lockley, M.G. ed.: Dinosaur Tracks and Traces (Cambridge University Press, 1989)

Thulborn, T.: Dinosaur Tracks (Chapman and Hall, 1990)

Torrens, Hugh: The Practice of British Geology, 1750-1850 (Ashgate, 2002)

Winchester, Simon: The Map that Changed the World: William Smith and the Birth of Modern Geology (Viking, 2001)［サイモン・ウィンチェスター/野中邦子訳：世界を変えた地図ウィリアム・スミスと地質学の誕生（早川書房，2004）］

Young, David: The Discovery of Evolution (Cambridge University Press, 1992)

原著の参考文献のほかに，日本語で読める，現在入手しやすい文献をあげたので，併せて参照されたい．

ウィリアム・ナスダーフト,ジョシュ・スミス/真鍋　真監修,奥沢　駿訳：失われた恐竜を求めて（ソニー・マガジンズ，2003）

エドウィン・コルバート/小畠郁生，亀山龍樹訳：恐竜の発見（ハヤカワ文庫，早川書房，1993）

NHK「地球大進化」プロジェクト編：NHKスペシャル　地球大進化 46億年・人類への旅　1〜6（日本放送出版協会，2004）

ガブリエル・ウォーカー/川上紳一監修，渡会圭子訳：スノーボール・アース—生命大進化をもたらした全地球凍結（早川書房，2004）

吉川惣司，矢島道子：メアリー・アニングの冒険—恐竜学をひらいた女化石屋（朝日選書，朝日新聞社，2003）

リチャード・フォーティ/垂水雄二訳：三葉虫の謎—「進化」の目撃者の驚くべき生態（早川書房，2002）

リチャード・フォーティ/渡辺政隆訳：生命40億年全史（草思社，2003）

図版出典一覧

出版社は刊行物に掲載された写真の著作権保持者の追跡に努めた．著作権保持者を追跡しきれなかったが，刊行後に名乗り出た場合には，出版社はその箇所を可能な最初の機会に訂正すべく努力する．

本の各頁における写真の位置は以下のように示した．
t= 上，l= 左，c= 中央，r= 右，b= 下

Clive Bromhall/Oxford Scientific Films 8, 49; ⓒN.A.Callow/Robert Harding Picture Library Ltd 9; Cambridge University Museum of Archaeology and Anthropology 10t; ⓒChris Henshilwood/National Science Foundation 10b; ⓒJohn Boardman/Boston Museum of Fine Art 11t; ⓒJean Vertut 12t; Bolton Museum & Art Gallery 13; ⓒThe British Museum 14, 54; ⓒAdrian Lister 15; ⓒLeicester City Museums Service 23; Swedish library archive 25; ⓒThe Royal Society of London 27; St Petersburg Zoological Institute archive 29; ⓒNatuurhistorisch Museum, Maastricht 33; John Martin 36; ⓒThe Natural History Museum, London 40, 67, 93t, 96, 137, 138, 139, 258, 259; ⓒMary Evans Picture Library 49; ⓒMichael Richards/Oxford Scientific Films 49bl; ⓒCIBA, Basle 59; ⓒBettman/Getty Images 60; ⓒGeorge Richmond/National Portrait Gallery, London 66; ⓒOxford University Museum of Natural History 92; ⓒDr P.J. Griffiths 104; California Institute of Technology 111; History of Science Collections, University Libraries, University of Oklahoma 113; University of California, Los Angeles 119; K.M.Towe, The Smithsonian Institute 123; Photographs courtesy of the Smithsonian Institution (Dr D. Erwin), 127; University of Cambridge (H.B. Whittington), 128; ⓒZhexi Luo, Yuanqing Wang, Yaoming Hu and Chuankui Li/Nature, volume 390, 137-147, 1997 134, 135; ⓒShuhai Xiao (Tulane University) and Andrew H. Knoll (Harvard University) contents, 140; ⓒN.K Vereshchagin 142

索　引

事　項

ア　行

'アイスマン'エッツィ　206
「赤い貴婦人」　70
握斧　4, 68
アダムス・マンモス　31
アノマロカリス　187
アルケオプテリクス　147
アルケフルクトゥス　199
アレニコリテス　166
アロブレウロン・ホフマニ　40
アンフィテリウム　193

イグアノドン　135
イクノロジー　116
義縣（イーシェン）累層　197

ウィワクシア　187
ヴェロキラプトル　153

永久凍土　201
エオシプテルス　199
エオゾオン・カナデンセ　166
エオマイア・スカンソリア　196
エレファス・プリミゲニウス　29
エレファス・マクシムス　29

オットイア　187
尾羽竜　152
オーリニャック　73
オルダミア　165
オルニティクニテス・ギガンテウス　117
オルニトイディクニテス・フリコイデス　115
オレノイデス　187

カ　行

カウディプテリクス　152
カナディア　188
カモノハシ　137
ガンフリント・チャート　3
ガンフリント累層　173

義縣累層　197
旧約聖書創世記　53
キュクロプス伝説　9
夾炭層　95
恐竜から鳥への進化　114
恐竜目　127
魚竜　49

クアッガのDNA　206
首長竜　49
グラウワッケ　104
クリスタル・パレス　142
クリダステス　40
クローン　34

原始祖鳥　152

孔子鳥　154
ゴーツ・ホール洞穴　69
コノドント　191
琥珀　201
コンフシウスオルニス　154
コンプソグナトゥス　148

サ　行

『サウスダウンズの化石』　133
サモテリウム　7

索　引——217

産業革命　92
ザンゲオテリウム　197

ジェホローデンス　197
『自助論』　91
自然哲学　21
『自然の体系』　62
シノサウロプテリクス　152
シノルニトサウルス　156
『種の起源』　79, 122
『シルル系』　108

水晶宮　142
スクアロラジャ　49
スケーリング係数　196
スコリトス　166
ストロマトライト　173
ストーンズフィールド　130
スプリギナ　171

セト神　10

『創造者の足跡』　122
『創造の自然史の痕跡』　76, 119
ゾルンホーフェン　146
ソンム川渓谷堆積層　72

タ　行

大洪水　27, 51
タウマプティロン　187
単弓類型哺乳類　195

『地質学原理』　7, 89
地質学の成立　82
地質図　84
地層累重の法則　22
中華竜鳥　152
中国鳥竜　156
澄江（チェンジャン/ちょうこう）　189

（大昔の）DNA　200
DNAの法医学的証拠　80

DNA分析　80
アイキンソニア　171
ディノテリウム　14
ディノニクス　151
ディノルニス　118
ディモルフォドン　49
ティラコテリウム　193
ティロサウルス　40

道具づくり　4
ドリオピテクス　74
トリブラキディウム　171
トロイの怪物　7

ナ　行

ナメクジウオ　182

ネアンデルタール　74
ネアンデルタール人　5

ノアの箱舟　19, 57

ハ　行

胚化石　178
ハイコウイクティス　191
ハイコウエラ　190
白亜紀のフリント　3
『博物誌』　16
バージェス頁岩　181
ハドロコディウム　195
パラドキシデス　166
ハンドアックス　4, 68

ピカイア　183
ピカイア・グラシレンス　189
ヒベルナトゥス　206

ファスコロテリウム　193
フェルトホーファー洞穴　81
プラティプス　137
プラテカルプス　40
フランス革命　72

プリオピテクス・アンティクウス　73
ブルゲソカエタ　188
プロトアルケオプテリクス　152
プロトプテリクス　156
分子時計　178

ベレムノセピア　49

放射年代測定　157
ホモ・エレクトス　1
ホモ・サピエンス　1
ホモ・ディルヴィイ・テスティス　52
ホモ・ハイデルベルゲンシス　80

マ 行

マーストリヒトの大怪獣　36
マンモス　8, 11, 25

ミクロラプトル　152
ミクロレステス　192
ミトコンドリア・イブ　206

ミトコンドリア DNA　206
ミルメコビウス　193
ミロクンミンギア　191

モササウルス　39

ヤ 行

ユンナンゴゾオン　190

ラ 行

ライム・リージス　44

リャオニンゴルニス　199
遼寧鳥　199

霊長類　64
レペノマヌス　197

ロキソドンタ・アフリカーナ　29
ロンギスクアマ　155

種　名

Allopleuron hoffmani　40
Amphitherium　193
Anomalocaris　187
Archaeopteryx　147
Arenicolites　166

Belemnosepia　49
Branchiostoma　182
Burgessochaeta　188

Canadia　188
Caudipteryx　152
Clidastes　40
Compsognathus　148
Confuciusornis　154

Deinonychus　151
Deinotherium　14
Dickinsonia　171

Dimorphodon　49
Dinornis　118
Dryopithecus　74

Elephas maximus　29
Elephas primigenius　29
Eomaia scansoria　196
Eosipterus　199
Eozoon canadense　166

Hadrocodium　195
Haikouella　190
Haikouichthys　191
Homo diluvii testis　52
Homo erectus　1
Homo heidelbergensis　80
Homo sapiens　1

Iguanodon　135

Jeholodens 197

Longisquama 156
Loxodonta africana 29

Mammuthus primigenius 11
Microlestes 192
Microraptor 152
Mosasaurus 39
Myllokunmingia 191
Myrmecobius 193

Oldhamia 166
Olenoides 187
Ornithichnites giganteus 117
Ornithoidichnites fulicoides 115
Ottoia 187

Paradoxides 166
Phascolotherium 193
Pikaia 183
Pikaia gracilens 189
Platecarpus 40
Pliopithecus antiquus 73

Protarchaeopteryx 152
Protopteryx 156

Repenomanus 197

Sinornithosaurus 156
Sinosauropteryx 152
Skolithos 166
Spriggina 171
Squaloraja 49

Thaumaptilon 187
Thylacotherium 193
Tribrachidium 171
Tylosaurus 40

Velociraptor 153

Wiwaxia 187

Yunnangozoon 190

Zhangheotherium 197

人名

アガシ，ルイ　47, 109
アグリコラ　18
アダムス，ミハイル・イワノヴィッチ　30
アッシャー，ジェームズ　160
アニング，ジョーゼフ　46
アニング，メアリー　46
アニング，リチャード　44

ヴァニーニ，ルチリオ　61
ウィッティントン，ハリー　186
ウィリアムソン，ウィリアム　101
ウェルナー，アブラハム・ゴットロープ　102
ウォルコット，チャールズ・ドゥーリトル　168
ウッドワード，ジョン　26

ウンガー，フランツ・ザヴィエル　111

エイキン，アーサー　106
エヴリン，ジョン　92
エンペドクレス　9

オーウェン，リチャード　41
オースティン，ジェーン　45
オッペル　111
オパーリン，アレクサンドル・イワノヴィッチ　170

カーペンター，ウィリアム　167
カンペル，ピーテル　38

キュヴィエ，ジョルジュ　22

キルヒャー，アタナシウス　19
キング，ウィリアム　79

ゲスナー，コンラート　16
ケルヴィン　157

コニベア，ウィリアム　47
ゴルトフス，アウグスト　98
コンウェイ・モリス，サイモン　190

サン＝フォン，フォージャ・ド　38

ジェファーソン，トーマス　27
李強（ジーキャン）　196
シャーフハウゼン，ヘルマン　76
シュリーマン，ハインリヒ　11
ショイヒツァー，ヨハン・ヤーコプ　51
小プリニウス　16
ジョフロワ・サンティレール，エティエンヌ　72

ステノ　19
ステンセン，ニールス　19
スマイルズ，サミュエル　91
スミス，ウィリアム　22, 91

セジウィック，アダム　47

ソワビー，J・de C　109

タイソン，エドワード　64
大プリニウス　16
タイラー，スタンリー・A　173
ダーウィン，チャールズ　79
ダロワ，ジャン・バプティスト・ジュリアン・ドマリウス　103

チェインバーズ，ロバート　119

ツィッテル，カール・アルフレート・フォン　90
ティモフェーエフ，ボリス　175

ドーソン，ジョン・ウィリアム　166
トムソン，ウィリアム　157
ドーレ，ギュスタヴ　59

ニュートン　23

ノイマン，ヨハン　74

バイロン　58
バウアー，ゲオルク　18
パウサニアス　11
パーキンソン，ジェームズ　131
ハクスリー，トーマス・ヘンリー　79
バーグホーン，エルソ・S　174
パースンズ，ジェームズ　94
パターソン，クレア　158
バックランド，ウィリアム　47, 129
ハットン，ジェームズ　162
バランド，ジョアキム　109
バーンズ，ロバート　192
ハンター，ジョン　43

ビーチ，ヘンリー・デ・ラ　47
ヒッチコック，エドワード　114
ビュフォン，ジョルジュ＝ルイ・ルクレール　161

フィットン，ウィリアム　106
フィリップス，ウィリアム　103
フィリップス，ジョン　90
フィルヒョー，ルドルフ　78
フォーブス，エドワード　165
フック，ロバート　82
ブフ，レオポルト・フォン　42
フクゼル，ゲオルク　82
フランクリン，ベンジャミン　26
フリア，ジョン　68
ブリッグス，デレク　187
ブルネル，イザムバード・キングダム　88
ブルネル，マーク　88
ブルーメンバッハ，フリードリヒ　28
プロット，ロバート　130

ブロニャール，アドルフ　95
ブロニャール，アレクサンドル　22
フンボルト，アレクサンダー・フォン　42

ペーボ，スヴァーンテ　205
ペルト，ジャック・ブーシェ・ド・クレヴク
　　ール・ド　72

ポイナー，ジョージ　204
ホーキンス，ウォーターハウス　128, 143
ホームズ，アーサー　158
ホール，ジェームズ　168
ボルトウッド，バートラム　157
ボンプラン，エーメ　63

マザー，コットン　26
マーチソン，ロデリック　99
マーティン，ジョン　58
マンテル，ギデオン　131

ミラー，スタンリー　171
ミラー，ヒュー　122

ライエル，チャールズ　7
ラザフォード，アーネスト　157
ラップワース，チャールズ　111
ラプゼ，ルドルフ・エリッヒ　106
ラルテ，エドゥアール　73
ラルテ，ルイ　73

李強　196
リンネ，カール　61

ルイス，T・T　106
ルウィド，エドワード　43, 92

レイ，ジョン　43

ロンズデール，W　109

監訳者
小 畠 郁 生（お ばた いく お）
1929年　福岡県に生まれる
1956年　九州大学大学院理学研究科博士課程中退
　　　　国立科学博物館地学研究部長
　　　　大阪学院大学国際学部教授を経て
現　在　国立科学博物館名誉館員・理学博士

訳　者
加 藤　珪（か とう けい）
1935年　東京都に生まれる
1957年　北海道大学農学部卒業
現　在　フリーの翻訳者

化石革命―世界を変えた発見の物語―　　　定価はカバーに表示
2005年3月25日　初版第1刷

監訳者　小　畠　郁　生
訳　者　加　藤　　　珪
発行者　朝　倉　邦　造
発行所　株式会社　朝　倉　書　店
　　　　東京都新宿区新小川町6-29
　　　　郵便番号162-8707
　　　　電話03(3260)0141
　　　　FAX03(3260)0180
　　　　http://www.asakura.co.jp

〈検印省略〉

ⓒ2005〈無断複写・転載を禁ず〉　　シナノ・渡辺製本

ISBN 4-254-16250-2　C3044　　Printed in Japan

愛知大 沓掛俊夫編訳
科学史ライブラリー
アルベルトゥス・マグヌス 鉱物論
10582-7 C3340　　　　　A5判 200頁 本体3600円

ギリシア・ローマ・アラビア科学を集大成した中世最大の学者の主著を原典から翻訳し詳細に注解〔内容〕鉱物：一般論・偶有性／宝石：石の効力・宝石の効能・石の印像／金属一般論：質量・偶有性／金属各論／石と金属の中間のような鉱物／他

R.M.ウッド著　法大 谷本 勉訳
科学史ライブラリー
地球の科学史
――地質学と地球科学の戦い――
10574-6 C3340　　　　　A5判 288頁 本体4800円

大陸移動説とプレートテクトニクスを中心に、地球に関するアイデアの変遷史を、生き生きと描く〔内容〕新石器時代／巨大なリンゴ／大陸移動説論争／破綻／可動説vs静止説／海洋の征服／プレートテクトニクス／地球の年齢／地質学の没落／他

P.J.ボウラー著
二重大 小川眞里子・中部大 財部香枝他訳
科学史ライブラリー
環境科学の歴史 I
10575-4 C3340　　　　　A5判 256頁 本体4800円

地理学・地質学から生態学・進化論にいたるまで自然的・生物的環境を扱う科学をすべて網羅する総合的・包括的な「環境科学」の初の本格的通史。〔内容〕認識の問題／古代と中世の時代／ルネサンスと革命／地球の理論／自然と啓蒙／英雄時代他

P.J.ボウラー著
三重大 小川眞里子・阪大 森脇靖子他訳
科学史ライブラリー
環境科学の歴史 II
10576-2 C3340　　　　　A5判 256頁 本体4800円

II巻ではダーウィンによる進化論革命、生態学の誕生と発展、プレートテクトニクスによる地球科学革命、さらに現代の環境危機・環境主義まで幅広く解説。〔内容〕進化の時代／地球科学／ダーウィニズムの勝利／生態学と環境主義／文献解題他

D.E.G.ブリッグズ他著　大野照文監訳
鈴木寿志・瀬戸口美恵子・山口啓子訳
バージェス頁岩化石図譜
16245-6 C3044　　　　　A5判 248頁 本体4800円

カンブリア紀の生物大爆発を示す多種多様な化石のうち主要な約85の写真に復元図をつけて簡潔に解説した好評の"The Fossils of the Burgess Shale"の翻訳。わかりやすい入門書として、また化石の写真集としても楽しめる。研究史付

小畠郁生編
化石鑑定のガイド (新装版)
16247-2 C3044　　　　　B5判 216頁 本体4800円

特に古生物学や地質学の深い知識がなくても、自分で見つけ出した化石の鑑定ができるよう、わかりやすく解説した化石マニア待望の書。〔内容〕I.野外ですること、II.室内での整理のしかた、III.化石鑑定のこつ。初版は1979年5月刊

日本古生物学会編
化石の科学 (普及版)
16230-8 C3044　　　　　B5判 136頁 本体5800円

本書は日本古生物学会創立50周年の記念事業の一つとして、古生物の一般的な普及を目的に編集された。数多くの興味ある化石のカラー写真を中心に、わかりやすい解説を付す。〔内容〕化石とは／古生物の研究／化石の応用

R.T.J.ムーディ／A.Yu.ジュラヴリョフ著
小畠郁生監訳
生命と地球の進化アトラス I
――地球の起源からシルル紀――
16242-1 C3044　　　　　A4変判 148頁 本体8500円

プレートテクトニクスや化石などの基本概念を解説し、地球と生命の誕生から、カンブリア紀の爆発的進化を経て、シルル紀までを扱う(オールカラー)。〔内容〕地球の起源／生命の起源／始生代／原生代／カンブリア紀／オルドビス紀／シルル紀

D.ディクソン著　小畠郁生監訳
生命と地球の進化アトラス II
――デボン紀から白亜紀――
16243-X C3044　　　　　A4変判 148頁 本体8500円

魚類、両生類、昆虫、哺乳類的爬虫類、爬虫類、アンモナイト、恐竜、被子植物、鳥類の進化などのテーマをまじえながら白亜紀まで概観する(オールカラー―)。〔内容〕デボン紀／石炭紀前期／石炭紀後期／ペルム紀／三畳紀／ジュラ紀／白亜紀

I.ジェンキンス著　小畠郁生監訳
生命と地球の進化アトラス III
――第三紀から現代――
16244-8 C3044　　　　　A4変判 148頁 本体8500円

哺乳類、食肉類、有蹄類、霊長類、人類の進化、および地球温暖化、現代における種の絶滅などの地球環境問題をとりあげ、新生代を振り返りつつ、生命と地球の未来を展望する(オールカラー)。〔内容〕古第三紀／新第三紀／更新世／完新世

上記価格(税別)は2005年2月現在